车辆先进技术丛书

汽车系统建模与仿真

AUTOMOTIVE SYSTEM
MODELING AND SIMULATION

郝亮　刘丛浩　刘立东　徐肖　等编著

化学工业出版社

·北京·

内容简介

《汽车系统建模与仿真》系统介绍了汽车工程领域建模与仿真的理论方法、工具应用及实践案例。全书从汽车系统开发基础理论出发，涵盖动力学、有限元、控制策略等核心内容，结合 CarSim、TruckSim、MATLAB/Simulink、ADAMS、ANSYS、CATIA 等主流工具，详细解析动力系统匹配、汽车稳定性控制、转向机构优化、分布式驱动巡航系统设计、电动汽车测试平台开发以及汽车结构力学与温度场仿真等关键技术。通过 Cruise/Simulink、TruckSim/Simulink 等联合仿真方法，实现从参数匹配、模型构建到控制策略验证的全流程闭环。

本书注重理论与实践结合，提供丰富工程案例及仿真结果分析，适合高等院校汽车工程专业师生、汽车研发工程师及仿真技术研究人员参考，助力提升汽车系统开发的效率与创新性。

图书在版编目（CIP）数据

汽车系统建模与仿真 / 郝亮等编著. — 北京 ：化学工业出版社，2026. 3. —（车辆先进技术丛书）.
ISBN 978-7-122-49919-6

Ⅰ. U463. 67

中国国家版本馆 CIP 数据核字第 2026HS1740 号

责任编辑：邢　涛　　　文字编辑：刘建平
责任校对：王鹏飞　　　装帧设计：韩　飞

出版发行：化学工业出版社
（北京市东城区青年湖南街 13 号　邮政编码 100011）
印　　装：涿州市般润文化传播有限公司
710mm×1000mm　1/16　印张 16¼　字数 289 千字
2026 年 3 月北京第 1 版第 1 次印刷

购书咨询：010-64518888　售后服务：010-64518899
网　　址：http://www.cip.com.cn
凡购买本书，如有缺损质量问题，本社销售中心负责调换。

定　　价：88.00 元　

“车辆先进技术丛书”编委会

前言

随着汽车产业向电动化、智能化、网联化的加速转型，汽车系统的复杂性与集成度日益提升。从传统动力总成的优化到新能源三电系统的创新，从机械结构优化到系统控制与测试，现代汽车开发已演变为涵盖机械、电子、软件、通信等多学科交叉、多领域协同的系统性工程。在这一背景下，汽车仿真技术凭借其高效、灵活和低成本的优势，成了贯穿汽车系统研发全生命周期的重要手段，推动着汽车工业的数字化革命。

本书旨在为汽车工程师、高校师生及科研人员提供系统化的汽车开发建模与仿真的方法与实践指南。通过理论阐述与工程实践相结合的方式，重点探讨如何运用汽车系统建模仿真软件构建高精度仿真模型以及实现汽车系统测试与开发。书中涵盖汽车结构设计与仿真优化、汽车动力学模型控制仿真、汽车动力系统建模、汽车系统测试平台搭建等汽车系统开发的核心技术。

本书围绕汽车系统建模与仿真的核心需求，结合理论方法与工程实践，系统讲解汽车动力学、有限元分析、控制策略开发及多学科联合仿真技术。全书共分为9章，第1章阐述汽车仿真技术发展脉络，解析汽车系统分类、动力学模型与有限元理论，归纳有限元仿真与系统动力学仿真的通用流程；第2章对比分析了CarSim、TruckSim、CATIA、ANSYS、ADAMS、MATLAB/Simulink等工具的功能特点，明确其在汽车设计中的适用场景；第3章以混合动力汽车为例，基于Cruise软件搭建整车模型，利用Simulink开发能量管理策略，并通过联合仿真验证系统的经济性与动力性；第4章基于TruckSim构建重型汽车多体动力学模型，设计LQR多轴转向控制算法，通过联合仿真评估汽车在高速工况下的稳定性；第5章采用ADAMS软件建立转向机构参数化模型，通过敏感度分析与多目标优化实现硬点布局优化，提升转向传动特性；第6章以分布式驱动汽车为例，建立动力学模型与雷达测距模块，开发分层式自适应巡航控制策略，实现跟车距离与车速协同控制；第7章基于LabVIEW设计虚拟测试平台，结合Simulink构建电机控制器硬件在环（HIL）

仿真系统，完成控制逻辑验证；第8章运用CATIA软件进行特种汽车上装结构三维参数化设计，通过ANSYS静力学仿真分析结构强度与刚度特性。第9章基于CFD方法建立方舱流固耦合模型，模拟瞬态制冷工况下的温度场分布，提出热管理优化方案。

本书的编写注重基础理论的解析与原理的系统化阐释，提供工业级软件操作范式与跨平台协同仿真方案，聚焦智能仿真技术革新与数字孪生体系构建，具备一定的实践性和前瞻性。

本书从策划到成稿得到了辽宁工业大学老师们的帮助与支持，在编写过程中参考了同行大量的论文、著作等研究成果，同时，辽宁航天凌河汽车有限公司高旭宏和辽宁陆平机器有限公司李夺也结合工程实践案例参与了第8章和第9章的编写工作，在此一并表达真挚的感谢。

由于汽车技术革新日新月异，书中难免存在不足之处，恳请业界同仁与读者不吝指正。希望本书能成为读者在汽车系统开发学习过程中的可靠伙伴，共同推动中国汽车工业向更智能、更可持续的未来迈进。

编著者

2025 年 6 月

目录

第 1 章

汽车系统建模与仿真基础

1.1 汽车建模与仿真软件的发展历程

1.1.1 汽车仿真软件的发展历程

汽车建模与仿真软件的发展经历了从早期的动力学仿真到基于模型的设计(MBD)，再到多物理场耦合仿真和云计算技术的应用。

早期阶段：早期的汽车仿真主要以动力学仿真为主，用于对整车的动力性、操纵稳定性、制动性等基础性能进行建模仿真。这一阶段的主要代表软件有 CarSim、TruckSim 等，反映了当时的动力学仿真水平。

发展阶段：随着辅助驾驶（ADAS）功能的开发，场景的概念开始被引入，出现了能够提供简单的道路环境和对交通汽车、行人等动态要素进行编辑的 ADAS 开发仿真软件，如 Prescan。这一时期，软件开始朝着基于模型的设计（MBD）方向发展，ISO 26262 也要求车规级软件需要基于 MBD 进行开发。

现代阶段：随着计算机科学和技术的进步，汽车仿真软件进一步发展，特别是在多物理场耦合仿真和云计算技术的应用方面取得了显著进步。例如，美国国家可再生能源实验室 NREL 开发的 ADVISOR 软件，该软件是可在 MATLAB 和 Simulink 环境下运行的高级汽车仿真软件；国内，云庐科技通过融合 CAE（计算机辅助工程）的数字孪生技术，实现了结构、流体、电磁、传热等领域的多物理场耦合仿真。此外，云计算和人工智能算法的应用，使得仿真算力、可靠性、易用性得到了提升。

未来趋势：随着技术的不断发展，汽车仿真技术将更加广泛地应用于汽车设计和优化、碰撞测试、悬挂系统优化等领域，为汽车设计和改进提供数据支持。同时，随着云计算和人工智能技术的进步，汽车仿真软件的算力和算法将不断升级，使得多物理场耦合仿真真正实现，仿真效果进一步优化。

综上所述，汽车建模与仿真软件的发展历程是从简单的动力学仿真到复杂的多物理场耦合仿真，再到云计算和人工智能技术的应用，这一过程不仅反映了技术的进步，也预示着未来汽车设计和开发将更加智能化和高效化。

1.1.2 汽车有限元软件的发展历程

汽车有限元软件的发展历程可以追溯到20世纪50年代，随着计算机技术的进步和计算方法的革新，有限元分析软件逐渐成为工程设计领域的重要工具。

初期发展：20世纪50年代，有限元分析方法首先在连续体力学领域应用，特别是在飞机结构静态、动态特性分析中，随后迅速扩展到求解热传导、电磁场、流体力学等连续性问题。在这一时期，有限元分析软件开始成为解决复杂工程问题的有效手段。

技术成熟：随着计算机技术的进步和图形处理技术的发展，CAE软件实现了更为直观的三维可视化功能，使得复杂的设计和分析过程变得更为透明。进入21世纪后，CAE软件更加集成化，能够处理单一物理场问题，还能进行多物理场耦合和多学科综合仿真，有助于解决实际工程中的复杂现象。

市场扩展：自1990年以来，CAE软件积极扩展功能，出现吞并的市场局面，大的软件公司通过收购小的专业软件商来提升自己的分析技术和拓展应用范围。同时，CAD（计算机辅助设计）技术的不断升级为CAE技术的推广应用打下了坚实的基础，各大分析软件向CAD靠拢，发展与各CAD软件适配的专用接口并增强软件的前后置处理能力。

在中国的发展：在中国，有限元软件的研发最早可追溯至20世纪60年代，尽管20世纪60年代有限元理论已经成熟，但受计算机条件限制，有限元软件主要基于分析功能进行研发。20世纪70年代初期，国内出现具有自主知识产权的有限元分析软件，但受限于软件的通用性和适用范围，市场推广和后续服务能力不足，限制了此类本土有限元软件的市场化及产业化进程。

综上所述，汽车有限元软件的发展历程伴随着计算机技术的进步和计算方法的革新，从最初的应用于结构力学分析逐渐扩展到多个工程领域，成为现代工程设计不可或缺的工具。

1.1.3　汽车系统动力学软件的发展历程

汽车系统动力学软件的发展历程可以从几个关键时期和事件来概述。

早期发展阶段：20 世纪 80 年代，随着电子控制单元（ECU）在汽车上的应用，汽车行业开始通过增加 ECU 来提升汽车功能，这一过程中汽车软件与硬件深度耦合，共同发展。

专业软件的出现：随着汽车智能化的发展，出现了专门针对汽车动力学仿真的软件，如 CarSim、TruckSim，这是由国际知名的汽车动力学专家 Thomas D. Gillespie 等人于 1996 年创立的 MSC 公司开发的。该系列软件在汽车制造商和零部件供应商中被广泛使用，成为汽车行业的标准软件。

技术创新与软件进步：MSC 公司利用其开发的多刚体动力学软件 VehicleSim 技术，进一步开发了 CarSim、TruckSim 等软件，这些软件能够对汽车在驾驶员、路面及空气动力学等输入响应下的状态进行仿真，真实反映汽车的操纵稳定性、制动性等性能。

智能化时代的到来：进入 21 世纪，随着汽车智能化的发展，软件定义汽车（SDV）的时代到来。全球的汽车企业、科技公司开始投入智能汽车的研发，智能汽车快速抢占市场，自动驾驶技术的搭载率和等级不断提升。

仿真软件的技术进步：在仿真软件方面，除了 CarSim、TruckSim 之外，还有其他重要的仿真软件如 DYNA4，它提供了不同的 License 类型以适应不同的用户需求，并在仿真过程中提供详细的汽车模型定义和执行工况，以及自动生成测试报告。

多体系统动力学软件的发展：在更广泛的工程领域，如航空航天、铁路和汽车系统，也有专门的多体系统分析软件，如 MEDYN 等，这些软件用于模拟计算汽车的动态行为，提供强大的建模、计算和后处理功能。

综上所述，汽车系统动力学软件的发展从早期的专业仿真软件到适应智能化时代的需求，促进了从汽车行业到更广泛的工程应用领域的进步和创新。

1.2　汽车系统建模与仿真基本理论

1.2.1　汽车系统的分类

汽车系统可以分为多个部分，包括但不限于传动系统、制动系统、转向系统、行驶系统、发动机系统、冷却系统、悬挂系统、空调系统、燃油系统、驱动系统、电气系统、安全系统等。

传动系统主要由离合器和变速器组成，确保汽车在不同条件下所需的牵引力和车速，并协调牵引力和车速的关系。制动系统保证汽车安全行驶，能在行驶过程中减速或稳定停车。转向系统根据驾驶员的要求改变或保持汽车行驶或倒退的方向，对行驶安全至关重要。行驶系统通过车轮将发动机动力传递给地面，保证行驶准确性。发动机系统是汽车的核心，包括气缸体、曲轴等部件，将化学能转化为机械能驱动汽车运行。冷却系统由水泵、散热器等组成，散发发动机产生的热量，保持正常工作温度。悬挂系统由减震器、弹簧等组成，减缓行驶时的振动，保证稳定性。空调系统由压缩机、冷凝器等组成，调节车内温度和湿度。燃油系统由燃油泵、喷油器等组成，将燃料输送到发动机中燃烧。驱动系统由驱动轴、差速器等组成，将发动机转矩传递到车轮上。电气系统包括电池、发电机等，为汽车提供电力。安全系统包括安全气囊、安全带等，保障乘车人员安全。

此外，还有其他一些系统，如润滑系统、分动箱系统、信息娱乐系统、排放系统等，这些系统共同确保了汽车的正常运作和乘客的安全舒适。

1.2.2 典型汽车系统动力学模型

典型的汽车系统动力学模型主要包括全局坐标系下的汽车动力学模型、道路坐标系下的汽车动力学模型、二自由度模型、点质量汽车动力学模型、重型汽车四自由度非线性动力学模型，以及考虑道路表面形貌特征的三维路面谱模型。

全局坐标系下的汽车动力学模型和道路坐标系下的汽车动力学模型在自动驾驶汽车控制中尤为重要，它们考虑了汽车的横向力和力矩平衡，以及轮胎侧偏角和侧偏刚度对汽车运动的影响。二自由度模型描述了横向加速度、横摆角加速度与轮胎转角之间的关系，是汽车动力学模型中的基础模型之一。点质量汽车动力学模型是一种简化的模型，忽略了汽车的尺寸信息以及由纵、横向加速度引起的载荷转移，通常用于无人驾驶汽车的路径规划阶段，以降低计算量。重型汽车四自由度非线性动力学模型考虑了汽车的更多细节，如轮胎与路面的相互作用，适用于重型汽车的动力学分析。

考虑道路表面形貌特征的三维路面谱模型进一步考虑了道路表面的复杂性和轮胎与路面的互动，通过分形理论和粗糙路面接触理论，建立了更真实的汽车与道路互动模型。

这些模型的选择取决于具体的应用场景和需求，例如，是否需要考虑道路曲率、轮胎滑移、汽车尺寸等因素。每种模型都有其适用范围和限制，选择合适的模型对于准确模拟汽车行为至关重要。

1.2.3 有限元理论基础

有限元方法是一种数值分析方法，用于解决工程和数学中的复杂问题。它的理论基础主要包括数值模拟技术、能量原理以及将连续的物理现象离散化为有限个单元进行分析和计算的过程。

数值模拟技术：在工程技术领域，许多力学问题和场问题可以通过建立微分方程和边界条件来描述。对于简单问题，可以直接求解得到解析解；但对于复杂问题和不规则的边界条件，需要采用数值模拟技术来获得工程数值解。有限元方法是一种有效的数值计算方法，适用于处理复杂的工程结构受力与响应分析。

能量原理：有限元方法基于能量原理，是一种数值计算方法，可以看作里茨法的扩展。它将连续的求解域离散化为有限个单元，每个单元通过节点相互连接，并假设一个近似插值函数来表示单元中场函数的分布规律。通过利用力学中的变分原理建立有限元方程，将无限自由度问题转化为有限自由度问题，进而求解节点值以确定整个求解域上的场函数。

离散化过程：有限元方法的离散化过程包括将连续的结构体划分为有限个单元，每个单元通过节点相互连接。这种方法允许处理复杂的几何形状和边界条件，同时适应计算机的计算能力进行高效计算。随着计算机技术的发展，有限元方法在弹性力学和结构力学领域的应用得到了迅速的发展，成为工程结构分析的重要工具。

综上所述，有限元方法的理论基础涵盖了数值模拟技术、能量原理以及离散化过程，为解决复杂工程问题提供了一种有效数值分析方法。

1.3 汽车系统建模与仿真的一般思路

1.3.1 汽车有限元仿真的一般思路

汽车有限元仿真的一般思路主要包括以下几个关键环节。

准备几何模型：根据汽车结构构件的特点，选择合适的单元类型进行模拟。这包括实体结构、板壳结构和杆系结构的建模。实体结构通常较为简单直观，但可能需要简化、修复或添加用于加载的印记等操作。板壳结构多用于模拟薄壁结构，而杆系结构则适用于模拟杆状构件，如桁架、梁等。不同类型的结构之间可通过多点约束方程技术实现连接。

模型的装配：这里的模型装配指的是各部件（构件）之间的受力关系意义上的装配，包括接触、Joint 节点、弹簧、梁、焊点、约束方程、网格连接等方式，以确保各构件之间可以传递力的作用。

网格划分：通过单元组合体来近似描述实际结构，网格划分的关键在于网格划分选项的控制，这些控制可以分为总体控制和局部控制两大类，其中，局部控制选项具有更高的优先级。

有限元仿真分析：将连续体假想地分割成有限个单元所组成的组合体，这些单元在顶角处相互连接，称为节点。通过节点来传递内力，满足变形协调条件，即不能出现裂缝或重叠。在有限元仿真分析中，节点位移作为基本未知量，通过假设一个简单的函数近似地表示单元内位移的分布规律，再利用力学理论中的变分原理或其他方法，建立节点力与位移之间的力学特性关系，得到一组以节点位移为未知量的代数方程，从而求解节点的位移分量。

通过上述步骤，可以对汽车进行有限元仿真分析，以评估汽车的结构性能、耐久性以及安全性等，为汽车设计和改进提供依据。

1.3.2 汽车系统动力学仿真的一般思路

汽车系统动力学仿真的一般思路主要包括建立准确的动力学模型、参数设定、工况设定、仿真计算、结果分析和优化设计。

建立准确的动力学模型：运动学模型的准确性直接影响动力学仿真效果。动力学模型描述了汽车在不同路面条件下运动学和动力学方程的建立。这些方程描述了汽车在不同路面条件下的运动轨迹和姿态，以及在不同工况下的运动性能。模型的准确性直接影响到仿真结果的可靠性。

参数设定：根据汽车的具体参数和假设条件进行设定，如汽车质量、几何尺寸、轮胎摩擦系数等。这些参数直接影响汽车的仿真性能指标，如加速度、制动距离、最大行驶速度等。

工况设定：模拟汽车在实际使用中可能遇到的各种情况，如不同路况、不同速度等，以便全面评估汽车的性能。

仿真计算：根据设定的参数和工况，进行计算机仿真计算，得出汽车在不同条件下的性能数据。

结果分析：对仿真结果进行数据分析，评估汽车的性能指标，如稳定性、操控性能等。

优化设计：基于仿真结果，对汽车设计进行优化，提高汽车的性能和可靠性。这包括对不同设计方案的比较和评估，以及故障诊断和排除等。

通过这一系列步骤，可以全面评估汽车系统的性能，为汽车设计提供有力的支持和指导。

思考题

1. 简述几种典型系统动力学模型。
2. 简述有限元方法的离散化过程。
3. 简述汽车系统动力学仿真的一般思路。

第2章

汽车设计开发常用仿真软件介绍

2.1 汽车动力学仿真软件简介

2.1.1 CarSim

CarSim 是由 MSC（mechanical simulation corporation，机械仿真公司）开发的一款专注于汽车动力学的仿真软件。MSC 成立于 1996 年，主要产品包括 CarSim、TruckSim、BikeSim 和 SuspensionSim 等，这些软件在汽车行业享有很高的声誉，并被广泛应用。

CarSim 所建立的模型在电脑上的运行速度比实际快 3～6 倍，能模拟汽车对驾驶员、路面、空气动力学输入的响应，主要用来预测和模拟汽车整车的动力性、制动性、平顺性、经济性和操纵稳定性，适用于轿车、运动型多用途汽车、轻型载货汽车、轻型多用途运输车等汽车的建模仿真分析。CarSim 可以在一台主频率是 3GHz 的计算机上以 10 倍于实时的速度运行，支持硬件在环（HIL）和软件在环（SIL）的实时仿真。其用户自定义功能能够使用户灵活地定义测试环境和测试流程，并对整车各系统的特性参数和特性文件进行详细定义，为用户提供多种车型的建模数据库，并支持输出自定义变量的仿真结果。此外，CarSim 能够通过 MATLAB、Excel 等软件进行绘图和分析，包括图形化数据管理界面、汽车模型求解器、绘图工具、三维动画回放工具、功率谱分析模块等，能以图形曲线和三维动画的形式来观察仿真的结果。CarSim 还能够扩展为 CarSim RT，CarSim RT 是实时汽车模型，提供与一些硬件实时系统连接的接口，联合进行硬件在环（HIL）仿真。CarSim 软件拥有友好的图形用户界面，能够方便快捷地进行建模仿真。

CarSim 广泛应用于汽车控制系统的开发，包括自动驾驶系统的仿真测试。在自动驾驶系统仿真中，CarSim 可以帮助用户创建汽车模型和道路模型，并通过仿真来评估和优化自动驾驶系统的性能。CarSim 可以和 MATLAB/Simulink 联合进行仿真，使仿真过程更高效，提升仿真的可靠性和精确性。这种联合仿真方式在自动驾驶系统的开发和测试中尤为重要，因为它可以模拟更加复杂的实际驾驶场景和汽车动力学特性。

2.1.2 TruckSim

TruckSim 是一款专门用于载货汽车、客车、半挂车、多轴军用汽车等进行动态仿真设计的软件，由美国机械仿真公司（MSC）开发。主要作用是对汽车整车的动力性、制动性、平顺性、经济性和操纵稳定性进行仿真预测。

TruckSim 使用面向特性的参数化建模手段，用户可以通过图形用户界面轻松设定和调整特性参数。与 CarSim 相同，TruckSim 同样具有丰富的数据库，提供详细的索引文档，涵盖软件的各个方面，并包括许多示例汽车、道路和程序，以帮助首次使用的用户。TruckSim 的用户界面直观易用，具有功能强大的分析工具，能够帮助用户创建复杂的场景并进行事件序列的测试。在接口兼容性方面，TruckSim 具有与 MATLAB/Simulink 通信的标准接口，可以实现与 MATLAB/Simulink 的联合仿真，提高仿真效率。

TruckSim 软件的组成主要有四个部分：

图形化数据库：包含整车模型数据库、控制输入数据库和仿真设置数据库等，可以方便地通过图形界面访问和修改汽车属性、控制输入和仿真条件。

汽车数学模型及求解器：用于仿真汽车的动力学特性，创建精确的汽车数学模型，并通过高效的求解器进行仿真计算。

仿真动画显示器：以三维动画形式展现仿真结果，直观地展示汽车在各种工况下的动态表现。

绘图器：具有丰富的绘图功能，用于查看仿真结果曲线，方便对仿真数据进行比较分析。

TruckSim 广泛应用于现代汽车系统的开发，特别是商用车和军用汽车的动力学性能分析和控制器开发。通过仿真，汽车制造商和研发单位可以预测汽车在不同工况下的性能表现，优化汽车设计，提高产品的市场竞争力；可以利用 TruckSim 进行建模和动力学性能仿真，对比分析仿真结果与理论计算值，以验证模型的精确性；可以利用 TruckSim 与 MATLAB/Simulink 联合仿真的方法，研究某轻型客车的侧倾稳定性问题，从而提高汽车的安全性能。

2.2 汽车三维建模软件简介

2.2.1 CATIA

CATIA 是法国达索系统公司（dassault systems）开发的一款功能强大的三维设计软件，也是该公司产品研发的旗舰解决方案。CATIA 是 PLM（product lifecycle management，产品生命周期管理）协同解决方案的关键组成部分，广泛应用于航空航天、汽车制造、船舶制造、机械制造、电子电器等多个领域。支持完整的工业设计流程，涉及从项目前阶段、具体设计、分析、模拟、组装到维护的各个环节。

CATIA 整合 CAD（计算机辅助设计）、CAE（计算机辅助工程）和 CAM（计算机辅助制造）等多个模块，提供从设计到制造的一体化解决方案。CATIA 具备很强的实体建模、曲面建模和零件装配能力，可以满足复杂产品的设计需求。

支持对产品进行各种仿真和分析，包括动力学仿真、结构强度仿真、流体仿真等，在产品的设计阶段帮助工程师预测产品的性能。

CATIA 起源于 20 世纪 70 年代的法国，最初由 Dassault Aviation（现为达索系统公司的一部分）开发，并逐渐成为航空航天领域的首选设计软件。随着现代技术不断发展，CATIA 也不断更新迭代，现在主要分为两个系列，包括 V4 和 V5 版本。V5 版本在 V4 版本的基础上进行了重新构造，采用了新一代的技术和标准，界面更加友好，功能也更加强大，广泛应用于 UNIX 系统和 Windows 系统。CATIA V5 版本包括基础结构、机械设计、形状、分析与模拟、CAE 工厂、加工、数字模型、设备与系统、制造的数字处理、加工模拟、人机工程学设计与分析、知识工程和 ENOVIA V5 VPM 等 13 个模块，设计人员可结合个人需求选择适合的模块进行组合使用。

在航空航天、汽车制造、船舶制造等行业，CATIA 有着广泛应用。例如，波音飞机公司利用 CATIA 完成波音 777 的整体数字化装配过程；克莱斯勒、宝马和奔驰等汽车制造商也广泛采用 CATIA 进行设计和制造。

2.2.2 SolidWorks

SolidWorks 是达索系统（dassault systemes）公司旗下的子公司，主要负责机械设计软件视窗产品的研发和销售。SolidWorks 公司最早的目标是将一系列具有生产力的实体模型设计系统提供给每个设计师。1997 年，SolidWorks 公司被法国达索系统公司收购，成为达索系统公司在中端主流市场的主打品牌。

SolidWorks 是世界上首款基于 Windows 平台开发的三维 CAD 软件，在技术上顺应了 CAD 技术的发展趋势和潮流，使其在 CAD/CAM 产业中迅速崛起，成为收益较高的公司之一。SolidWorks 的操作界面设计得直观易懂，对熟悉 Windows 系统的用户而言十分友好，其操作界面风格与 Windows 系统保持一致，非常人性化，因而具备使用简单、操作方便的特点，用户可以快速上手进行设计工作。其拖拽功能使大型装配设计变得简单快捷。SolidWorks 提供了实体建模、曲面设计、钣金设计、零件装配、工程图生成等能够满足复杂产品设计需求的功能模块。SolidWorks 支持多用户协同工作，可以方便地共享设计数据和文件，提高设计效率。通过配置管理，对不同参数的变换和组合，用户能够在一个 CAD 文档中衍生出不同的零件和装配体。

SolidWorks 简单易学，并具有很强的辅助分析功能，现在已经广泛应用于各个行业中，如机械设计、工业设计、电装设计、消费类产品及通信器材设计、汽车设计等行业。SolidWorks 常用于机械产品的设计，产品在设计过程中被放置于三维空间中，设计工程师根据设计思路绘制草图，最终生成实体零件和装配体，所设计的模型通过内置的辅助功能模块进行功能模拟与分析，并根据仿真结果对设计进行优化，最终生成详细工程图，再进行产品生产。

2.2.3 UG

UG（Unigraphics/NX）是 Siemens 公司开发的 CAD/CAM/CAE 一体化集成软件，为用户的产品设计及加工过程提供数字化建模和验证工具。UG 软件的开发始于 1969 年，是基于 C 语言开发实现的。UG 是一款利用自适应多重网格方法，在二维和三维空间无结构网格上开发出的数值求解偏微分方程的软件工具。

UG 提供了强大的产品设计功能，包括三维建模、工程制图、装配设计、模具设计、数控加工模拟及自动编程、钣金设计、布管布线设计等模块，能够满足复杂产品的设计需求。UG 的加工仿真功能可以模拟整个加工过程，帮助用户发现和解决潜在的问题，提高加工效率和质量。UG 提供包括有限元分析、机构运动学分析、动力学分析等在内的多种工程分析功能，能够对所设计的模型进行详细的性能评估和预测。UG 提供了完善的数据管理功能，可以方便地管理设计数据和文件，支持多用户协同工作。UG 提供了丰富的允许用户根据个人需求定制开发的二次开发接口和工具。

UG 软件广泛应用于多个领域，例如航空航天、汽车、船舶、模具、电子电器等。在航空航天领域，采用 UG 对飞机发动机等复杂产品进行设计和制造；在汽车领域，采用 UG 对汽车整车、零部件进行设计和分析；在模具设计领域，可以使用 UG 对模具进行建模设计、仿真和优化等。UG 软件最早是在 1969 年由美国麦道飞机公司（McDonnell Douglas）开发，到 1991 年美国通用汽车公司开始使用 UG 软件，使 UG 成为汽车行业 CAD/CAE/CAM 的霸主。随着技术的不断发展，UG 软件也不断更新迭代，目前已经成为 Siemens PLM Software 公司旗下的重要产品之一。

2.3 汽车有限元分析软件简介

2.3.1 ANSYS

ANSYS 是一家全球领先的工程仿真软件公司，1970 年成立。其产品广泛应用于包括航空航天、汽车、电子、生物医学、能源等在内的各个工业领域，帮助这些行业的客户解决复杂的工程问题。专注于提供工程仿真技术和相关软件，帮助工程师和设计人员在设计阶段就能预测产品在实际环境中的表现，从而实现设计方案的优化，并能够使产品质量提高、生产成本降低。

ANSYS 软件套件涵盖了如结构分析、流体分析、电磁场分析、热分析、疲劳分析、优化设计等多个模块，这些模块可以单独使用，也可以集成在一起，为用户提供全面的仿真解决方案。ANSYS 软件包括 3 个部分：前处理模块、分析计算模块和后处理模块。前处理模块为用户方便地构造有限元模型提供了强大的实体建模和网格划分工具。分析计算模块包含结构分析（其中又分为线性分析、非线性分析和高度非线性分析）、流体分析、多物理场耦合分析、电磁场分析、声场分析和压电分析等多方面内容，能够仿真很多物理介质间的相互作用，有灵敏度分析和优化分析能力。后处理模块可以将计算结果以彩色等值线显示、梯度显示、矢量显示、粒子流迹显示、立体切片显示、透明及半透明显示等图形方式显示出来。

作为多物理场的优化分析平台，ANSYS 公司的 ANSYS Workbench 平台整合了占据流体市场较大份额的 Fluent 和 CFX 软件，集成了具有软件之间数据耦合功能的电磁行业分析标准的 Ansoft 系列软件，极大地方便了使用者。ANSYS Workbench 能够与包括 AutoCAD、CATIA、SolidWorks、UG 和

ProE 等软件在内的许多 CAD 软件实现数据共享和交换。ANSYS Workbench 还可以与包括 ABAQUS、NASTRAN、I-DEAS、NX 和 ALGOR 等在内的主流 CAE 软件进行数据交换。

ANSYS 在全球工程仿真软件市场中占据领先地位，其产品和技术在行业内享有很高的声誉。ANSYS 一直致力于技术创新和产品研发，不断推出新的功能和模块，以满足市场不断变化的需求。ANSYS 与全球多家知名企业和机构建立了合作关系，并获得了多项认证和荣誉，进一步巩固了其在行业内的领先地位。

2.3.2 ADAMS

ADAMS 是一款多体动力学仿真软件，由 MSC 公司开发。该软件在机械系统仿真方面处于领先地位，在汽车、航空航天、铁路、重型机械等行业应用广泛。

ADAMS 可以在设计阶段帮助工程师优化产品性能，模拟机械系统中的运动和动力学行为，支持刚体、弹性体、柔性体等多种类型的动力学系统建模与分析。ADAMS 支持与有限元分析软件进行整合，在机械系统中分析应力和变形，提供更全面的系统性能评估。ADAMS 包括 ADAMS/View、ADAMS/Solver、ADAMS/PostProcessor 等多个模块，提供从建模、求解到结果后处理的完整解决方案。通过虚拟样机技术，工程师能够在电脑上进行模拟仿真，能使物理样机的数量减少，并且节约实验成本。支持用户通过 ADAMS/Scripting 和 ADAMS/View Command Language（VCL）的定制和扩展来满足特定的仿真需求。ADAMS 具有高级控制仿真功能，可以模拟和验证控制系统的性能，优化系统的控制策略。ADAMS 可以进行多物理场耦合仿真，如机械-电磁耦合、机械-流体耦合等，模拟不同物理场之间的相互作用。提供强大的结果分析和可视化工具，帮助工程师理解仿真结果，导出各种图表、动画和报告。具有校准和验证功能，可以根据实验数据进行模型参数和关键参数的校准，提高仿真的准确性和可信度。支持与其他工程软件（如 CAD 软件、CAE 软件和控制系统软件）的协作和集成，实现全面的工程仿真分析。

ADAMS 主要用于汽车动力学仿真，包括汽车悬挂系统、转向系统和制动系统等的性能评估和优化；机械系统的动力学分析，如机械装置、机床、传动系统等的性能分析，帮助工程师进行优化设计，减少振动和噪声；飞行器的动力学建模和仿真，如对飞机起落架、机翼、螺旋桨系统等分析，评估飞行性能、稳定性和操纵性；机器人系统动力学仿真和控制，优化机器人路径规划、动作执行和稳定性；模拟运动器材和装备的运动过程、建筑结构的动力学分析等。

2.4 其他常用软件

2.4.1 MATLAB

MATLAB是由美国MathWorks公司开发的一款数学计算软件，广泛应用在数据分析、无线通信、深度学习、图像处理与计算机视觉、信号处理、量化金融与风险管理、机器人和控制系统等多个领域。MATLAB由Matrix和Laboratory两个单词合并而成，代表的意思是矩阵实验室。

MATLAB具有多种数据分析工具，用户能够利用这些工具对数据进行探查、建模和可视化，帮助用户更好地理解数据。结合了适合迭代分析和设计过程的桌面环境与直接表达矩阵和数组运算的编程语言，用户可以创建脚本、函数和类，实现复杂的算法开发。MATLAB具有强大的图形处理功能，能够对数据进行可视化和探查，生成高质量的图形和图表。提供多个经过专业开发、严格测试并拥有完善帮助文档的工具箱，涵盖了信号处理、图像处理、控制系统分析等多个领域。MATLAB可以与Python、C/C＋＋、FORTRAN、Java等其他编程语言结合使用，方便用户在不同语言之间进行数据交换和程序集成。MATLAB支持将算法与硬件相结合，通过连接外部硬件设备进行实时数据采集和处理，利用多核台式机、GPU、网格、集群和云进行大规模计算，提高计算效率，可将程序部署到Web和桌面环境，方便用户共享和使用MATLAB程序。MATLAB的基础数据单位为矩阵，它的指令表达式很接近数学和工程中常用的形式。

MATLAB可以使用控制系统工具箱进行系统建模、仿真和设计，加快控制系统的开发过程，例如线性控制、非线性控制、模糊控制和自适应控制等。MATLAB在深度学习方面提供了强大的优化算法和训练技术，帮助用户有效地训练神经网络模型。用户可以灵活设置训练参数，监控训练过程，并对模型进行调优，支持使用GPU加速训练过程，显著缩短训练时间。MATLAB可以进行图像处理和计算机视觉的研究，采集、处理、分析图像和视频以进行算法开发和系统设计。

2.4.2 LabVIEW

LabVIEW是美国国家仪器（national instruments，NI）公司开发的程序

开发环境，用于数据采集、仪器控制和工业自动化等领域。LabVIEW 使用图形化编程语言和提供集成开发环境（IDE），它利用图形化编辑语言 G 语言来编写程序，生成的程序以框图形式呈现出来。LabVIEW 是图形化编程，直观易用，适合非专业程序员快速开发复杂的控制和数据分析系统。

虚拟仪器（virtual instruments，VI）可以让用户通过将图标拖放到编辑器中并连接它们的方式来编写程序，这种方式使得编程过程更加直观和易于理解。所产生的程序为框图的形式，类似流程图，便于用户查看和修改。LabVIEW 鼓励模块化的设计思想，即将不同功能模块化为独立的 VI，这些模块可以在同一项目中重复使用或在不同项目中进行共享。LabVIEW 可以与各种数据采集设备、仪器和控制设备进行集成，支持各种通信接口和协议，如 GPIB、USB、以太网。LabVIEW 提供了大量的工具包和模块，用于数据分析、信号处理、控制系统设计、图像处理等领域，这些工具使得用户能够快速构建各种复杂的应用程序。LabVIEW 支持多种操作系统，包括 Windows、MacOs 和 Linux 等。

常见的测试仪器和数据采集设备一般有专用的 LabVIEW 驱动，使用 LabVIEW 能够很容易地对这些硬件设备进行控制。在工业自动化系统中，数据的采集、监控和控制任务都可以使用 LabVIEW。支持嵌入式系统的开发，可搭配嵌入式硬件以满足特定的功能需要。LabVIEW 因其直观易用的图形化编程界面和强大的功能，被广泛应用于教育和科研领域，帮助学生和科研人员快速构建用于算法验证和数据分析的实验平台。

2.4.3 Cruise

Cruise 是一款专门用于研究汽车动力性、燃油经济性、排放性能和制动性能的高级仿真分析软件，由奥地利的 AVL 公司开发。这是一款用于整车性能模拟的高级仿真分析软件，并在汽车开发过程中广泛应用于动力传动系统匹配和汽车性能预测的高效、方便、快捷的汽车动力学模拟工具。

Cruise 采用模块化设计理念，能够对所有结构形式的汽车传动系统进行建模仿真，用户能够根据需求创建各种不同布置结构的汽车模型。Cruise 的求解器很复杂并且完整，能够确保计算的速度和准确性。在 Cruise 图形化用户界面中，用户能够迅速创建系统的结构框图并添加相应的控制模块，只需要简单地拖动模型里的元件就能实现。Cruise 具有高度的可配置性和可扩展性，支持多种传感器和汽车模型的接入，可以满足不同汽车的仿真分析需求。

Cruise 能够进行动力性仿真、燃油经济性仿真、排放性能仿真、制动性能仿真等汽车性能仿真，能够对汽车的关键性能进行计算和分析。

Cruise 应用于机械制造、传统汽车、新能源汽车、航空航天等领域，为产品开发提供了重要的技术支持。随着计算机技术的进步和数值模拟方法的改进，该软件逐渐增加了多体动力学、热管理、控制系统等模块，形成了完整的汽车性能模拟解决方案。目前，Cruise 在电动汽车、混合动力汽车等新兴领域得到了广泛的应用，逐渐成为汽车性能模拟领域的主流软件。

思考题

1. 汽车动力学仿真软件主要有哪些？它们的特点和用途分别是什么？

2. 汽车三维建模软件主要有哪些？它们的特点和用途分别是什么？

3. 汽车有限元分析软件主要有哪些？它们的特点和用途分别是什么？

4. 其他常用软件如 MATLAB、LabVIEW 和 Cruise 的特点和用途分别是什么？

第3章

双动力汽车动力系统建模与仿真

双动力汽车动力系统的建模与仿真是指通过分析汽车动力性和经济性的匹配原则，对汽车的发动机、电机和动力电池、传动系统等进行参数匹配。本章通过 Cruise 软件建立整车仿真模型，并建立基于规则的控制策略，将建立的控制策略加载到仿真软件中进行仿真分析，以此验证汽车模型的可靠性以及策略的可行性。

3.1 双动力系统参数匹配设计计算及系统仿真模型建立

3.1.1 参数匹配设计计算

动力性和经济性是汽车性能的重要指标，动力性包括最高车速、加速时间和最大爬坡度；经济性是指在汽车动力性满足的情况下，以尽量少的燃油消耗量经济行驶的能力[1]。

最高车速是指在水平良好的路面（混凝土或沥青路面）上汽车能达到的最高行驶车速。对于双动力汽车来说，发动机和电机一起运行时车速达到最大，且爬坡加速度为 0，根据汽车的行驶平衡公式，可求出最大车速：

$$u_{\mathrm{amax}}=\sqrt{\frac{21.15(F_{\mathrm{t}}-mgf)}{C_{\mathrm{D}}A}} \tag{3-1}$$

式中 F_{t}——汽车驱动力，N；

f——轮胎滚动阻力系数；

C_D——空气阻力系数；

m——整车质量，kg；

A——迎风面积，m^2；

g——重力加速度，m/s^2，一般为 $9.8m/s^2$。

原地起步加速时间指汽车由Ⅰ挡或Ⅱ挡起步，并以最大的加速强度（包括选择恰当的换挡时机）逐步换至最高挡后到某一预定的距离或车速所需的时间，超车加速时间指用最高挡或次高挡由某一较低车速全力加速至某一高车速所需的时间。常用 0～30km/h 加速时间作为评价指标，可通过式(3-2) 进行计算：

$$t=\int_{u_0}^{u_1}\frac{\delta m}{F_t-F_f-F_w}du \tag{3-2}$$

式中 u_0——汽车初始速度，km/h；

u_1——汽车结束时的速度，km/h；

δ——旋转质量换算系数；

F_f——轮胎的滚动阻力，N；

F_w——空气阻力，N。

汽车的上坡能力是用满载（或某一承载质量）时汽车在良好路面上的最大爬坡度表示的，通常用第一挡测试，最大坡度角可以通过式(3-3) 进行计算：

$$\alpha=\arcsin\left(\frac{F_t-F_f-F_w}{mg}\right) \tag{3-3}$$

式中 α——最大坡度角。

汽车的燃油经济性常用一定运行工况下汽车行驶百公里的燃油消耗量或一定燃油量下汽车的行驶里程来衡量。

(1) 整车功率匹配设计

双动力系统的参数设计与汽车的动力性和经济性有直接的关系。发动机和电机的功率至关重要。在进行参数匹配时，应在确保汽车的动力性能的情况下，尽量地改善燃油经济性。整车需求的总功率必须满足最高速度、最大爬坡度和加速时间等方面的要求[2]。

① 根据最高车速确定所需要的整车功率，其计算公式如下：

$$P_{max1}=\frac{1}{\eta}\left(\frac{mgfu_{max1}}{3600}+\frac{C_DAu_{max1}^3}{76140}\right) \tag{3-4}$$

式中 η——整车传动效率；

u_{max1}——最高车速；

m——整车满载质量；

g——重力加速度。

② 整车功率可以根据最大爬坡度来确定，当假设空气阻力接近 0 时，可以通过式(3-5) 进行整车功率的计算：

$$P_{max2}=\frac{1}{\eta}\times\frac{mgf\cos\alpha+mg\sin\alpha}{3600}u \tag{3-5}$$

式中　P_{max2}——最大爬坡度的总功率需求，kW；

u——重型牵引挂车爬坡时的汽车速度；

m——重型牵引挂车满载质量；

α——40%坡度对应的坡度角。

③ 根据加速时间确定整车功率，其计算公式如下：

$$P_{max3}=\frac{V_m}{3600\eta_t t_m}\left(\frac{\delta m V_m}{7.2}+\frac{mgft_m}{1.5}+\frac{C_D A V_m^2 t_m}{21.15\times 2.5}\right) \tag{3-6}$$

式中　P_{max3}——加速性能确定的总功率需求，kW；

t_m——0～30km/h 拟加速时间；

V_m——加速末速度值；

δ——质量系数。

动力最大的总功率应满足以下公式：

$$P_{max}\geqslant\max(P_{max1},P_{max2},P_{max3}) \tag{3-7}$$

（2）发动机参数匹配设计

如果发动机功率过高，则整个汽车的燃油消耗会上升；若功率过小，在发动机动力不足时，需要电机提供辅助驱动，电机的体积越来越大，会加大布置难度。又因特种汽车经常在有坡路段行驶，发动机单独运行时，需要达到爬坡20%的最大功率[3]。

$$P_{emax}=\frac{u}{3600\eta}(mgf\cos\alpha+mg\sin\alpha) \tag{3-8}$$

式中　P_{emax}——发动机最大功率，kW。

在计算 P_{emax} 的同时还应考虑 10%左右的功率余量。

（3）电机参数匹配设计

电机的主要技术参数包括额定功率和峰值功率等，发动机无法满足驱动需求时，为使整车动力得到满足，需要电机驱动，即：

$$P_{mmax2}>P_{max}-P_{emax} \tag{3-9}$$

式中　P_{mmax2}——电机的峰值功率，kW；

P_{max}——整车需求功率，kW。

因为额定功率须符合纯电工况下的动力要求，所以电机的额定功率需满足：

$$P_{\mathrm{u}} \geqslant \frac{V_{\mathrm{emax}}}{3600\eta_{\mathrm{m}}}\left(m_1 gf+\frac{C_{\mathrm{D}}AV_{\mathrm{emax}}^2}{21.15}\right) \tag{3-10}$$

式中　P_{u}——电动时总额定功率，kW；

V_{emax}——纯电动最大车速；

m_1——考虑电机驱动的整车质量，取 87000kg；

η_{m}——电机传动效率。

电机的峰值功率可由汽车从静止状态匀加速到 30km/h 且加速时间小于 14s 的要求确定，即：

$$P_{\mathrm{umax}}=\frac{1}{3600\eta_{\mathrm{m}}}\left(\delta mV_{\mathrm{u}}\frac{\mathrm{d}V_{\mathrm{u}}}{\mathrm{d}t}+mgfV_{\mathrm{u}}+\frac{C_{\mathrm{D}}AV_{\mathrm{u}}^3}{21.15}\right) \tag{3-11}$$

式中　V_{u}——纯电动行驶时车辆行驶的纵向速度，m/s。

（4）动力电池参数匹配

电机以最大功率输出时，为满足汽车的动力性，电池需提供给电机最大功率，即：

$$P_{\mathrm{B}} \geqslant \frac{P_{\mathrm{mmax}}}{\eta_{\mathrm{m}}}+P_{\mathrm{acc}} \tag{3-12}$$

式中　P_{mmax}——动力电池能够输送给电机的最大输出功率，kW；

P_{acc}——车载附件的功率。

电池的容量由电池能量密度和功率密度所确定：

$$Q_{\mathrm{ess}} \geqslant \frac{P_{\mathrm{B}}W_{\mathrm{e}}}{W_{\mathrm{p}}U_{\mathrm{s}}} \tag{3-13}$$

式中　Q_{ess}——电池容量，A·h；

W_{e}——电池能量密度，50Wh/kg；

W_{p}——电池功率密度，550W/kg；

U_{s}——电池端电压，通常取标准电压的 85%，V。

（5）变速器的传动比匹配设计

主减速器传动比必须满足加速和爬坡要求，在发动机单独运行时满足最高速度要求[4]，即：

$$i_0 \leqslant \frac{0.377rn_{\max}}{V} \tag{3-14}$$

式中　$n_{\max}$——发动机最大转速。

汽车变速箱最大传动比和最大爬坡度的关系如式(3-15) 所示：

$$i_{max} \geqslant \frac{(mgf\cos\alpha + mgf\sin\alpha)r}{\eta_t T_{max}} \tag{3-15}$$

式中　T_{max}——发动机最大转矩。

3.1.2　Cruise 整车模型建立

Cruise 软件能够同时进行多种仿真任务，模型完成度高，仿真速度快，适合不同类型的汽车仿真，软件本身拥有多种类型的动力系统的汽车模型，模型数据可以进行在线修改，并且向用户开放内部数据模块。汽车的动力性和燃油经济性等性能仿真能够同步研究[5]。

如图 3-1 所示，进入软件界面首先可以看到系统的自带模型“projects”。

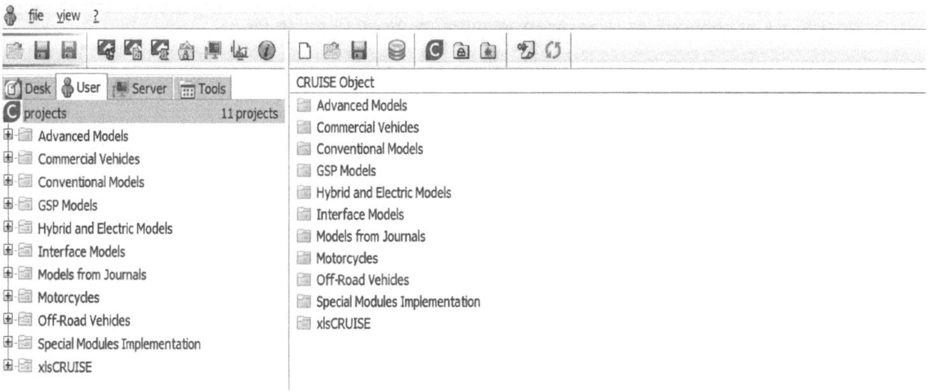

图 3-1　Cruise 软件界面

在 projects 中包括商用车模型、传统汽车模型、汽车定位系统模型、双动力和电动汽车模型、连接接口模型、摩托车模型等。

以系统自带的双动力汽车模型为例，首先打开“Hybrid Models”模型，右键点击“load”，如需搭建自定义模型，可以右键点击“new”，然后新建“version”。打开图 3-2 所示界面。

其中，左侧部分分别为汽车模型的建立、计算方式的选择、设置和结果查看。汽车模型的建立又包括模型的参数、仿真任务的建立等，中间部分为模型库，模型库包括整车模型、发动机模型、动力电池模型、离合器模型、风扇模型、仿真接口模型等，当用户需要搭建某个模型时，可以点击右侧的工作台对参数进行设置并建立机械连接和信号连接。

关于更多模块的参数解释，可以点击软件的“help”，打开软件的帮助文

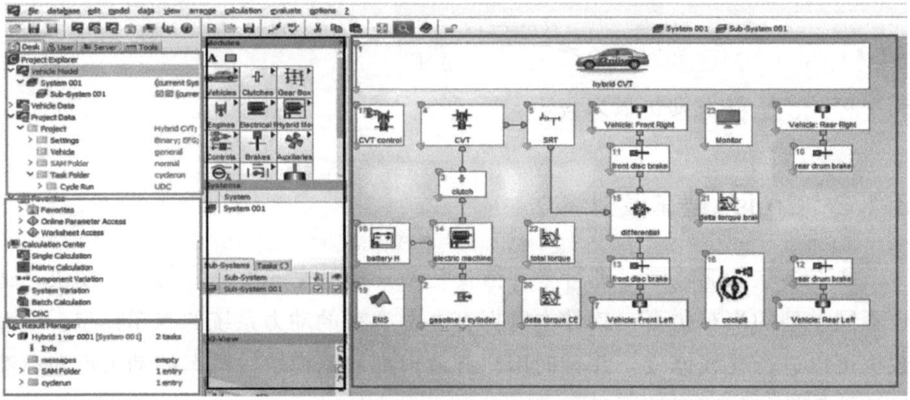

图 3-2　模型打开界面

档进行了解。

下面将对双动力汽车从整车模型到各零部件进行建模。

（1）整车动力学模型及参数建立

首先，打开软件左侧的“Vehicle Model”，将“Vehicle”移动到右侧的工作台，双击模型，可以看到汽车基本参数输入界面，如图 3-3 所示。

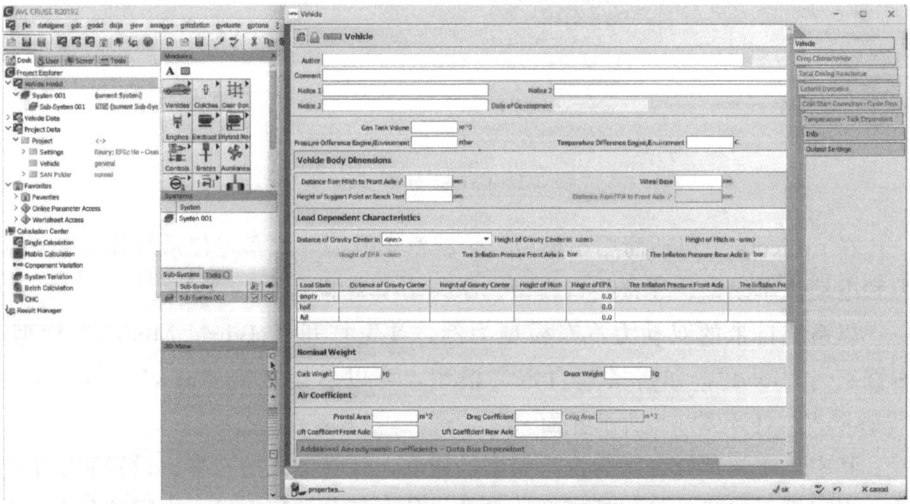

图 3-3　整车模型参数输入界面

在图 3-4 所示的参数设置界面，可以输入汽车的相关信息，如：汽车的轴距，在空载或满载等情况下重心到前轴的距离、重心的高度、汽车总质量和装备质量、前后轮胎充气压力等。

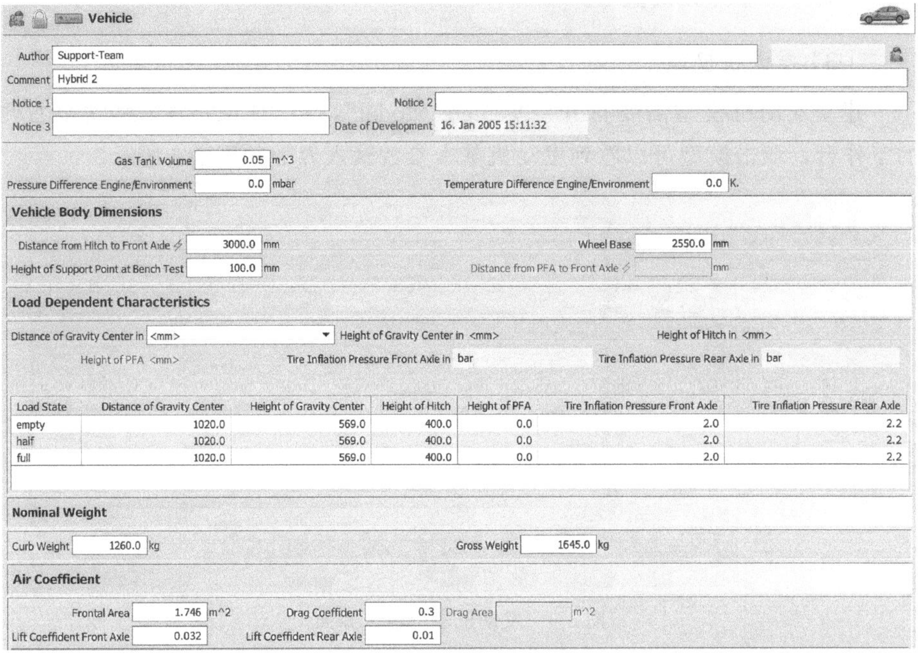

图 3-4　整车模型参数设置图

（2）驾驶员模型建立

建立驾驶员模型，首先打开左侧的“Vehicle Model”，将“Special Modules”模块打开，选择“Cockpit”模块，将该模块移动到右侧的工作台，双击模型，可以看到驾驶员基本参数输入界面。驾驶员基本参数输入界面如图 3-5 所示。

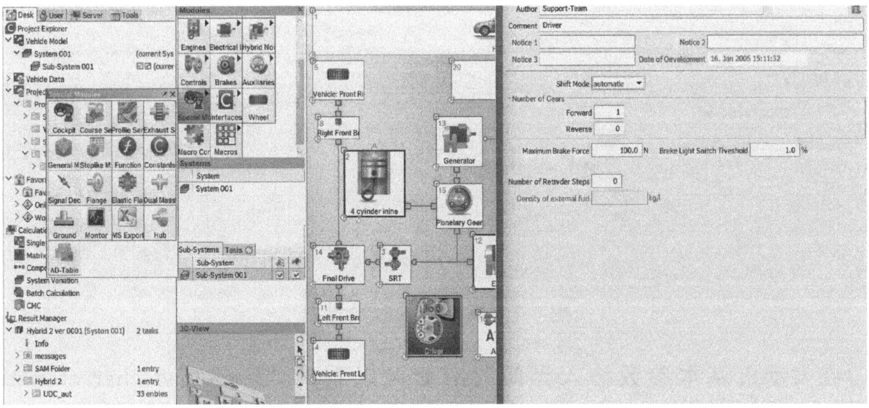

图 3-5　驾驶员参数输入界面

在驾驶员模型中需要输入的信息包括挡位切换方式(手动挡或自动挡)、最大制动力、刹车开关阈值等。

（3）发动机模型

建立发动机模型需要打开“Vehicle Model”，将“Engines”移动至右侧的工作台，双击模型可以看到发动机基本参数输入界面如图 3-6 所示。

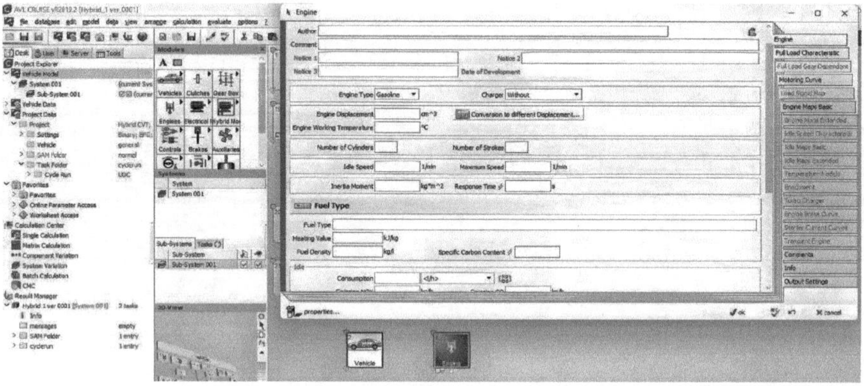

图 3-6　发动机参数输入界面

根据台架测试将测得的数据输入表格中，同时包括选择发动机的类型、发动机的冲程、发动机的排量以及发动机的功率等，如图 3-7 所示。

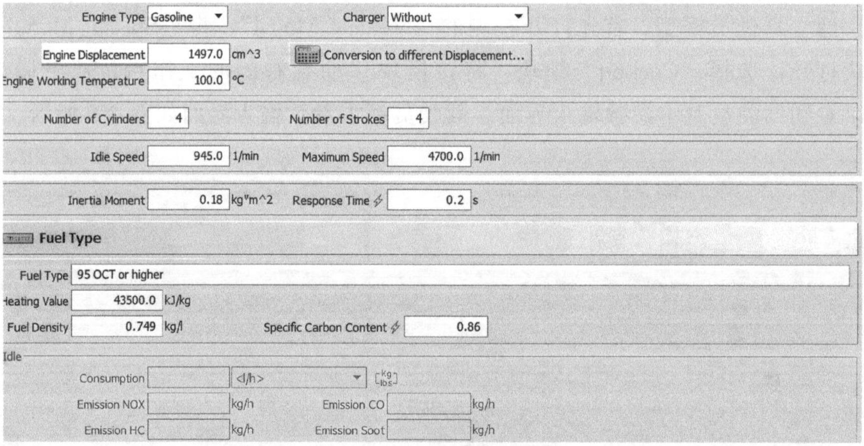

图 3-7　发动机参数设置图

在发动机基本参数输入界面的右侧可以看到“Full load characteristic”“Motoring curve”“Engine maps basic”，三者代表的分别是发动机的全负荷特性（外特性）、倒拖曲线、发动机负载信号 map 图，分别如图 3-8、图 3-9 以及图 3-10 所示。

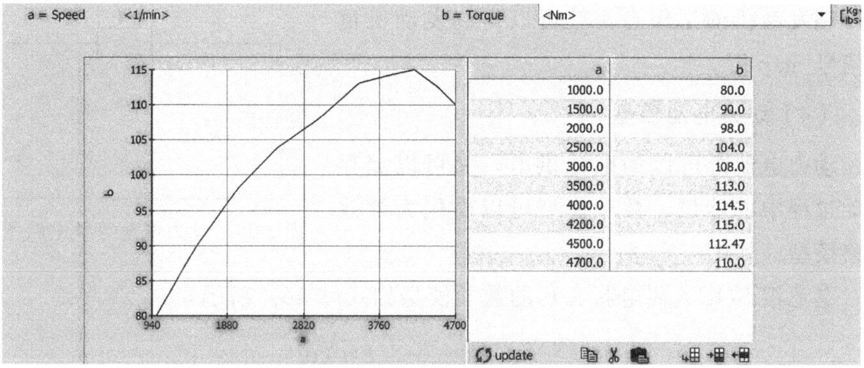

图 3-8　发动机外特性设置图

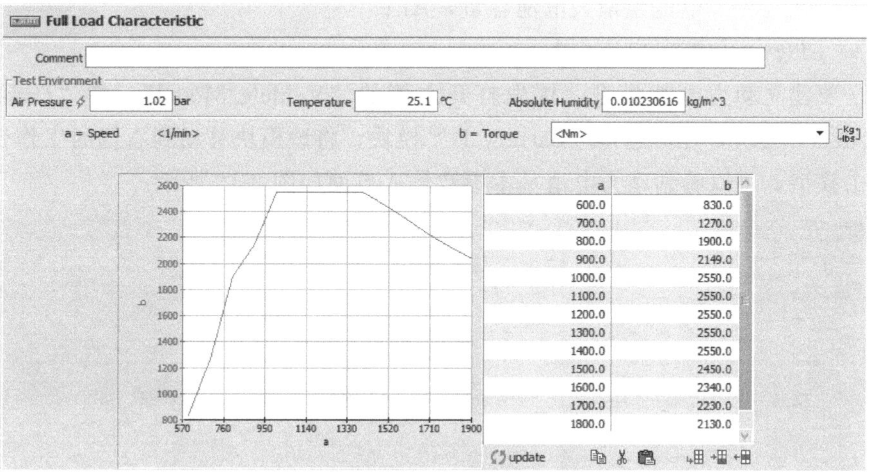

图 3-9　倒拖曲线

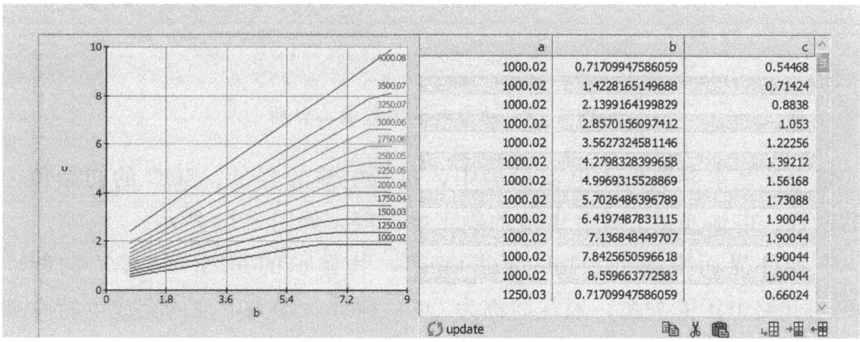

图 3-10　发动机负载信号 map 图

将发动机在节气门全开状态下的转速、转矩数据输入发动机模型中，即可得到发动机的全负荷特性。将发动机当前转速的转矩除以外特性作为负载信号来控制发动机的工作点，就可以得到发动机负载信号 map 图。

（4）动力电池模型

动力电池既可以为电池供电，又可以储存制动过程中的能量，数学模型可以简化为等效电路模型，如图 3-11 所示。

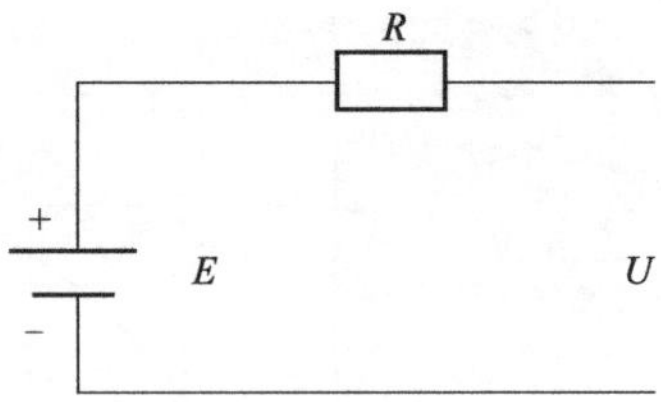

图 3-11　动力电池等效电路图

电池组 SOC（荷电状态）的数学模型如式(3-16) 所示：

$$\mathrm{SOC}=\frac{Q_{\max}-\int_{0}^{a} I(t)\,\mathrm{d}t}{Q_{\max}} \tag{3-16}$$

式中　$Q_{\max}$——电池组最大电池容量，Ah；

$I(t)$——瞬时电流，A。

要建立动力电池模型，首先打开左侧的“Vehicle Model”，将“Hybrid Models”模块打开，选择“Battery H”模块，将该模块移动到右侧的工作台，双击模型，可以看到动力电池基本参数输入界面如图 3-12 所示。

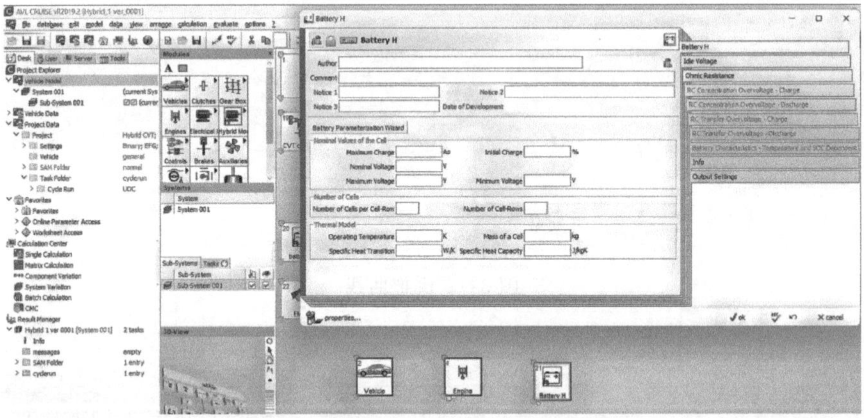

图 3-12　动力电池参数输入界面

将电池基本参数输入电池模型中，包括电池的容量、SOC 的初始值、电池的个数、电池连接方式、电池的额定电压等。如图 3-13 所示。

在软件界面中找到“Idle Volatage”，其显示的是 SOC-OCV 曲线，即 SOC 与开路电压的关系，通常简称为 OCV 曲线，动力电池的充放电特性如图 3-14、图 3-15 所示，若电池基础参数改变，曲线与电池参数应一致。“Nominal Values of the Cell”中电池为单体参数/整包参数时，OCV 曲线要为单体/整包的 OCV 曲线。OCV 曲线中的开路电压应处于“Nominal Values of the Cell”中最大电压及最小电压之间。

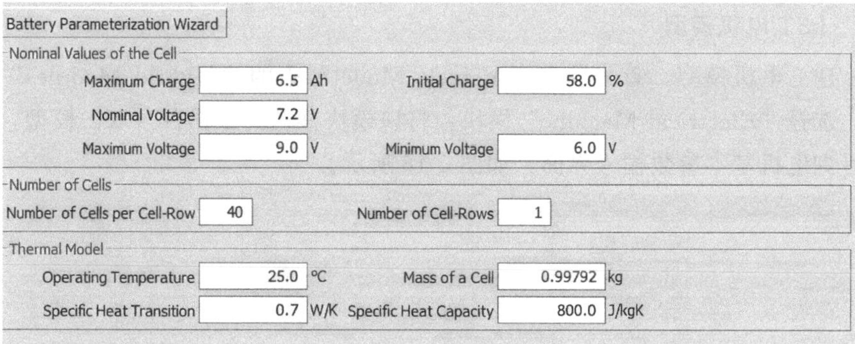

图 3-13　动力电池参数设置图

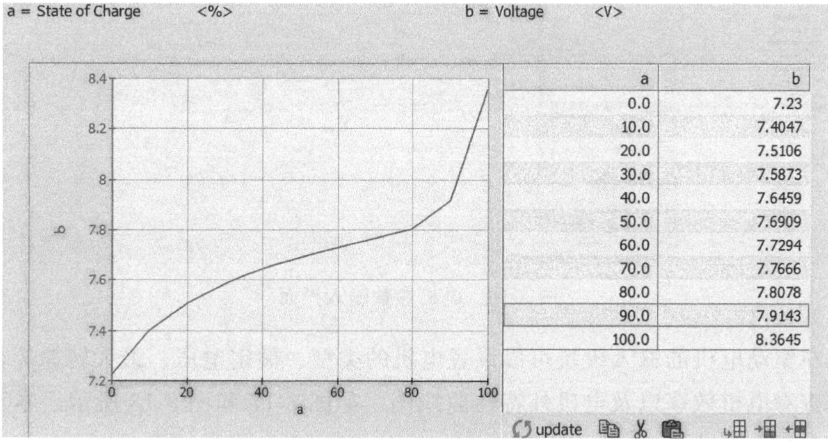

a	b
0.0	7.23
10.0	7.4047
20.0	7.5106
30.0	7.5873
40.0	7.6459
50.0	7.6909
60.0	7.7294
70.0	7.7666
80.0	7.8078
90.0	7.9143
100.0	8.3645

图 3-14　动力电池充电特性图

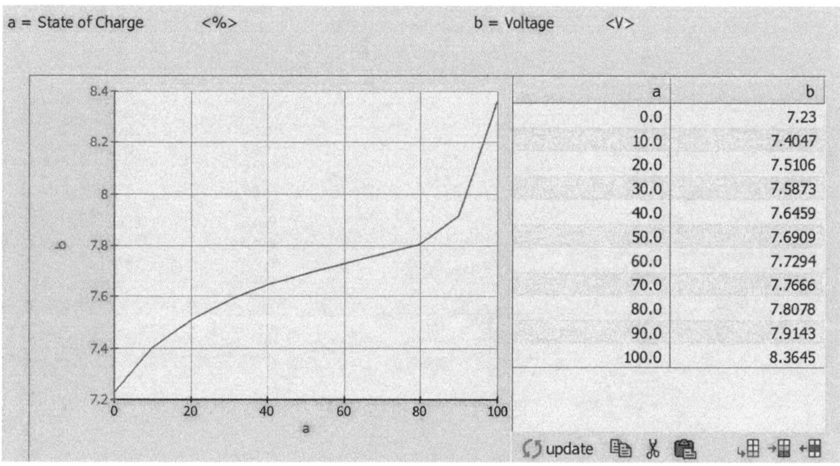

a	b
0.0	7.23
10.0	7.4047
20.0	7.5106
30.0	7.5873
40.0	7.6459
50.0	7.6909
60.0	7.7294
70.0	7.7666
80.0	7.8078
90.0	7.9143
100.0	8.3645

图 3-15　动力电池放电特性图

(5) 电机模型

建立电机模型，首先打开“Vehicle Model”中的“Hybrid Modules”模块，选择“Electrical Machine”模块，将该模块移动到工作台，双击模型，可以看到电机基本参数输入界面，如图 3-16 所示。

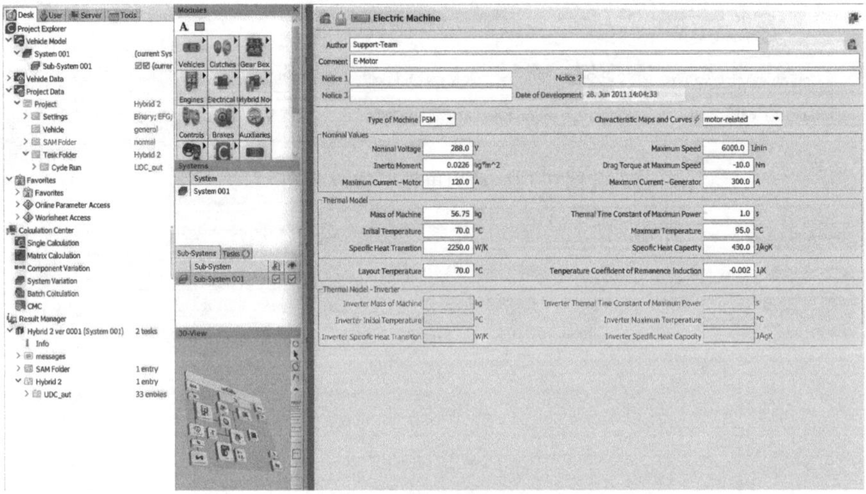

图 3-16 电机参数输入界面

在驱动电机的输入模块可以设置电机的类型、额定电压、最大转速等，还可以查看电机效率以及电机外特性曲线图，如图 3-17 和图 3-18 所示。本章模型中电机类型选择 PSM。

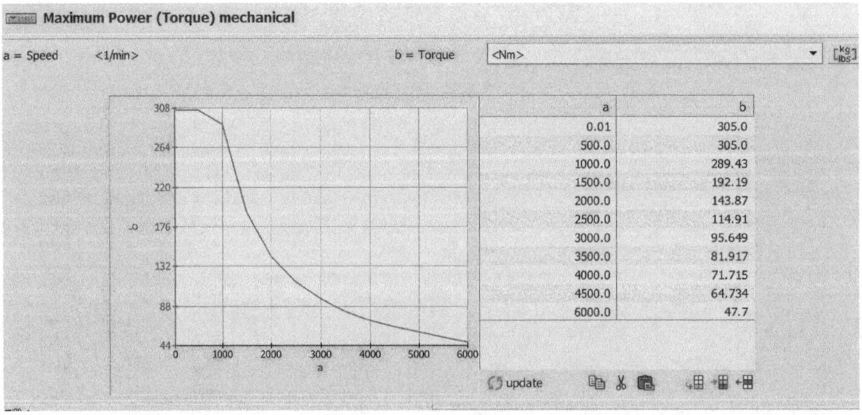

图 3-17 电机效率图

(6) 模型连接

将主减速器模型、车轮模型、显示屏模型等也按照上述方法进行设置，将

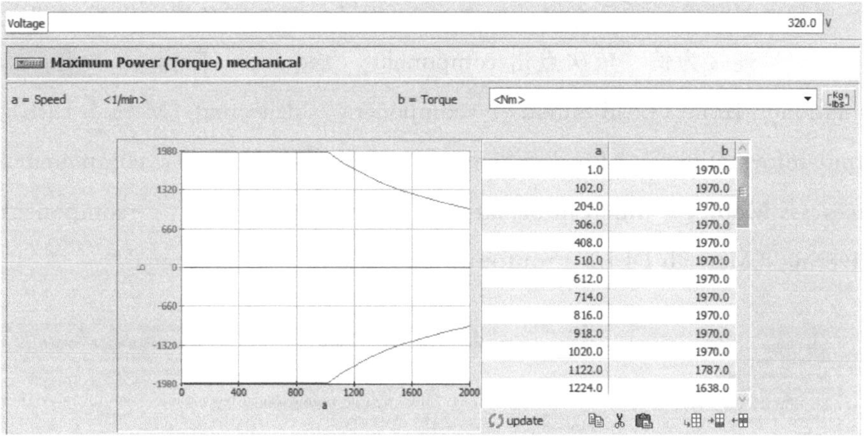

图 3-18　电机外特性曲线

主界面中的模块进行连接，如图 3-19 所示。

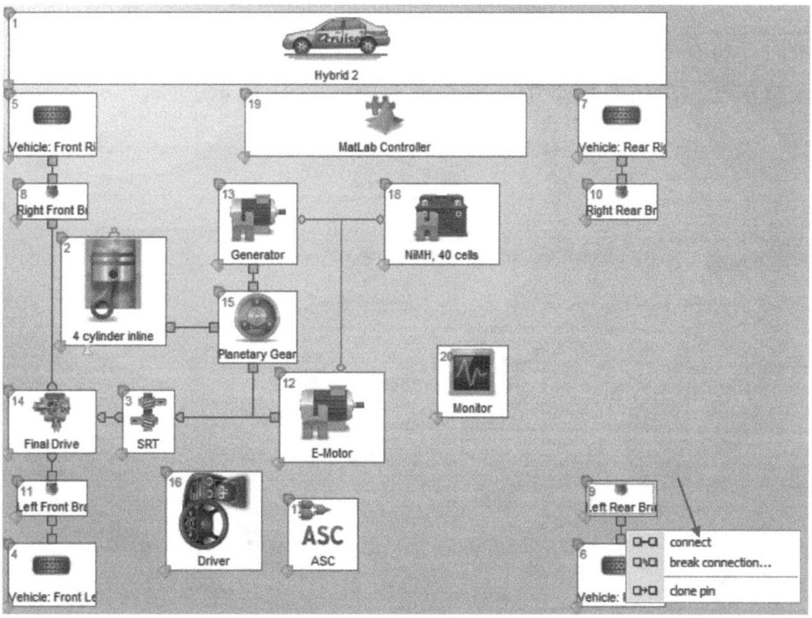

图 3-19　物理连接界面

首先需要进行物理连接，搭建完各模型，选择子系统模型之后，依据汽车的布置方案和连接关系以及每个部件上的连接口，点击蓝色连接口调整位置。点击每个连接口，选择“connect”，选择需要连接的部件。如图 3-19 所示，这样就完成了物理连接。物理连接包括传动系统之间的连接、车轮与制动器之间的连接等连接关系。

接下来需要进行信号连接，如图 3-20 所示，双击三色线，以发动机信号和电机信号连接为例，依次点击 component... requires（Engine）→input information... from（Load Signal）→component... delivering（MatLab DLL）→output information...（Load Signal）。电机的信号连接为：component requires（E-Motor）→input information... from（Load Signal）→component... delivering（MatLab DLL）→output information...（Load Signal）。

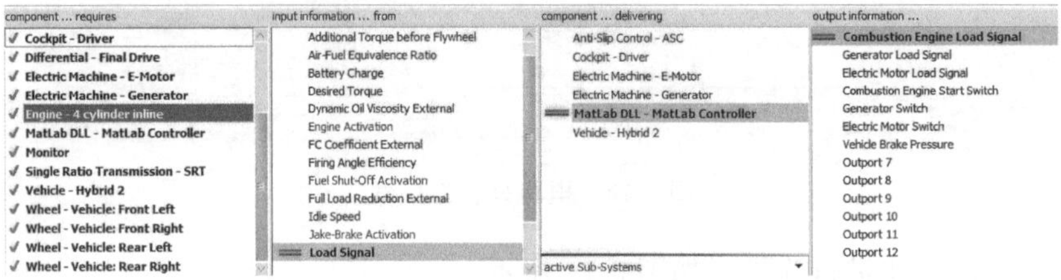

图 3-20　信号连接界面

最后，将在 MATLAB/Simulink 中建立的控制策略通过 MatLab DLL 模块嵌入整车动力学仿真模型中，整车模型如图 3-21 所示。

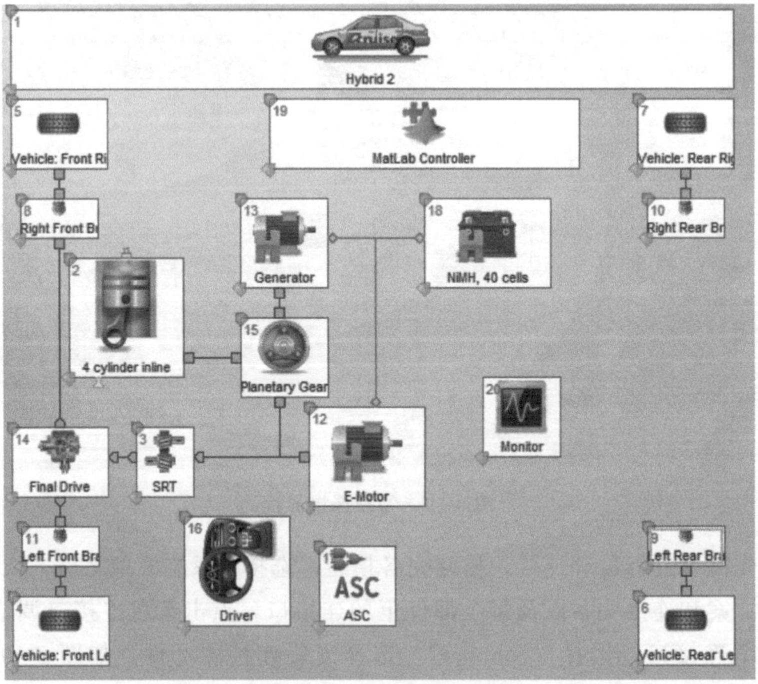

图 3-21　整车模型

（7）计算任务的建立

进行物理连接和信号连接之后，根据需要定制计算任务，需要在“Project Date”文件夹下定义，在每个计算任务文件夹下都需要定义行驶路况（Course）和驾驶员参数（Driver），行驶路况包括周围温度、湿度、大气压力、道路摩擦系数等，驾驶员参数需要定义启动方式、换挡时间、加速踏板。

首先点击“Project”，然后点击“Task Folder”并点击“Add”，系统将显示循环工况、最大爬坡度、最高车速以及加速能力等模块。其中，循环工况模块用于经济性仿真，最大爬坡度、最高车速以及加速能力用于动力性仿真，任务打开界面如图 3-22 所示。

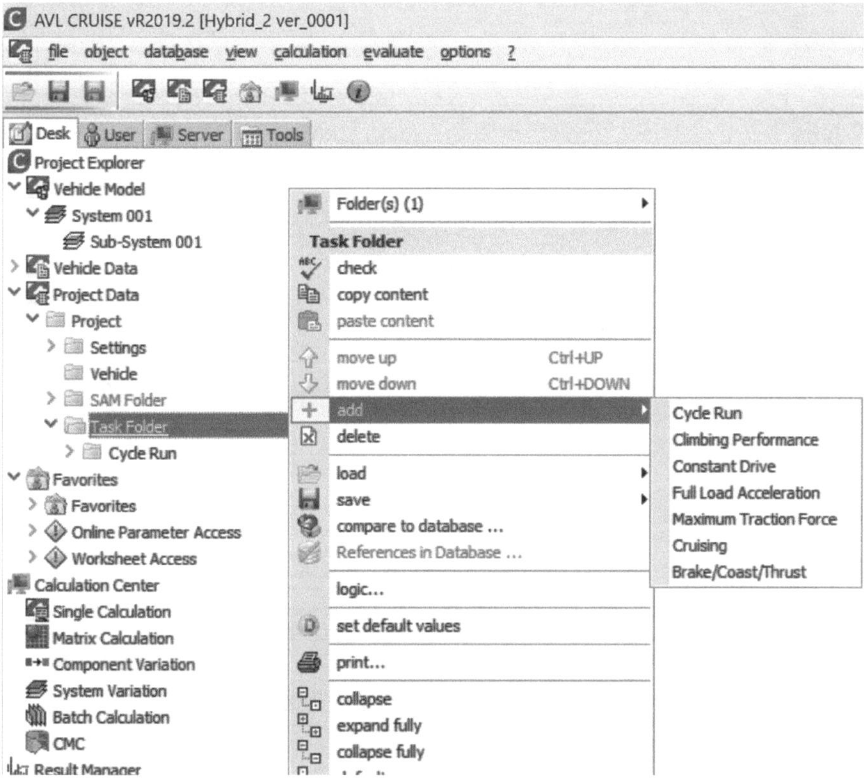

图 3-22　计算仿真任务

对循环工况油耗进行分析，首先点击“Cycle Run”，进行参数输入，选择合适的测试工况。在 Course 节点下可以进入路况环境参数的输入界面，如图 3-23 所示。

在 Profile 节点下可以编辑自己需要的路谱，如图 3-24 所示。

在 Driver 节点下可以进行驾驶员参数的输入，如图 3-25 所示。

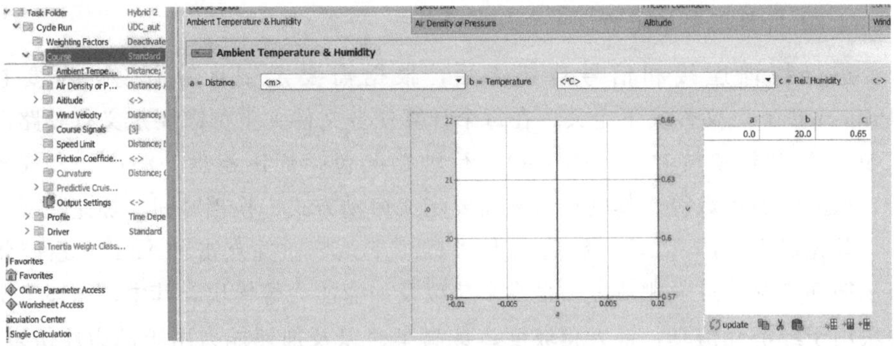

图 3-23　路况环境参数输入界面

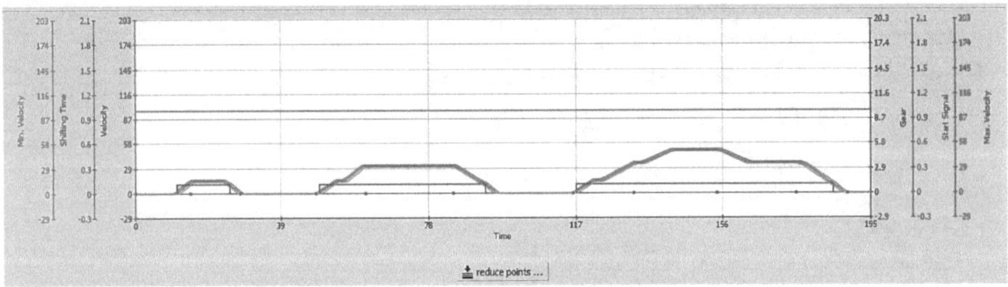

图 3-24　路谱输入界面

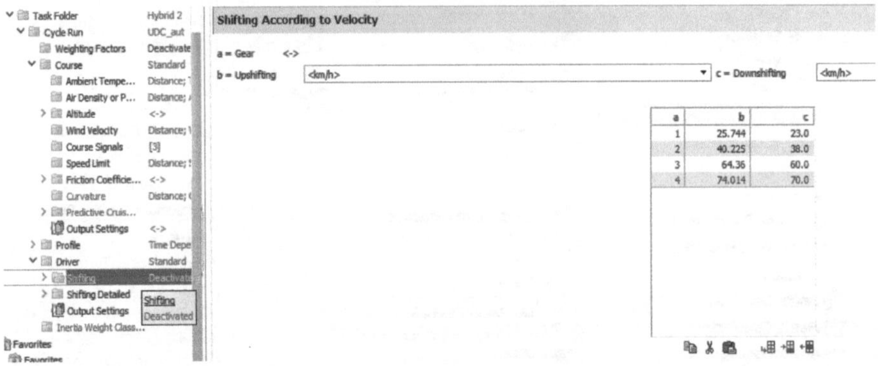

图 3-25　驾驶员参数输入界面

3.2　双动力系统 MATLAB/Simulink 控制策略仿真模型建立

控制策略的核心功能在于智能调度汽车运行模式，确保动力系统各组件处于最优效率区间，并精确调配发动机与电机的转矩输出。在保证汽车动力需求得到满足的基础上，通过优化发动机与电机的运行效率，显著提升汽车的燃油经济性或电力利用效率，因此，控制策略被视为提升整车动力性与经济性的关键技术核心[6]。

3.2.1　MATLAB/Simulink 及控制策略

（1） MATLAB/Simulink 软件

打开 MATLAB 软件，出现界面如图 3-26 所示。

图 3-26　MATLAB 工作界面

之后在 MATLAB 中打开 Simulink，双动力汽车动力系统的模型建立需要在 Simulink 中建立相应的控制策略，通过与 Cruise 联合仿真的方式匹配系统参数[7]。Simulink 的打开方式有两种：一种是通过 MATLAB 菜单栏中的 Simulink 按键打开，如图 3-27 所示。另一种打开方式是在 MATLAB 的命令行窗口输入“Simulink”建立一个新的 Simulink 模型，打开界面如图 3-28 所示。

图 3-27　Simulink 启动开关

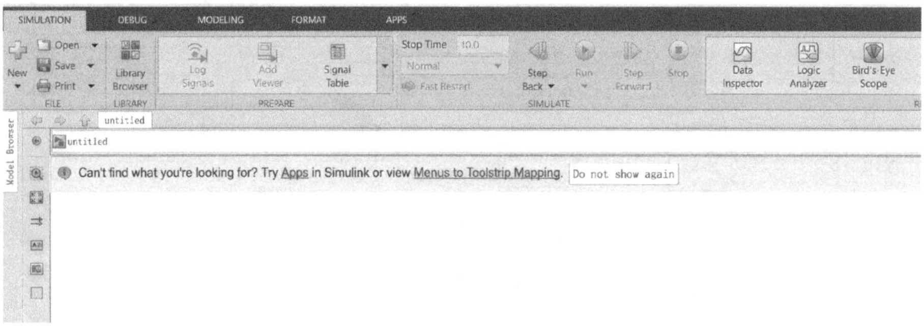

图 3-28　Simulink 工作界面

点击“Library Browser”打开 Simulink 的模块库，该模块库中包含进行 Simulink 模型建立的模块，其中，常用模块如图 3-29 所示，主要包括输入、输出、示波器、常数输出和加减乘除运算等模块。

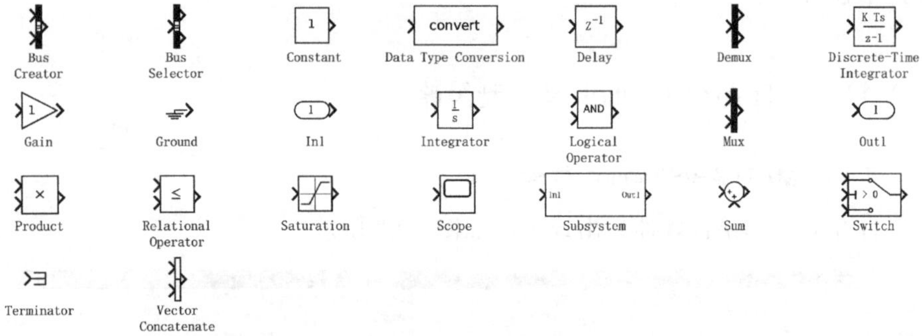

图 3-29　常用模块

Bus Creator—总线生成器；Bus Selector—总线选择器；Constant—常数；Data Type Conversion—数据类型转换；Delay—延迟；Demux—解复用器；Discrete-Time Integrator—离散时间积分器；Gain—增益；Ground—接地；In1—输入 1；Integrator—积分器；Logical Operator—逻辑运算符；Mux—多路复用器；Out1—输出 1；Product—乘积；Relational Operator—关系运算符；Saturation—饱和；Scope—示波器；Subsystem—子系统；Sum—求和；Terminator—终止符；Vector Concatenate—向量拼接；Switch—转换

连续函数模块：常用模块包括积分环节、传递函数等，连续函数模块如图 3-30 所示。

查表模块：包括一维查表模块、二维查表模块、n 维查表模块等，它们主要是对输入的值进行插值输出，输出定义为基于表参数通过查找和插值计算得到的结果值。模块如图 3-31 所示。

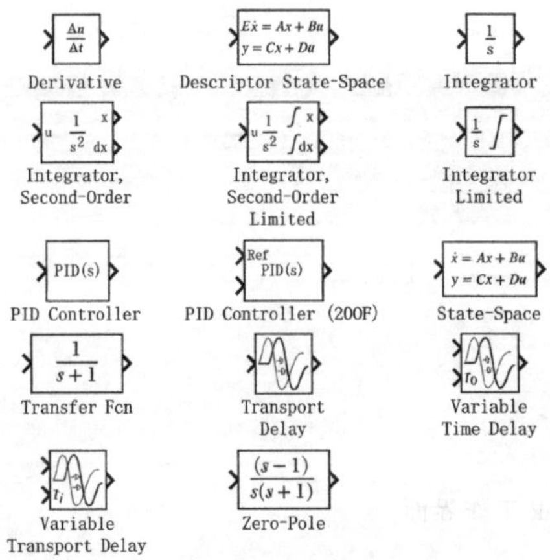

图 3-30　连续函数模块

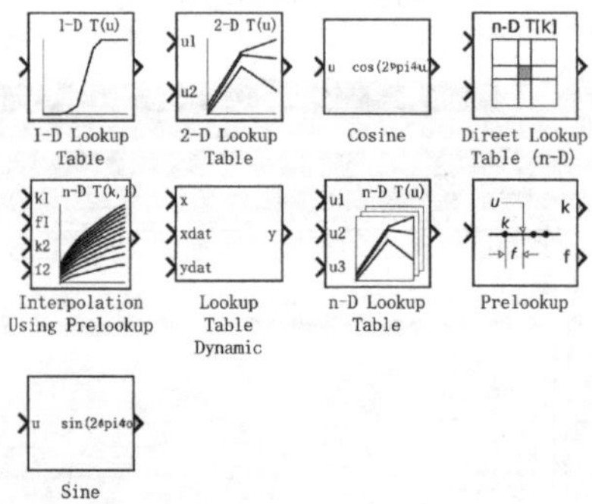

图 3-31　查表模块

数学模块：数学模块如图 3-32 所示，其中包括四则运算、绝对值计算、放大缩小计算模块等。

数据输出显示模块：模块如图 3-33 所示，模块包括输出端 Out、示波器 Scope 等，便于观测输出后的参数变化。

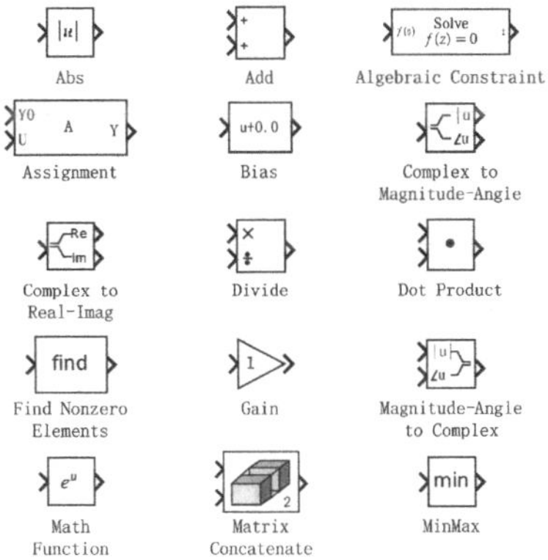

图 3-32　数学模块

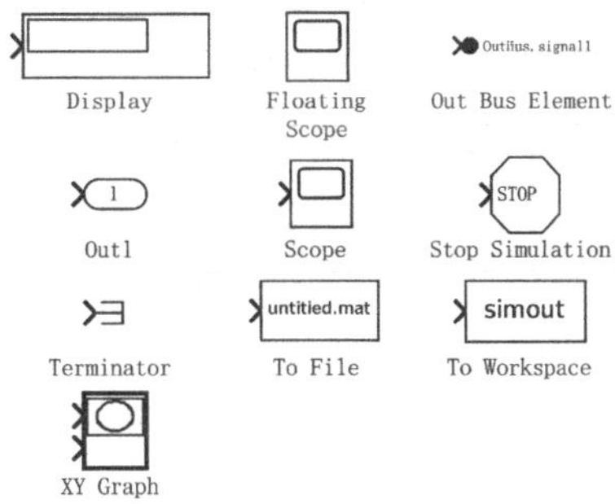

图 3-33　数据输出显示模块

（2）控制策略简介

双动力汽车的整体性能，具体体现在燃油经济性和减少污染方面，这主要取决于汽车各部件的效率以及部件间的协调配合。换言之，动力控制策略在优化燃油经济性和减少污染方面扮演着至关重要的角色。尽管混合动力汽车的结构各异，但其控制策略的目标却是一致的，即追求最大的燃油经济性[8]。

基于规则的控制策略：该方法主要通过分析循环工况、车速、挡位以及踏板信号，来确定汽车所需的总转矩。接着，以电池的 SOC 值作为评估依据，对工作模式进行决策。最后，根据决策结果，对电机和发动机进行恰当的转矩分配。

基于模糊逻辑的控制策略：该方法通过模糊化车速、加速度、电池 SOC（荷电状态）、驾驶员需求的功率或转矩等输入变量，并根据预设的模糊规则进行处理，得出电机和发动机的转矩分配比例、电池的充放电策略等多个输出。

基于瞬时优化的控制策略：该策略不是只考虑发动机的效率特性，而是将电机、发动机、动力电池等部件作为一个整体进行优化。建立系统瞬时油耗率的数学模型，实现瞬时优化控制策略算法。

3.2.2　基于规则的控制策略仿真模型

（1）驾驶员模型

驾驶员模型在 Simulink 中主要用于模拟驾驶员的操作行为，包括油门、刹车以及挡位（在部分汽车中）的操作。这些操作通过数学模型转化为对汽车纵向和横向运动的控制指令。对于能量管理控制策略而言，主要关注的是驾驶员对油门和刹车的控制，因为这些操作直接影响汽车的能量消耗和动力输出。

驾驶员模型接收期望车速作为输入，同时，驾驶员模型还接收来自汽车模型的实际车速反馈，用于比较期望车速与实际车速之间的差异。根据实际汽车的性能参数和驾驶员的驾驶习惯设置 PI 控制器的参数（如比例增益、积分增益），其中，比例增益 kp 为 0.25，积分增益 ki 为 0.001。输出则是油门或刹车踏板的开度请求。在使用 Simulink 的建模搭建驾驶员模型过程中需要定义输入（期望车速）、输出（油门/刹车踏板开度）以及控制逻辑（如 PI 控制器）。Simulink 模型搭建如图 3-34 所示。

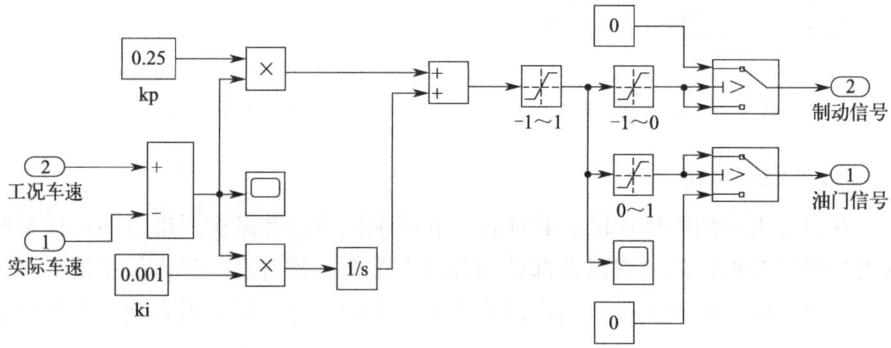

图 3-34　驾驶员模型

Simulink 模型中输出信号前的 Switch 模块如图 3-35 所示。Switch 模块的作用是将多个信号合并为一个信号，它是根据第二个输入的值，传递第一个输入或第三个输入信号。第一个和第三个输入称作数据输入，第二个输入称为控制输入。可以使用“Criteria for passing first input”和“Threshold”参数指定模块传递第一个输入的条件。在此控制模型中，“Threshold”的参数为 0.01，即当第二个输入信号满足大于 0.01 时，即可输出信号。

（2）发动机模型

发动机模型是双动力汽车能量管理控制系统中的核心部分，它负责模拟发动机在不同工况下的动力输出、燃油消耗等。发动机建模方式主要有两种：理论建模和数值建模。理论建模是基于对发动机工作原理的深入理解，利用热力学、流体力学、动力学等理论知识，通过数学推导和公式建立发动机的理论模型。但不能反映发动机工作瞬态特征。数值建模主要是基于实验数据，通过数

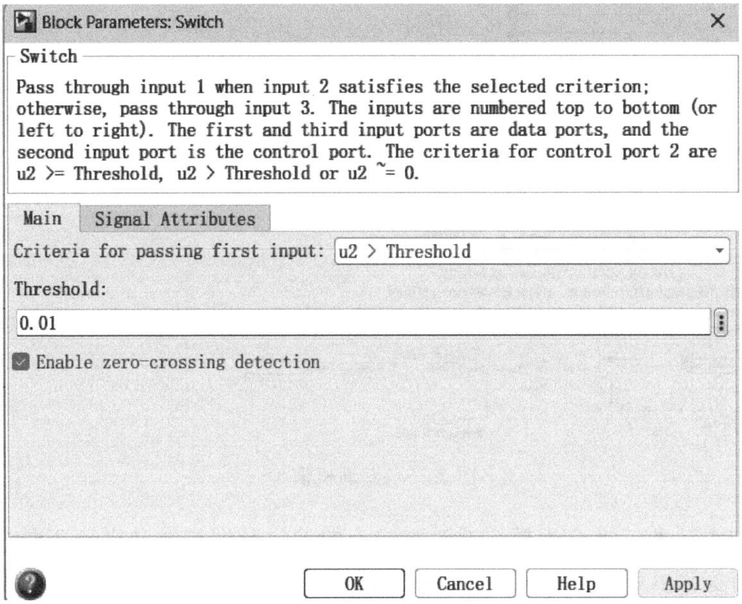

图 3-35　Switch 模块

值方法（如插值、拟合等）建立发动机的数学模型，以转矩、转速作为输入变量，查表得到瞬时燃油消耗率，经过积分计算得出燃油消耗量[9]。

发动机转矩、转速、燃油消耗率的关系式为：

$$b_e = f(T_e, n_e) \tag{3-17}$$

式中　b_e——对应的燃油消耗率，g/(kWh)；

T_e——发动机转矩；

n_e——发动机转速，r/min；

f——插值查表函数。

得到燃油消耗率之后，根据式(3-18) 可计算出单位时间内的燃油消耗量：

$$Q_t = \frac{T_e n_e}{9550} \times \frac{b_e}{367.1\rho g} \tag{3-18}$$

总燃油消耗量为：

$$Q_t = \int Q_t \mathrm{d}t \tag{3-19}$$

式中　Q_t——单位时间内的燃油消耗量，mL/s；

ρ——燃油密度，kg/L。

综上，基于规则搭建的发动机模型如图 3-36 所示。

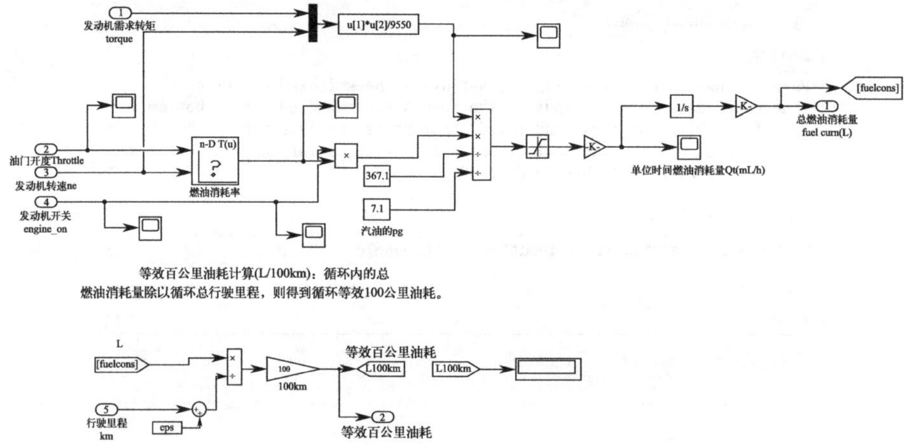

图 3-36　发动机模型

燃油消耗率二维查表模块通过对输入的油门开度和发动机转速两个维度的断点进行标识。我们可以对打开的属性窗口进行编辑，如图 3-37 所示。

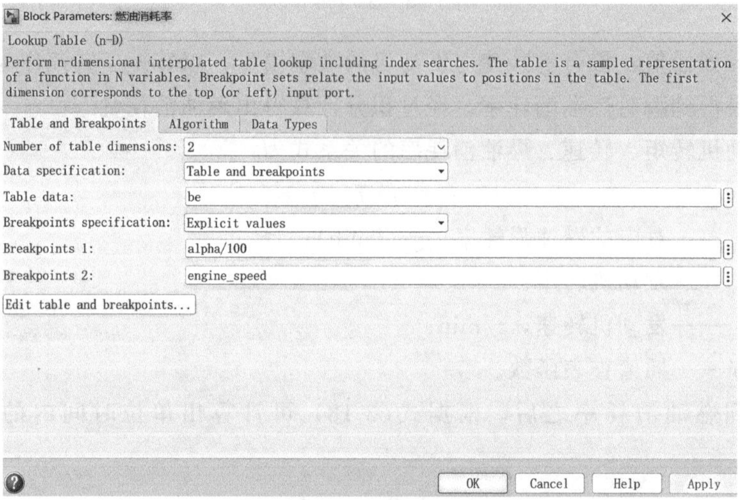

图 3-37　燃油消耗率二维查表模块

其中：

Number of table dimensions——二维图表模块默认为 2；

Data specification——本章所建立模型使用指定的表数据和断点，所以选择“Table and breakpoints”；

Table data——输入“be”；

Breakpoints specification——因为要显式指定断点数据，因此将此参数设置为“Explicit values”。

将两个断点分别命名，每个“Breakpoints”行中输入与表数据的每个维度对应的断点集，如图 3-38 所示。

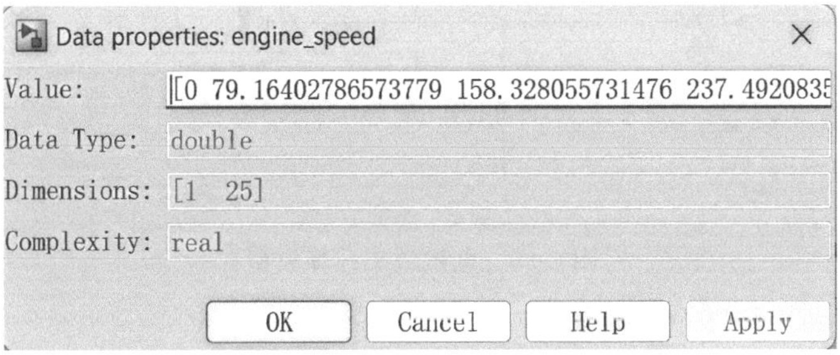

图 3-38　参数输入界面

（3）电机模型

在特种汽车工作过程中，汽车的电机需要频繁启动和停止。电机需要低速和恒转矩运行，所以电机还需要具有强大的过载能力和较大的速度范围。鉴于电机内部工作机制的复杂性，构建其模型时采取了简化的策略，即忽略其动态物理过程的详尽描述，不深入探究电磁热效应的影响，也不细究发动机内部的运行细节。模型主要聚焦于电机的输入与输出性能关联，特别是转速与转矩之间的特性关系，进而将电机的工作效率直接表达为转矩与转速的函数关系，电机的效率数值模型公式为：

$$\eta_m = f(T_m, n_m) \tag{3-20}$$

式中　η_m——驱动电机的工作效率；

T_m——动电机的转矩，N·m；

n_m——驱动电机的转速；

f——插值查表函数。

Simulink 模型建模如图 3-39 所示。

当驱动电机发电运行时，电机的输出功率为：

$$P_m = \frac{T_m n_m}{9550} \eta_m \tag{3-21}$$

当半挂车的电机作为驱动电机运行时，电机的输出功率为：

$$P_m = \frac{T_m n_m}{9550} \times \frac{1}{\eta_m} \tag{3-22}$$

根据以上实验数值模型，以电机需求转矩和转速为输入，以电机的输出功率为输出，建立电机模型如图 3-40 所示。

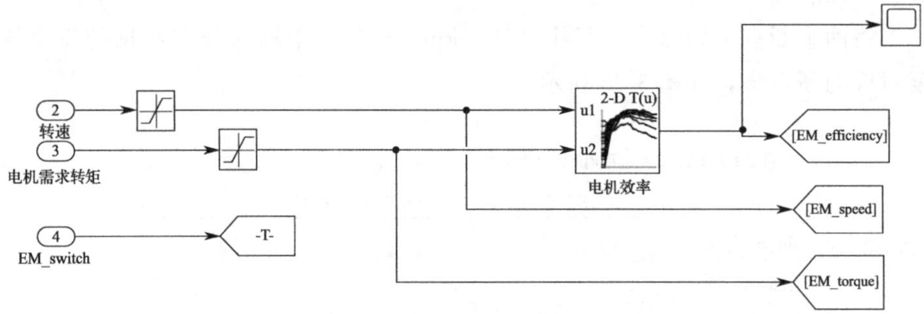

图 3-39 电机效率计算模型

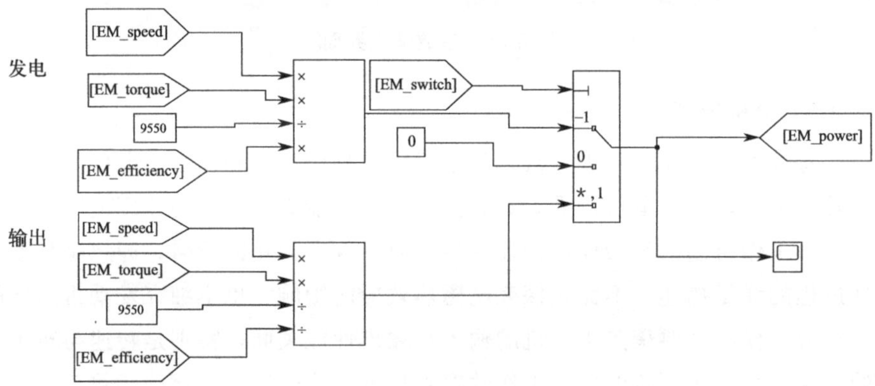

图 3-40 电机模型

（4）电池模型

电机的需求功率即为电池模型的输入，实时的 SOC 值为输出，这样来决策汽车的运行状态。电池模型包括两部分：充放电电流计算、SOC 计算。

电池的等效电路模型包括许多种模型，选择用 Rint 模型进行建模，Rint 模型为一阶模型，虽然处理的参数少，会受到温度影响，但是电池的温度处于正常的范围内时，对电池特性的影响微乎其微。

为了最大化电池的性能并增强其使用过程中的安全性，精确评估电池的 SOC 至关重要。在众多 SOC 估算方法中，放电试验、安时积分与基于电池内阻、开路电压以及负载电压的估算方法均被广泛采用。本节采用安时积分法来追踪并估算电池 SOC 的即时变化。电池的电动势和内阻参数直接影响电池等效电路的特性，而该等效电路的特性又与电池的即时 SOC 水平密切相关，因此，成为了影响 SOC 状态的主要参数。电池组的 SOC 计算公式为：

$$\mathrm{SOC}(t)=\mathrm{SOC}_0-\frac{\int_0^a I(t)\mathrm{d}t}{Q_{\max}} \tag{3-23}$$

式中　$\mathrm{SOC}(t)$——电池实时 SOC；

SOC_0——电池 SOC 初始值；

$I(t)$——等效回路电流；

$Q_{\max}$——电池组最大容量。

综上建立电池的 Simulink 模型，如图 3-41 所示，通过电机需求功率可以确定等效回路的电流，从而得出 SOC 的变化。

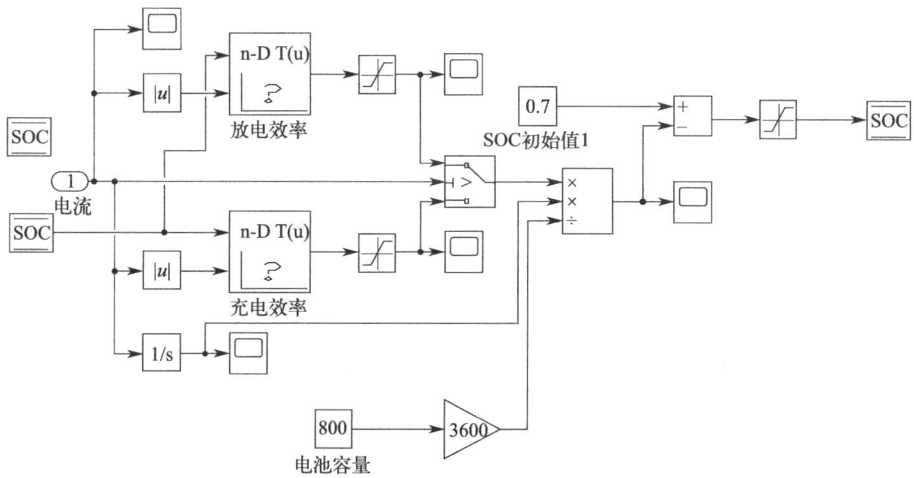

图 3-41　电池模型

（5）控制策略模型

基于规则的控制策略主要是利用循环工况及车速、挡位、踏板信号来确定汽车的总需求转矩，然后通过电池 SOC 值作为评估条件进行工作模式的判断，并对电机和发动机进行合理的转矩分配，从而提高整车性能。基于规则的控制策略中的常见规则如下：

① 在低功率需求和汽车速度小、电池电量充足的情况下，仅电机工作。

② 在汽车需要高功率时，若发动机单独工作无法满足驱动，则电机和发电机都工作。

③ 汽车高速行驶或稳定速度行驶时，仅发动机工作。

④ 电池电量不足时，发动机除了提供驱动外，还需要为电池充电。

⑤ 制动时要尽可能地回收制动能量。当制动所需转矩小于电机最大转矩时，制动能量全部回收。当制动所需转矩大于电机最大转矩时，电机制动和机

械制动分别提供一部分转矩。当电池电量充足时，机械制动提供制动[10]。

根据需求的驱动转矩、制动转矩和电池 SOC 值等参数选择工作模式，通过工作模式切换的判断条件，设计 Stateflow 切换模型，如图 3-42 所示。建立的控制策略模型如图 3-43 所示。

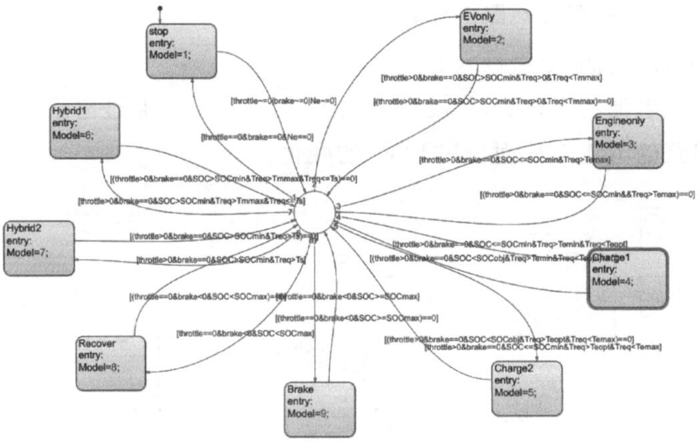

图 3-42　Stateflow 切换模型

Stateflow 模型建立过程如下：

① 首先，打开 Simulink，点击“New”，创建“State Chart”，点击菜单栏的“Insert Junction”。

② 点击“Insert State”，创建状态机，根据汽车的工作模式在状态机图框里输入汽车运行的工作模式。

③ 点击“Default Transition”，将“Junction”和“State”连接起来，点击箭头，输入不同工作模式的切换条件。

不同模式下的转矩分配如下：汽车静止不动时，此时，无论是发动机还是电机的转速和转矩都为 0；汽车在驱动情况下，当 $T_{req}<T_{mmax}$ 且 $SOC \geqslant SOC_{min}$ 时，电机工作，此时蓄电池放电，电机提供整个汽车所需要的转矩；当 $T_{emin}<T_{req}<T_{emax}$ 时，发动机处于高效经济区，只有发动机工作，电机不工作，发动机提供整个汽车所需要的转矩；当 $T_{req} \geqslant T_{emax}$ 且 $SOC \geqslant SOC_{min}$ 时，发动机单独工作不能满足整个汽车所需要的驱动力，此时电机也需要提供动力；当 $SOC<SOC_{min}$ 时，电池需要充电，发动机除了提供驱动力外，还需要为电池充电；当 $SOC<SOC_{min}$，且汽车处于制动状态时，制动能量将会回收；当 $SOC>SOC_{min}$，汽车处于制动状态时，电池的电量较高，不需要对电池充电，制动能量不会回收。

控制策略模型如图 3-43 所示。将上述的驾驶员模型、控制策略模型、发动机模型、电机模型、电池模型分别建立后，分别对这些模型创建子系统，下面以驾驶员模型为例进行介绍。

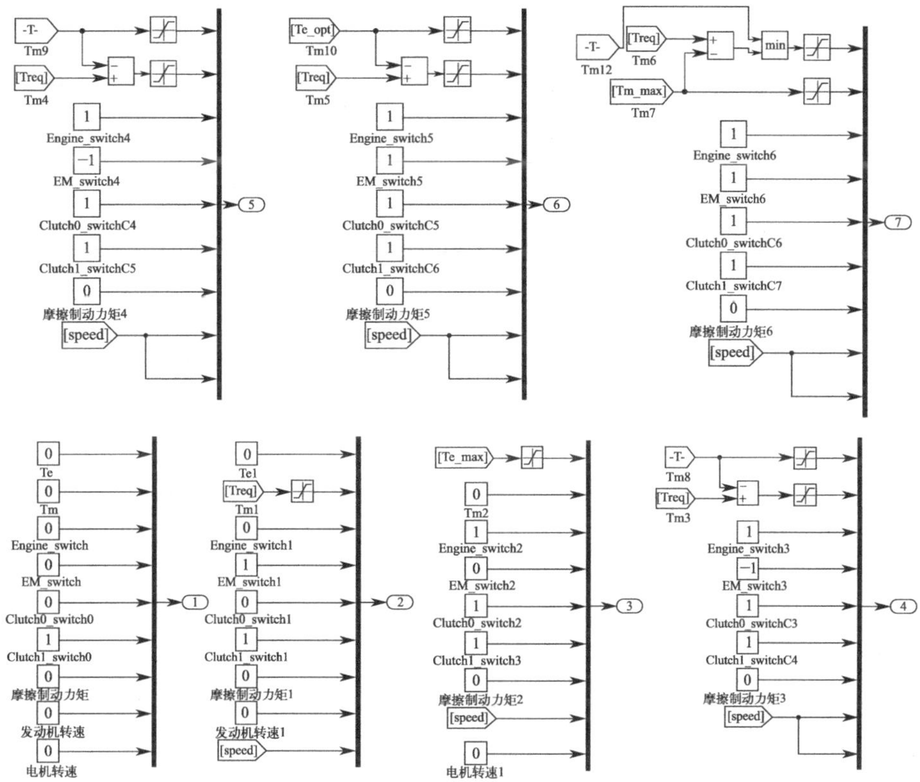

图 3-43　控制策略模型

在建立的模型中，使用鼠标用虚线框框住模块的输入、控制部分和输出，点击菜单栏 Create subsystem，系统如图 3-44 所示。

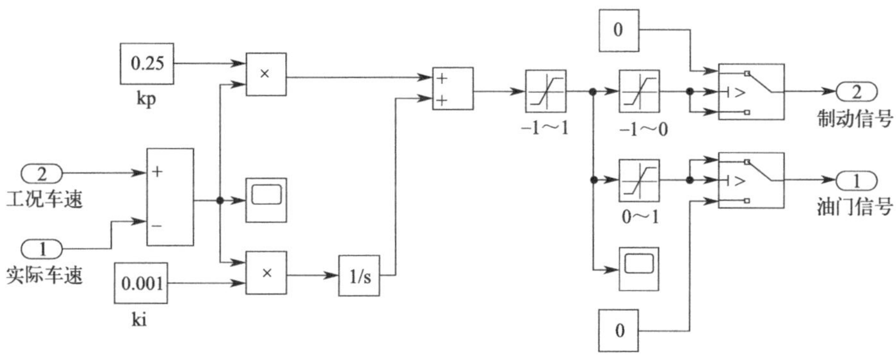

图 3-44　子系统创建界面

将其他模型的子系统也按照上述方式分别建立，将这些子系统连接起来，会得到整个的 Simulink 模型，如图 3-45 所示。

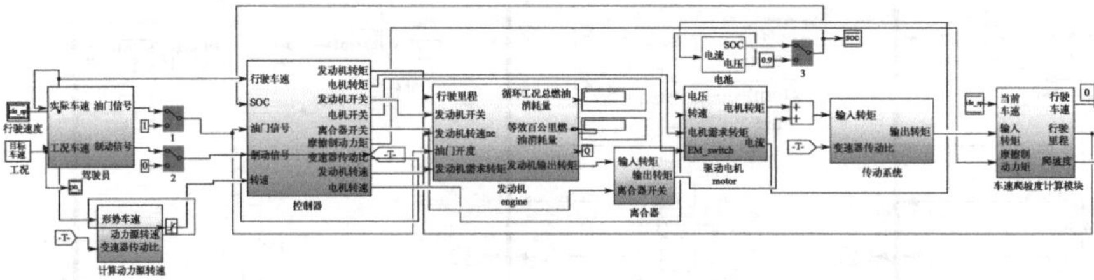

图 3-45　基于规则的控制策略模型

3.3　Cruise/Simulink 联合仿真控制策略验证

Cruise 与 MATLAB 连接有四种方式，分别是“Matlab DLL”“Matlab API”“Cruise Interface”“Cruise Interface CMC”。本章采用 Matlab DLL 方式，其优点是适用控制策略完善、计算速度快。接下来进行生成 DLL 的编译工作。

① 首先点击“APPS-Simulink Coder”，找到“Simulink Coder”并点击打开。

② 点击“Settings”，在“Solver”选项卡中按照图 3-46 的方式进行设置。

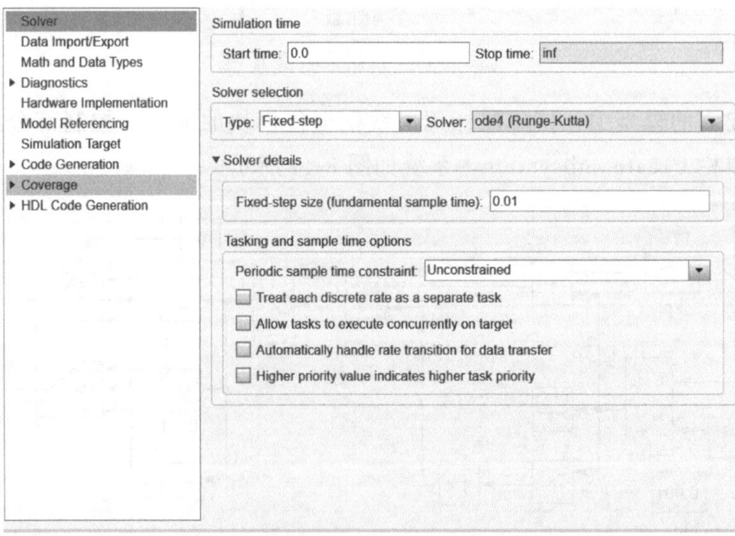

图 3-46　“Solver”选项卡

③ 在“Code Generation”选项卡中按照图 3-47 进行配置。

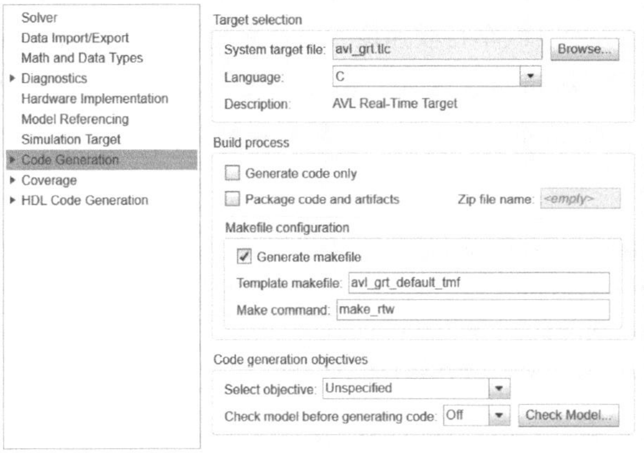

图 3-47　“Code Generation”选项卡

④ 点击“Build”编译 DLL 文件，如图 3-48，等待文件的生成。

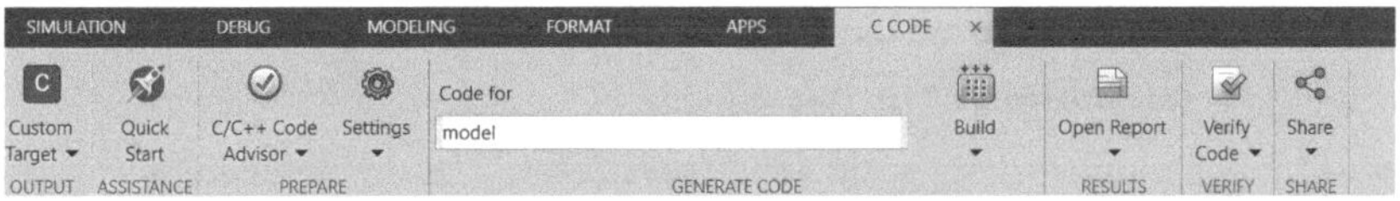

图 3-48　Build 界面

将上述整车模型和基于规则的控制策略的 Simulink 模型搭建完成后，将建立的控制策略 DLL 文件与 Cruise 整车模型进行联合仿真。此外，还可以通过左侧的计算中心和结果处理器来进行处理后的结果查看，如图 3-49 所示。

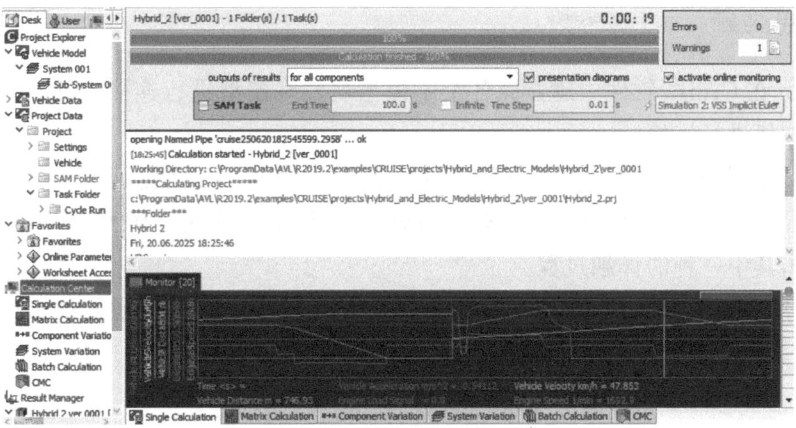

图 3-49　结果处理器

通过查看左侧的处理结果的文本日志，可以打开系统仿真结果，其中，燃油经济性的仿真结果如图 3-49 所示。同时还能看到右侧的显示器模型中的信息包括：瞬时加速度、汽车行驶速度、行驶距离和发动机转速等。

选择在 UDC（城市驾驶循环）循环工况下对燃油经济性进行仿真分析，将整车模型在 UDC 循环工况下运行，然后得到图 3-50 所示的百公里的燃油消耗量仿真结果。

```
Calculation running ..

Fuel Consumption of 1 Combustion Engine(s):      2.10 [l/100km]

Fuel Consumption of 2 Electrical Motor(s):       2.11 [kWh/100km]

H2 Consumption of 0 Fuel Cell(s):               0.000 [kg/100km]

NOx-Emission  of 1 Combustion Engine(s):      0.00 [g]
CO-Emission   of 1 Combustion Engine(s):      0.00 [g]
HC-Emission   of 1 Combustion Engine(s):      0.00 [g]
Soot-Emission of 1 Combustion Engine(s):      0.00 [g]

NOx-Emission  after 0 Catalyst(s):     0.00 [g]
CO-Emission   after 0 Catalyst(s):     0.00 [g]
HC-Emission   after 0 Catalyst(s):     0.00 [g]
Soot-Emission after 0 Catalyst(s):     0.00 [g]

Covered Distance:  1014.89 [m]

.. Calculation of Task Complete
```

图 3-50　油耗结果

由图 3-50 可以看出，该策略下燃油消耗量为 2.1L/100km，耗电量为 2.11kWh/km。

因此，基于规则的控制策略，既可以检验汽车模型的可靠性，又可以检验策略的有效性。

思考题

1. 在 Cruise 软件中建立完各个子模型后，对模型进行连接有几种连接方式？如何进行连接？

2. 在建立基于规则的控制策略 Simulink 模型时，常见规则有哪些？

3. Cruise 和 Simulink 对汽车经济性和动力性进行联合仿真有几种方式？并说出其中一种的详细过程。

4. 如何在 Cruise 软件查看对汽车经济性和动力性进行联合仿真的仿真结果？

第4章

重型汽车动力学建模与稳定性仿真

基于重型汽车动力学模型的稳定性控制，需要同时建立 TruckSim 汽车模型与 MATLAB/Simulink 动力学模型，以 TruckSim 汽车模型状态量作为输入，对 Simulink 简化动力学模型进行稳定性控制。本章以重型半挂牵引车为例，建立 TruckSim 汽车模型与汽车五自由度横摆侧倾模型，运用线性二次型调节器（LQR）对半挂车后轮转角进行控制，进而提高重型半挂牵引车的稳定性。通过本章的学习，可以了解 TruckSim 汽车模型及汽车动力学模型的构建，能够运用 TruckSim 与 Simulink 软件进行联合仿真，并能基于线性模型设计二次型调节器对车轮转角进行控制。

4.1 TruckSim 汽车模型构建

本章所建立的 TruckSim 汽车模型以重型半挂牵引车为例，重型半挂牵引车是由一辆牵引车与半挂车组成的列车，两部分通过铰接装置连接。传统铰接列车由牵引车进行驱动，半挂车跟随牵引车运动，一般将牵引车前轴作为转向轴，半挂车不具备转向能力，本章对该汽车进行稳定性控制，因此，需要在 TruckSim 中进行汽车模型搭建，并实现半挂车轴转向。

4.1.1 车体模型

重型半挂牵引车车体模型主要由牵引车与半挂车的车体外形、尺寸、整车重量、各轴轴距、轮距与车体转动惯量等参数组成。建模过程如下。

① 双击 TruckSim 软件，出现如图 4-1 所示的数据库操作界面，选择需要的数据库位置，选中继续使用数据库（Continue with the selected database）。

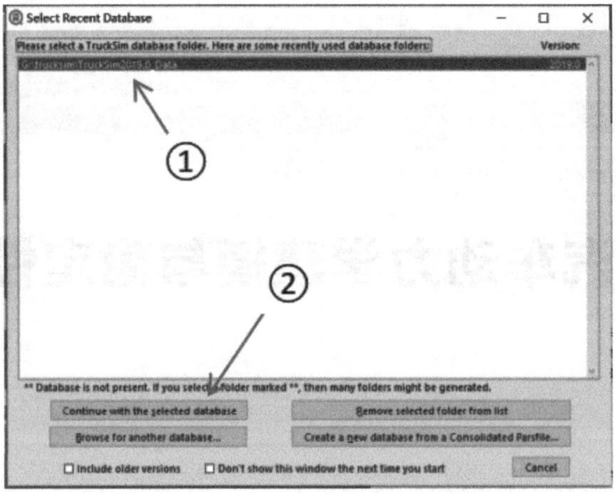

图 4-1　数据库操作界面

其他部分选项含义如下：

Browse for another database——在计算机中选择另外一个汽车数据库地址；

Remove selected folder from list——将目录中的数据库地址移除；

Don't show this window the next time you start——选中后打开 TruckSim 不再显示此界面；

Create a new database from a Consolidated Parsfise...——创建一个新的数据集；

include older versions——包含低版本的 TruckSim 模型。

选择 TruckSim 软件数据库后进入工作界面，如图 4-2 所示。

其中：

a 为菜单栏，TruckSim 与其他软件在操作上存在区别，在 TruckSim 中创建新数据库不是以新建保存的方式，而是采用复制已有数据库的形式。

b 包含软件界面的基本操作：

Sidebar——控制软件侧面状态栏是否显示；

Refresh——刷新当前界面；

Help——打开帮助文档；

Lock——锁定/解锁当前界面。

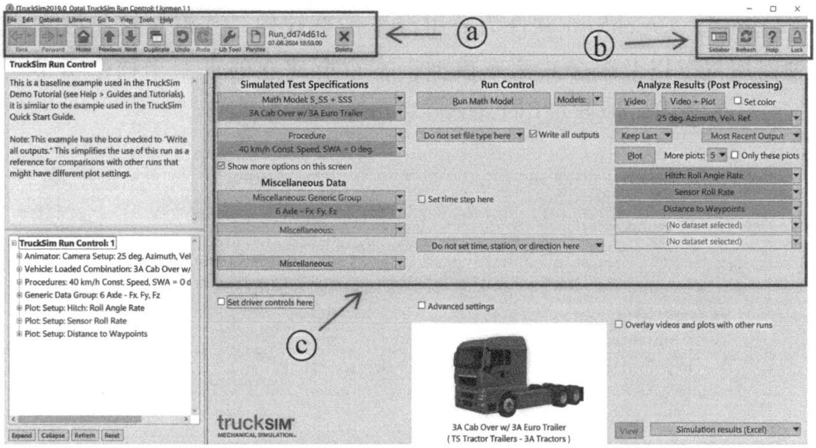

图 4-2　TruckSim 工作界面

c 为软件工作区，包括汽车数据与工况设置、数据运行设置以及结果分析：

Simulated Test Specifications——设置车型及工况；

Run Control——运行控制，包括运行数学模型及与其他系统联合仿真；

Analyze Results (Post Processing) ——对模型运行结果进行分析。

② 新建数据集，在菜单栏中选择“Duplicate”，出现图 4-3 所示界面，将新建数据集类别命名为“case”，将新建数据集标题命名为“part4”，新建立的数据集可在菜单栏中“Datasets”列表下查找与更改。需要注意的是新建数据集的目的是在不破坏 TruckSim 原有数据库的情况下进行汽车模型的自定义，这也是 TruckSim 与常用软件的区别之一。

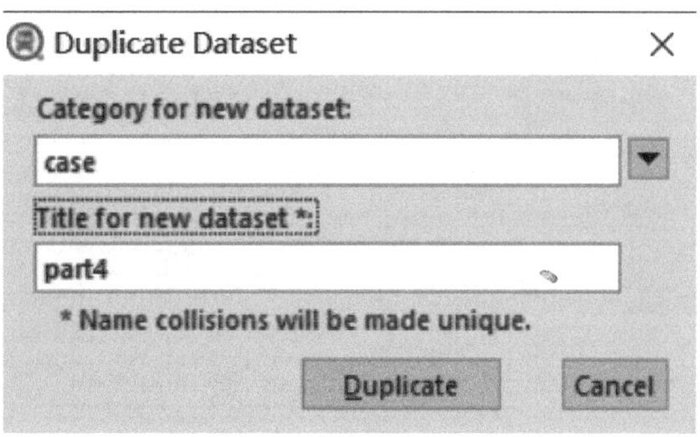

图 4-3　新建数据集

③ 选择汽车模型，如图 4-4 所示，在“Simulated Test Specifications”下选

择“Math Model：S_SS＋SSS”右侧倒三角→“Vehicles”→“Vehicle：Loaded Combination”。TruckSim软件为商用汽车仿真软件，其汽车模型数据库包含2～5轴商用汽车以及组合式汽车模型，本章所建立的重型半挂牵引车模型属于组合式汽车结构，因此选用Loaded Combination模型。

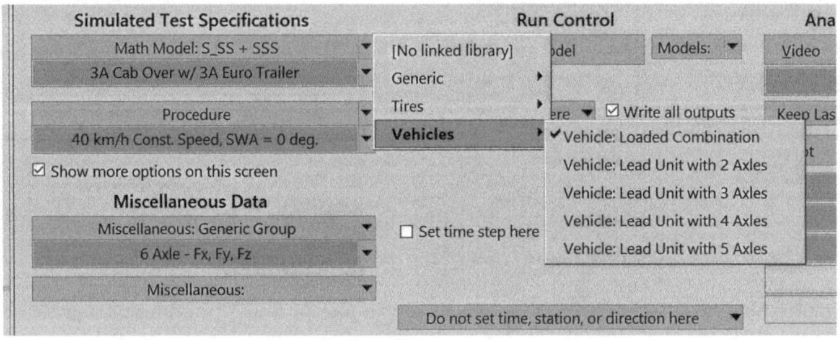

图4-4 选择汽车模型

④ 选择车体模型数据，如图4-5所示，单击“No dataset selected”右侧倒三角选择汽车类型，TruckSim软件所提供的牵引车结构形式有2轴式，即前轴为转向轴，后轴为驱动轴；3轴式，即前轴为转向轴，中轴、后轴为驱动轴；以及多轴式的特种牵引车模型[11]。半挂车结构形式有单轴式、2轴式、3轴式和多轴特种形式的半挂车模型。选择汽车模型为3轴牵引车、3轴半挂车的组合形式，选择“TS Tractor Trailers-3A Tractors”→“3A Cab Over w/ 3A Euro Trailer”，软件界面将显示所选车型外观。

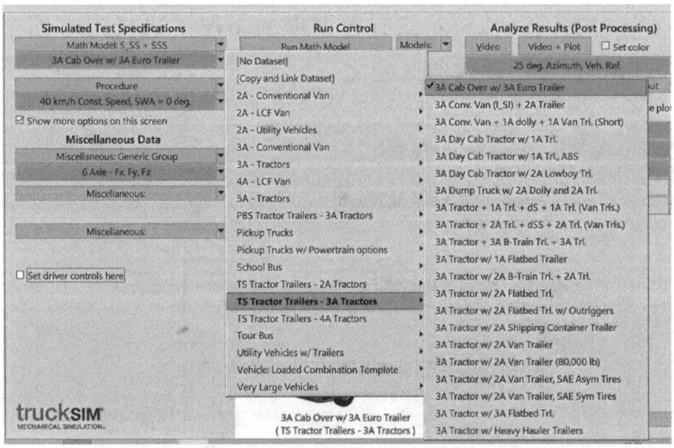

图4-5 设置汽车模型数据

⑤ 点击所选汽车模型，进入图4-6所示汽车模型二级界面，对所选模型

进行设置，可更改牵引车与半挂车种类以及增加半挂车数量。

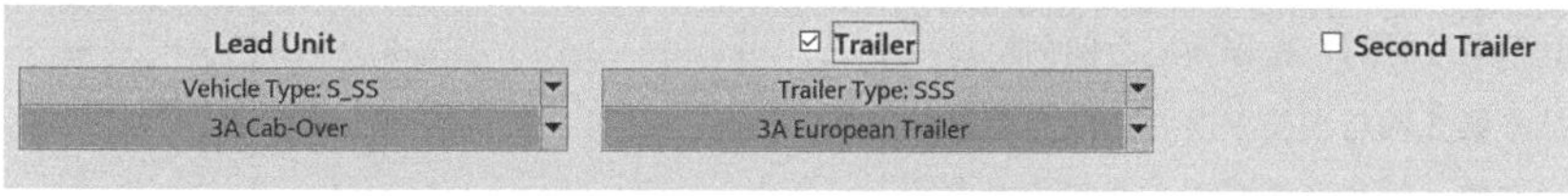

图 4-6　汽车模型二级界面

⑥ 设置汽车参数，点击牵引车单元“3A Cab-Over”进入汽车参数设计界面，如图 4-7，此界面包括对簧载质量、空气动力学、仿真动画、轮胎、转向系统、动力传动系统、制动系统、前后轴位置的定义[12]。

对于车体建模，需要考虑整车参数及外形尺寸，包括整车尺寸、质心位置、轴距等，单击“3A Cab-Over”设置整车基本参数，本章设置牵引车及半挂车详细车身参数如表 4-1 所示。

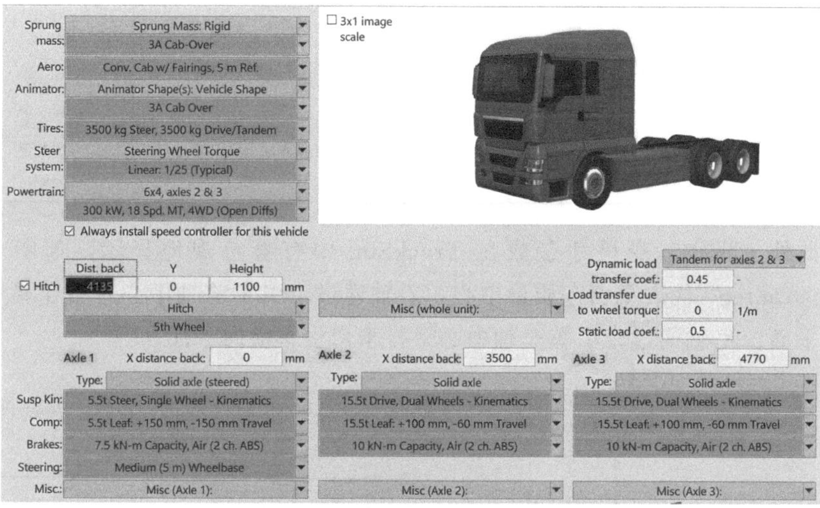

图 4-7　牵引车单元参数设置

表 4-1　重型半挂牵引车实车参数

名称	符号	数值	单位
牵引车总质量	m_1	6595	kg
半挂车总质量	m_2	7570	kg
牵引车簧载质量	m_{1s}	4455	kg
半挂车簧载质量	m_{2s}	5500	kg
牵引车第 1 轴与牵引车质心之间的距离	a	2.00	m
牵引车第 2 轴与牵引车质心之间的距离	b	1.5	m
牵引车第 3 轴与牵引车质心之间的距离	c	2.77	m

续表

名称	符号	数值	单位
半挂车第 1 轴与半挂车质心之间的距离	e_1	3.3	m
半挂车第 2 轴与半挂车质心之间的距离	e_2	4.5	m
半挂车第 3 轴与半挂车质心之间的距离	e_3	5.7	m
牵引车质心与铰接点间距离	h_1	2.135	m
半挂车质心与铰接点间距离	h_2	3.4	m
牵引车悬挂质心高度	$h_{\phi 1}$	0.665	m
半挂车悬挂质心高度	$h_{\phi 2}$	1.426	m
铰接点距牵引车侧倾轴线的高度	$h_{\tau 1}$	0.57	m
铰接点距半挂车侧倾轴线的高度	$h_{\tau 2}$	0.565	m
牵引车绕 Z 轴转动惯量	I_{1zz}	34802.6	kg · m^2
半挂车绕 Z 轴转动惯量	I_{2zz}	150000	kg · m^2
牵引车绕 X 轴转动惯量	I_{1xx}	2283.9	kg · m^2
半挂车绕 X 轴转动惯量	I_{2xx}	8997.1	kg · m^2
牵引车绕 Y 轴转动惯量	I_{1yy}	35402.8	kg · m^2
半挂车绕 Y 轴转动惯量	I_{2yy}	150000	kg · m^2
牵引车横摆侧倾惯性积	I_{1xz}	1626	kg · m^2
半挂车横摆侧倾惯性积	I_{2xz}	0	kg · m^2

此外，部分车身尺寸参数在 TruckSim 中有着直观地显示，如图 4-8，“Mass center”代表牵引车质量中心，Z 轴通过牵引车前轴中心垂直于牵引车横向平面，X 轴通过牵引车车轴中心平行于牵引车横向平面。

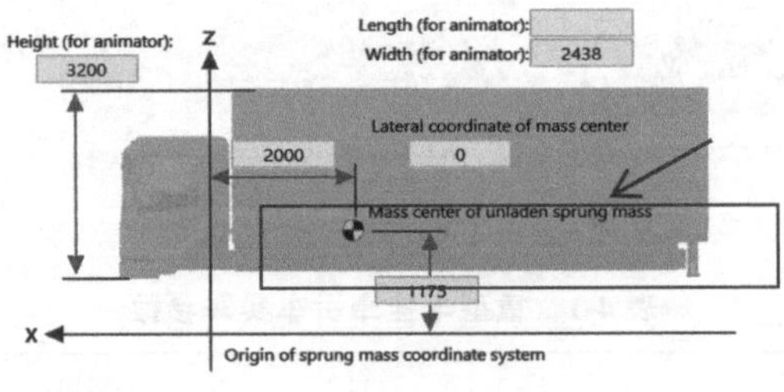

图 4-8　牵引车车身尺寸

对于汽车轴距的设置，分别在 Axle1、Axle2、Axle3 的“X distance back”中设置，牵引车以其转向轴中心为坐标原点，半挂车以铰接装置中心为坐标原点。

对于牵引车与半挂车连接装置（Hitch）的设置，在牵引车参数设置界面选中“Hitch”并设置其位置参数，“Dist. back”表示连接装置中心到牵引车坐标原点的纵向距离，设置为 4135mm，“Y”表示连接装置的横向位置，以牵引车纵向对称平面为基准，无偏移设置为 0，“Height”表示连接装置离地高度，设置为 1100mm。

牵引车车身模型设置好后，返回图 4-6 界面，选择半挂车车型并进入参数设置界面，如图 4-9 所示，在“3A European Trailer”中设置半挂车车身尺寸参数，其中，轴距的设置与前文相同。

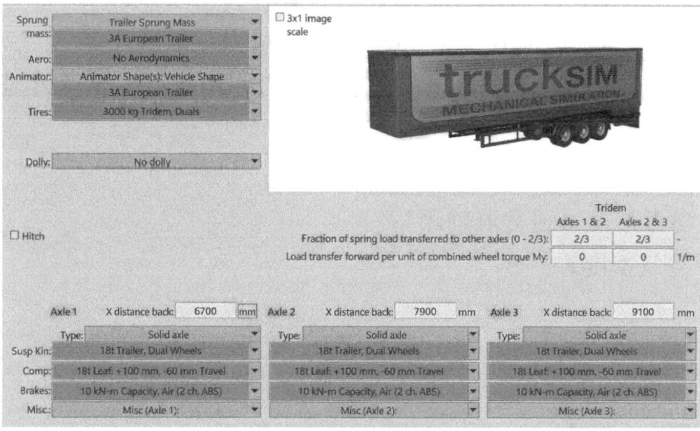

图 4-9　半挂车单元参数设置

4.1.2　空气动力学模型

汽车行驶过程中，必然会受到空气作用力的影响。随着汽车速度不断提高，这种影响变得愈发显著。为了便于研究空气对汽车的作用力，SAE（Society of Automotive Engineers，汽车工程师学会）创建了一个规范性的坐标系统，并且以空气动力的基准点作为坐标系统的原点，该原点是把整车承受的空气动力与力矩等量齐观地转移到一起的集中点，根据 SAE 的规定，选择轮距和轴距中心线相交的位置来确定该集中点[13]。

TruckSim 中对汽车空气动力学的模型建立是按照符合 SAE 规定的规范性坐标系对汽车空气动力学模型进行建模，“Aero”中设置了不同类型的驾驶室供用户选择，本书采用“Conv. Cab w/Fairings”带整流罩的 5m 驾驶室进行空气动力学设置，点击“Conv. Cab w/Fairings”进入空气动力学建模界面，如图 4-10 所示。

TruckSim 软件已完成对整车动力学模型的参数设定，允许使用者自定义诸如气压值、迎风面大小和空气动力学基准点的坐标等重要参数。该软件内的数学公式能精确地把汽车在空气动力学基准点上的作用力转换为位于整车质量中心的位置，从而真实地展示空气对汽车实际的作用效果。

软件中部分设定参数如下：

CFx as function of aero slip angle——阻力系数；

CFy as function of aero slip angle——侧向力系数；

CFz as function of aero slip angle——升力系数；

CMx as function of aero slip angle——侧倾力矩系数；

CMy as function of aero slip angle——俯仰力矩系数；

CMz as function of aero slip angle——横摆力矩系数；

Aerodynamic reference point——空气动力作用点，X 的大小通常取轴距一半；

A——迎风面积；

L——参考长度（通常取轴距）；

D——空气密度。

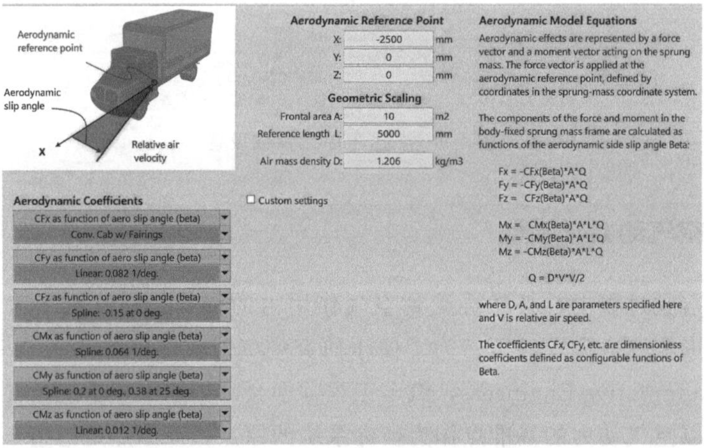

图 4-10 空气动力学建模界面

4.1.3 轮胎模型

轮胎是汽车的重要部件之一，它的结构和参数决定着汽车的行驶性能[14]。本文所研究的重型半挂牵引车共 22 个轮胎，其中，牵引车第 1 轴为单胎，牵引车其余各轴以及半挂车各轴轮胎均为双胎，双胎间隔为 310mm。故选择 TruckSim 软件中内置“3500kg Rating，538mm Radius”与“3000kg Rating，510mm Radius”轮胎模型分别作为牵引车与半挂车轮胎模型，以半径 538mm/510mm 轮胎特性为整车轮胎系统特性进行设计。

（1）轮胎定义

点击“Tires”下方轮胎模型“3500kg Steer，3500kg Drive/Tandem”进入图 4-11 所示界面进行牵引车和半挂车轮胎的定义。

其中：

Mix tire types——定义同一轴上具备不同参数型号的轮胎模型，若为单胎，可分别对两侧轮胎进行设置，若为双胎，可分别对两侧及内外轮胎进行定义；

Dual tires——定义该轴两侧为双胎设置；

Spacing——在选择“Dual tires”后定义轮胎间距，本书模型定义为 310mm；

Steer——代表该轴为转向轴；

Drive——代表该轴为驱动轴。

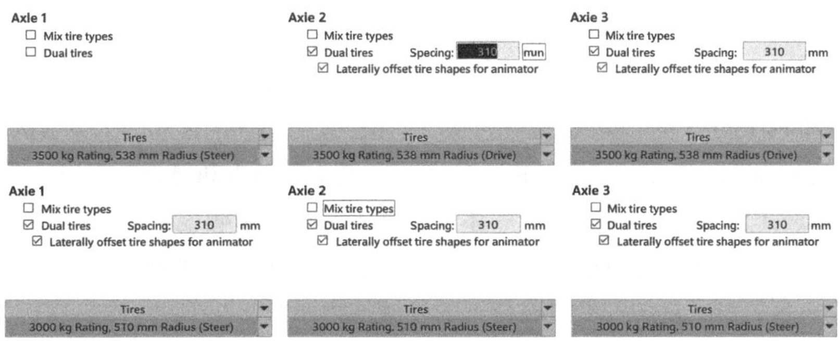

图 4-11　重型半挂车牵引车轮胎定义

（2）轮胎系统参数设置

在定义轮胎数量、型号后，点击所建立的轮胎进入图 4-12 所示的轮胎系统参数设置界面。该界面包含对选用轮胎的全部参数及轮胎动画的设置。

图 4-12(a) 所示为轮胎六分力简化模型，其中：

F_x——轮胎纵向力；

F_y——轮胎侧向力；

F_z——轮胎垂向力；

M_z——轮胎回正力矩；

M_x——轮胎翻转力矩；

α——车轮横摆角；

β——车轮侧倾角。

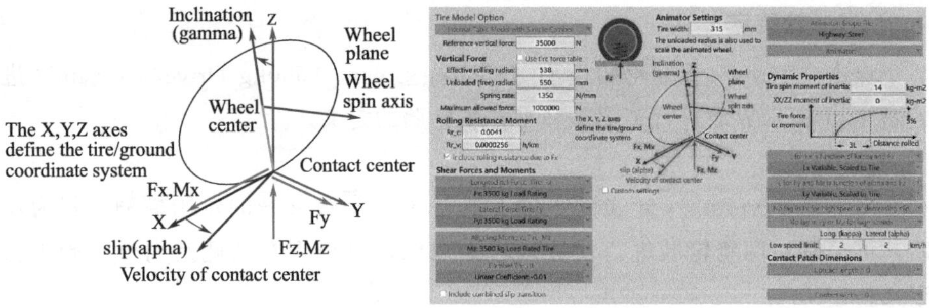

(a) (b)

图 4-12 轮胎系统参数设置

其中，部分参数解释如下：

Effective rolling radius——有效滚动半径。

Spring rate——轮胎刚度。

Maximum allowed force——轮胎允许最大载荷，最好设置足够大的值。

Rr_c——滚动阻力系数。

Rr_v——和速度相关的滚动阻力系数，总滚动阻力系数＝Rr_c＋Rr_v×vx。

Include rolling resistance due to Fx——由驱动力引起的滚动阻力系数的变化。

Longitudinal Force：Tire：Fx——不同载荷下驱动力和滑移率之间的关系。

Lateral Force：Tire：Fy——不同载荷下侧向力和侧偏角之间的关系。

Aligning Moment：Tire：Mz——不同载荷下回正力矩和侧偏角之间的关系。

Camber Thrust——不同载荷下的外倾推力系数。

在不同垂直载荷作用下，轮胎侧偏特性如图 4-13 所示。

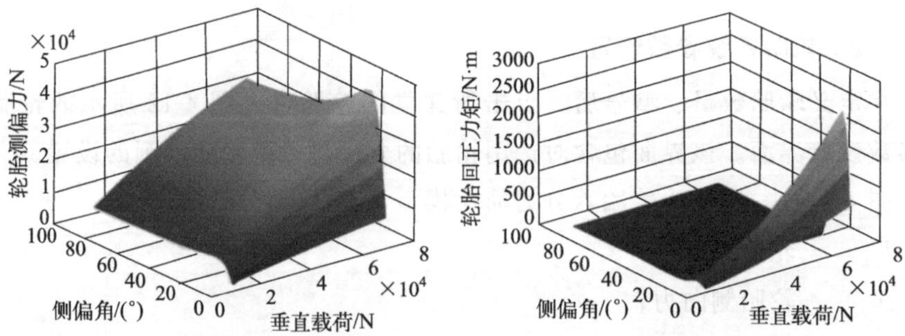

(a) 侧向力 (b) 回正力矩

图 4-13 轮胎侧偏特性图

侧偏角在 10°以内时，侧偏力和侧偏角呈近似的线性关系。轮胎侧偏角超过 10°后，侧偏力与侧偏角呈非线性关系，且在同一轮胎侧偏角时，轮胎的垂直载荷越大，它的回正力矩越大。

4.1.4 动力传动系统模型

在牵引车单元参数设置界面（图 4-7）的“Powertrain”下设置动力传动系统模型为“300kW，18 Spd. MT，4WD（Open Diffs）”，点击进入图 4-14 所示界面，该界面定义了整车的动力传动系统，包括发动机（或电机）、变速器、主减速器、差速器等，根据情况还可设置汽车的驱动形式，本章所建立模型为牵引车驱动，半挂车不存在动力，因此只对牵引车进行动力传动系统建模。

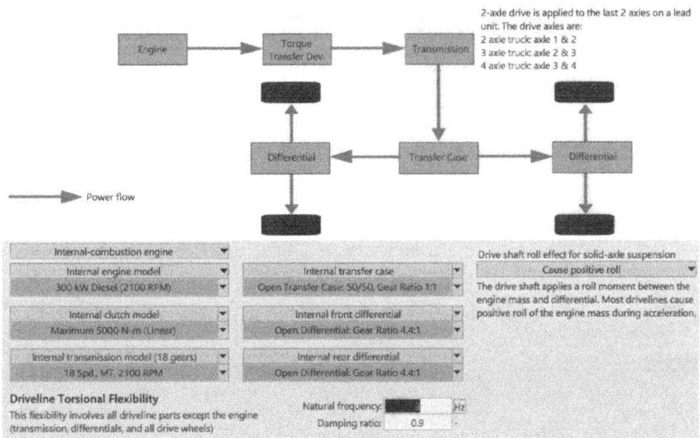

图 4-14　动力传动系统

Internal engine model——发动机模型，可以采用内部的模型，也可以用外部的，如在 Simulink 中搭建模型，TruckSim 中设置了发动机转速与转矩的关系，如图 4-15。

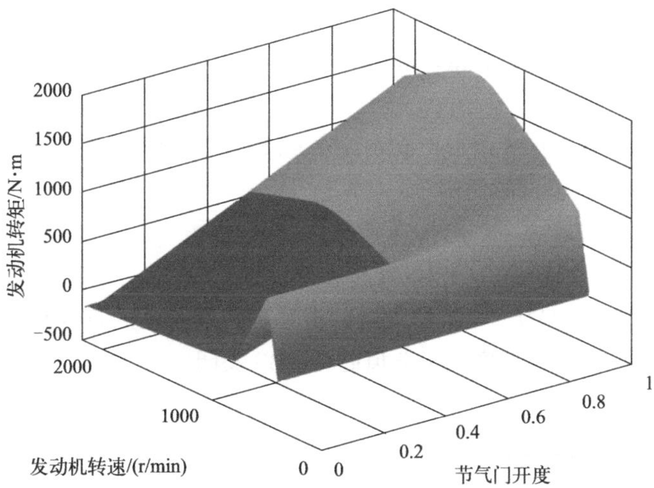

图 4-15　发动机转速与转矩关系

Internal transmission model——变速器模型，变速器的参数（如换挡时机、转动惯量、换挡时间）都采用软件默认值。变速器具体参数设置如图 4-16 所示。

	Gear Ratio	Inertia	Driving	Coasting
R:	-12.85	0.2	0.9	0.9
N:		0.2		
1:	14.4	0.2	0.92	0.92
2:	12.29	0.2	0.92	0.92
3:	8.56	0.2	0.92	0.92
4:	7.3	0.2	0.92	0.92
5:	6.05	0.2	0.92	0.92
6:	5.16	0.2	0.92	0.92
7:	4.38	0.2	0.92	0.92
8:	3.74	0.2	0.92	0.92
9:	3.2	0.2	0.92	0.92
10:	2.73	0.2	0.92	0.92
11:	2.29	0.2	0.92	0.92
12:	1.95	0.2	0.92	0.92
13:	1.62	0.2	0.92	0.92
14:	1.38	0.2	0.92	0.92
15:	1.17	0.2	0.92	0.92
16:	1.00	0.2	0.92	0.92
17:	0.86	0.2	0.92	0.92
18:	0.73	0.2	0.92	0.92

图 4-16 变速器参数

4.1.5 制动系统模型

制动系统（Break）模型选择“7.5kN-m Capacity，Air（2ch. ABS）”，自动控制行驶选择“Control with master cylinder pressure”主缸压力控制，制动系统模型如图 4-17 所示。

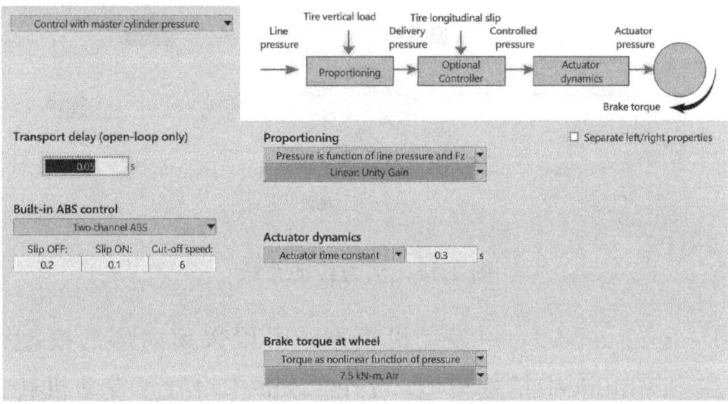

图 4-17 制动系统模型

制动系统中其他参数意义如下：

Torque as nonlinear function of pressure——各车轮制动转矩和制动压力之间的关系。

Pressure is function of line pressure and Fz——制动压力分配，各车轮的制动压力占总管路压力的比例。

Transport delay——管路传递延迟。

Built-in ABS control——对 ABS 进行设置。

Slip OFF/Slip ON——按照设置的滑移率控制制动的打开和关闭。

Cut-off speed——速度低于此值时，ABS 关闭。

4.1.6 转向系统模型

汽车的转向系统必须使其能够根据驾驶员的驾驶意图来完成对应的操作，

确保汽车在弯道或避障时，能跟随驾驶意图进行转弯，对汽车行驶安全性与稳定性有着极大的作用。本章所使用的重型半挂牵引车，整车转向系统结构比常规转向系统结构更加复杂，主要含有转向中心板、转向直拉杆、转向横拉杆和转向节臂等。其中，转向中心板作为重要部件，其结构设计对汽车性能有着至关重要的影响。但在 TruckSim 环境下对转向系统建模时，不需要关注转向系统的布局形式以及特定的结构尺寸，只需着重研究转向系统运动学 K 特性（Kinematics）与弹性运动学 C 特性（Compliance）[15]。

转向系统运动学 K 特性就是指转向角传递的非线性特性。转向角由转向摇臂通过转向横拉杆转移至左车轮转向节臂上，右侧车轮也需要考虑转向梯形的非线性传递作用。通常采用转向盘角增量和同侧转向节角增量的比值来表示，也就是转向系统角传动比，来表征转向系统运动学特性。

转向系统弹性运动学 C 特性是指左、右轮在转向力矩的作用下，因弹性变形而导致的车轮转角变化。转向系统设置包括转向机构的弹性运动学特性以及主销的几何参数，主要用以下数据来表示：

① 转向系统弹性运动学特性：转向横拉杆弹性运动学系数与转向柱弹性运动学系数。

② 主销的几何参数：主销内倾角、主销后倾角、车轮纵向拖距和车轮横向拖距等。

本章所研究重型半挂牵引车中，牵引车单元装备的转向系统名义转向传动比（Nominal steering gear ratio）为 1∶25，K 特性选用 0.0006deg/N·m，C 特性选用 0.0001deg/N·m。转向系统的具体参数设置如图 4-18 所示。

TruckSim 转向系统模型中其他参数如下：

Steer Gain vs. Speed——和速度相关的转向增益；

Ground-Friction Low-Speed Steer Torque——和速度、载荷相关的地面摩擦力作用在主销上的扭矩；

Steer left/right wheel——转向作用在左/右轮；

Steer symmetrical——转向对称；

Axle wrap compliance——非独立悬架，作用在车轮上的驱动、制动力矩引起的车桥相对于簧载质量绕 Y 轴的变形系数；

Ratio：steer/wrap——车轮转向角和车桥的俯仰运动之间的关系；

Wheel steer vs. axle jounce——车轮转向角和车桥垂向运动的关系；

Lateral offset @ center——主销轴线中心处侧向偏移，向内为正；

Kingpin inclination——主销内倾角，向内为正；

X coordinate @ center——主销轴线（中心处）X 坐标；

Caster angle——主销后倾角。

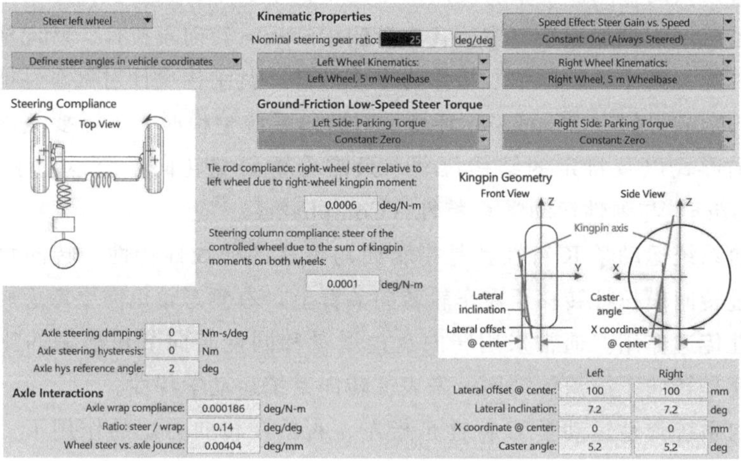

图 4-18　转向系统参数设置

半挂车所装备的转向系统为多轴转向机构，由于 TruckSim 软件中默认的半挂车模型都不具备转向功能，但为方便用户进行自定义开发，提供具有扩展功能的接口。因此，需在 TruckSim 软件中配置相应的接口，使得半挂车单元各轴车轮转角可以根据实际情况来完成相应的转向动作。具体设置如图 4-19 所示。

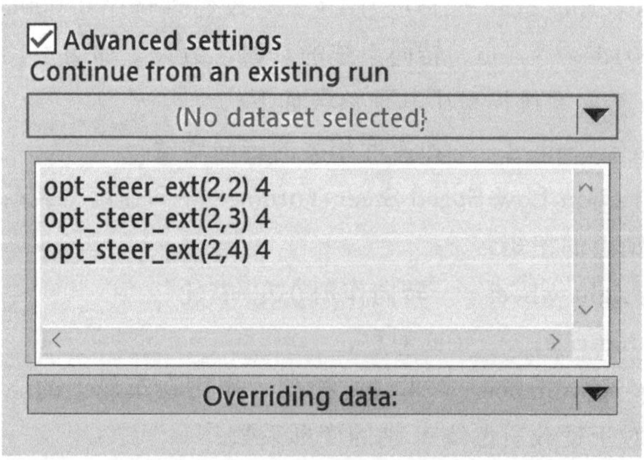

图 4-19　半挂车转向扩展接口设置

4.1.7　悬架系统模型

汽车悬架系统包含弹簧、阻尼器及导向部件等，能有效地缓解道路对汽车的冲击，使轮胎尽可能保持其工作环境的需求。TruckSim 软件中提供了两种悬架模式：独立式（Solid axle）与非独立式（Independent），这些悬架系统的构建可以通过考虑悬架的 K（Kinematics）属性和 C（Compliance）属性来完成。K 属性指的是运动学特性，描述了当车轮在垂直轴线上做上下振动时，由悬架导引机制引起的车轮平面和中心点的角度偏移和线偏移的变化情况；C 属性则表示为弹性运动学特性，描述了因地面施加到轮胎的力或转矩导致的车轮平面和中心点的角度偏移和线偏移变化的情况。

本书参照 TruckSim 软件中传统 4 轴汽车的悬架系统参数，选择“Susp Kin”进行该部分模型的搭建。悬架系统采用纵置钢板弹簧结构。全部轴系统都装有钢板弹簧，钢板弹簧特性用 TruckSim 软件中的默认值表示。车桥悬架具体参数如图 4-20 所示。

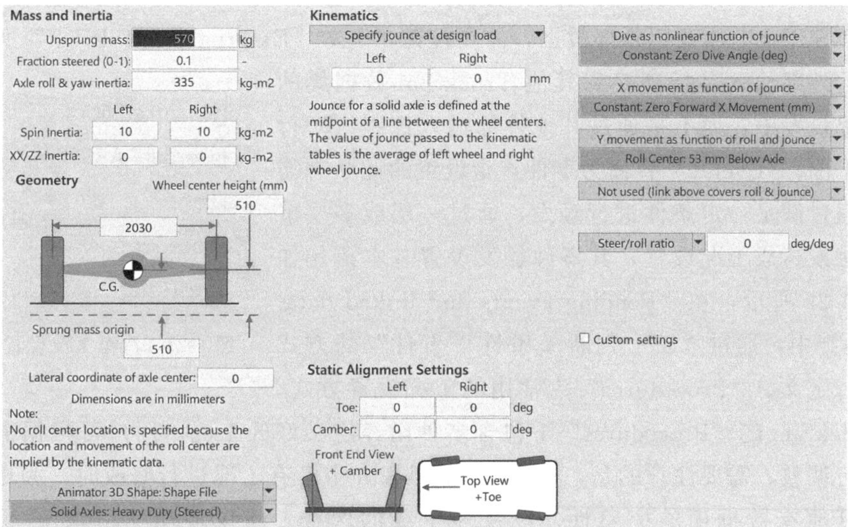

图 4-20　TruckSim 车桥悬架模型

模型中部分参数含义如下：

Unsprung mass——簧下质量；

Spin inertia——左右两侧车轮转动惯量；

Spin inertia foreach side——车轮转动惯量；

Wheel center height——车轮静载半径；

Lateral coord. of suspension center——悬架系统质心 Y 坐标；

Camber——静载状态车轮外倾角；

Toe——静载状态车轮前束角；

Specify jounce at design load——静载时，轮跳参考值，必须和 K 特性曲

线相对应；

Dive vs. Jounce Dive——簧下质量绕 Y 轴的运动，当悬架压缩时，从汽车左侧来看，悬架逆时针运动为正；

Longitudinal Movement vs. Jounce——轮心纵向位移和轮跳的关系，向前运动为正。

4.1.8 汽车工况构建（驾驶控制、场景搭建）

点击“Home”或使用快捷键“Ctrl＋H”回到主界面，在“Simulated Test Specifications”下的“Procedures”进行汽车驾驶/仿真工况的设置，如图 4-21，TruckSim 将汽车行驶工况数据分为五类，其中，“No linked library”表示无行驶工况设置，此时汽车行驶依靠外部输入（如 Simulink）；“External PARSFILE”为调用外部数据，需要注意的是，“External PARSFILE”所定义的外部输入是指连接到其他 TruckSim 数据集的工况设置中，而不是通过其他外部输入控制汽车行驶工况；“Events”直译为事件，指设置的此状态需要通过满足一定条件进行触发，通过一层或多层事件触发达成工况设置，其事件触发设置基本语句如图 4-22 所示，在“Pending events and linked datasets”中，通过“IF＋判断＋条件＋事件”的方式进行定义。“Procedures”为常用的工况设置方式，TruckSim 的“Procedures”下包含多种已经定义好的工况，用户可根据需要进行调整，需要注意的是，在使用 TruckSim 中已有工况进行修改时，为尽量保证原有数据库的完整性，以及多工况的区分，建议使用“Link to New Dataset”对工况数据进行复制；“Tire Tester”为轮胎测试时进行的设置，根据轮胎模型与参数进行模拟稳态轮胎测试。

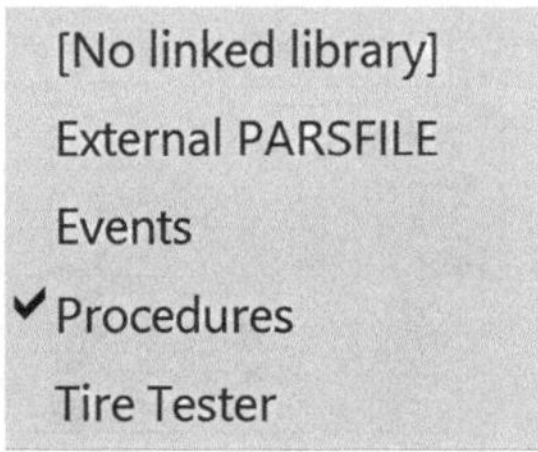

图 4-21 汽车工况设置

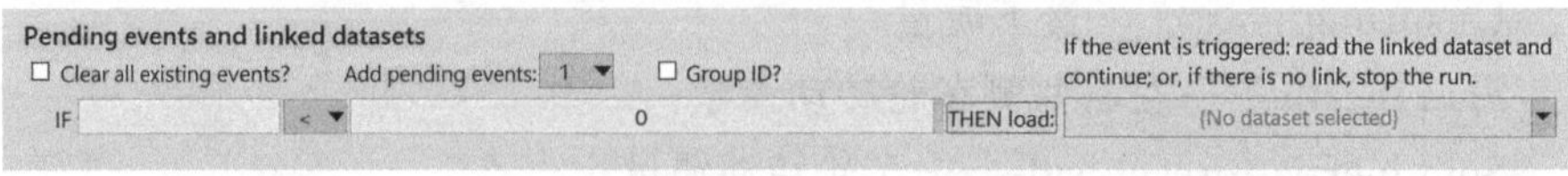

图 4-22 汽车事件触发设置

对于汽车操纵稳定性的试验方法，《汽车操纵稳定性试验方法》（GB/T 6323—2014）已经进行了相关规定，其中，包括对试验设备、试验条件、测量参数、试验场地等的相关规定，由于采用模拟测试的方法，因此不需要试验设备，同时可以忽略其他条件的影响，达到较理想工况。

由 GB/T 6323—2014 规定的汽车操纵稳定性试验包括蛇形试验、转向瞬态响应试验（转向盘转角阶跃输入试验与转向盘转角脉冲输入试验）、转向回正性能试验、转向轻便性试验、稳态回转试验、转向盘中心区操纵稳定性试验，由于虚拟测试条件的限制，部分试验并不能取得符合实际的结论，如转向轻便性与回正性能试验[16]，本章对重型半挂牵引车转向稳定性进行控制仿真，因此，建立蛇形试验工况进行验证，其关键参数为横摆角速度、质心侧偏角以及侧向加速度。

接下来对仿真所需工况进行构建：

① 点击“Home”回到 TruckSim 主界面，在模型配置菜单下选择“Procedure”的“Procedures”，以“Steering Tests”下的“Sine Wave 0.2Hz，450deg”工况为模板，点击“Copy and Link Dataset”，出现图 4-23 所示界面，将该工况命名为“Snake test”，单击“Copy and Link”创建工况。

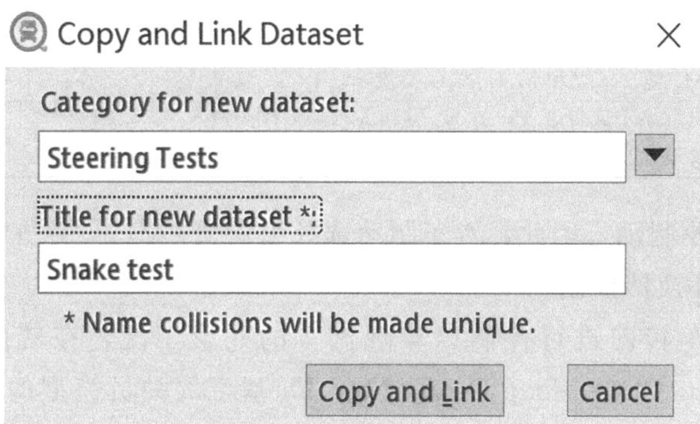

图 4-23　建立测试工况

选择所建立的汽车工况，进入参数配置界面，如图 4-24 所示，该界面包含“Driver Controls”（驾驶控制）、“Additional Data”（附加数据）、“Start and Stop Conditions”（启停条件）、“Plot Definitions”（图像定义）和初始位置五部分。

② 对汽车驾驶相关参数进行配置。此部分包括汽车行驶速度、汽车制动、换挡以及汽车转向的相关参数的配置。

表 4-2 为 GB/T 6323—2014 规定的蛇形试验工况标桩间距及基准车速，依照此标准进行蛇形试验工况的设计，重型半挂牵引车属于“M_3 类（铰接客车）及最大总质量大于 15t 的 N_3 类和 M_3G、N_3G”类汽车，汽车行驶速度为基准车速的二分之一，设置为恒定车速 25km/h，标桩间距为 50m。

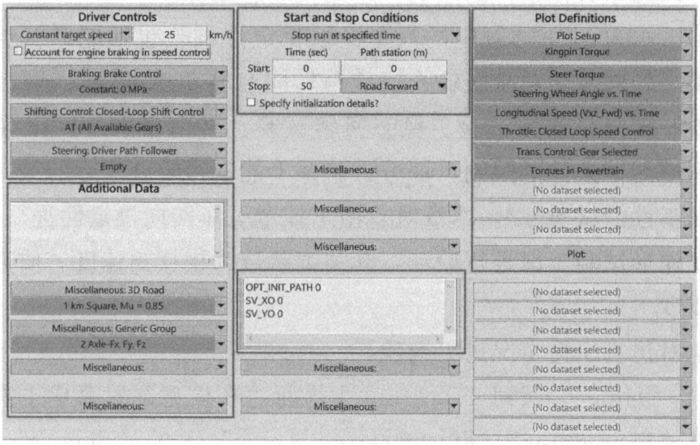

图 4-24　行驶工况参数配置

表 4-2　蛇形试验工况标桩间距及基准车速

汽车类型	标桩间距/m	基准车速/(km/h)
M_1 类、N_1 类和 M_1G、N_1G 类汽车	30	65
M_2 类、N_2 类和 M_2G、N_2G 类汽车		50
M_3 类及最大总质量小于或等于 15t 的 N_3 类和 M_3G、N_3G 类汽车	50	60
M_3 类(铰接客车)及最大总质量大于 15t 的 N_3 类和 M_3G、N_3G 类汽车		50

由于不涉及制动，因此，汽车制动选择恒定值 0MPa，汽车换挡控制使用 AT 变速器闭环换挡控制。

选择对汽车转向进行控制以实现汽车的蛇形工况，在转向设置中选择“Steering by the Closed-loop Driver Model”基于驾驶员模型的闭环转向，通过点击“Copy and Link Dataset”建立一个新的转向数据集，设置新数据集分类和名称后进入所建立的新数据集进行转向数据的配置，如图 4-25 所示。

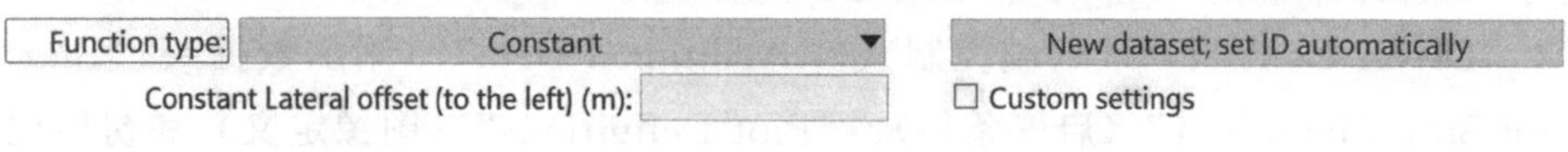

图 4-25　转向数据配置

在函数类型“Function type”下选择“Linear interpolation, flat-line extrapolation”设置汽车蛇形运动，如图 4-26，左侧为路径显示区，其中，纵坐标（Lateral offset）为汽车的横向偏移量，横坐标（Station）为汽车的纵向位置，右侧为路径编辑区，根据需要定义 X、Y 轴坐标参数，坐标轴数据如表 4-3 所示，在“Maximum steering wheel angle”中输入 540 限制方向盘最大转角。

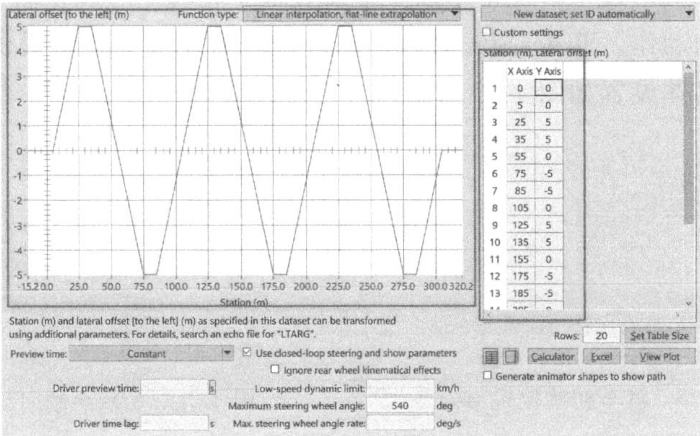

图 4-26　蛇形工况路径参数配置

表 4-3　蛇形工况路径参数

坐标轴	坐标参数									
X	0	5	25	35	55	75	85	105	125	135
Y	0	0	5	5	0	−5	−5	0	5	5
坐标轴	坐标参数									
X	155	175	185	205	225	235	255	275	285	305
Y	0	−5	−5	0	5	5	0	−5	−5	0

③ 汽车驾驶数据配置完毕后，点击“Back”回到图 4-24 所示界面，进行附加数据的配置，在“Miscellaneous”中选择“Paths and Road Surfaces”配置路面参数，选择“Flat Test Pads”平板路面下的“1km Square，Mu＝0.85”，路面摩擦系数（Friction）为 0.85。

④ 汽车启停条件配置，在启停条件配置面板中选择“Stop run at specified time”指定汽车仿真时间，开始时间设为 0，仿真结束时间设为 50，并且选择“Road forward”指定汽车向前行驶。

⑤ 在“Start and Stop Conditions”下的自定义参数栏中输入“OPT_INIT_PATH 0、SV_XO 0、SV_YO 0”，如图 4-27 所示，定义汽车的初始位置与初始姿态。

4.1.9　TruckSim 模型运行

在配置好 TruckSim 汽车模型参数与汽车工况后，回到图 4-2 界面，由于要对重型半挂牵引车的半挂车进行转向控制，因此，需将根据前文所述的多轴转向机构所测得的各轴车轮转角数据导入 Simulink 软件中，并在 TruckSim

软件中配置相应的接口，使得半挂车单元各轴车轮转角可以根据实际情况来完成相应的转向动作。TruckSim 为方便用户进行自定义开发，提供支持扩展功能的接口。具体设置如图 4-28 所示。

图 4-27　汽车初始位置与姿态

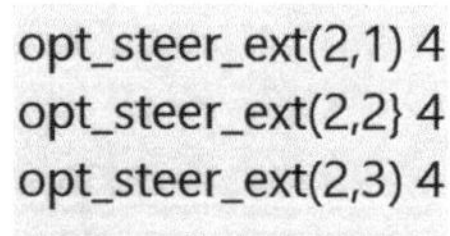

图 4-28　半挂车转向扩展接口设置图

在配置好全部模型参数后，在运行控制菜单栏下点击“Run Math Model”运行模型数据，出现图 4-29 所示界面，若与 Simulink 联合仿真，则应在 Models 中将模型接口连接到 Simulink 中，与 Simulink 的联合仿真将会在第 4.3 节中进行详细讲解。

图 4-29　模型运行

模型运行结束，点击“Analyze Results（Post Processing）”下的“Video”可查看汽车行驶动画，该模块也可进行图像设置，将需要的参数图像配置到该状态栏下，点击“Video＋ Plot”即可查看图像及运行动画，如图 4-30，需要注意的是图像的配置需要在运行模型前完成。

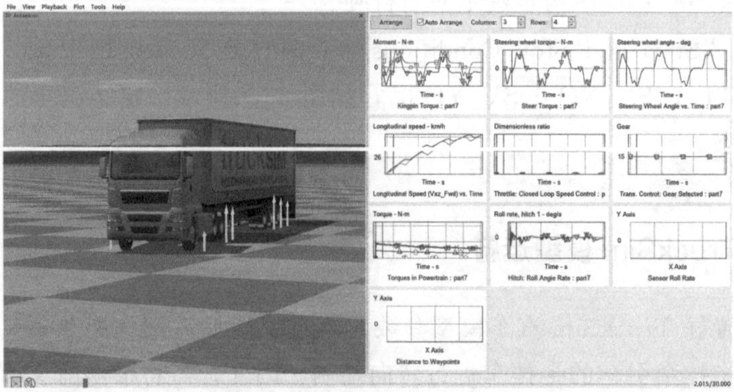

图 4-30　汽车行驶动画及数据图像

4.2 汽车稳定性控制策略仿真模型建立

在第 4.1 节中已经建立了 TruckSim 汽车模型，本节通过建立重型半挂牵引车五自由度简化横摆侧倾动力学模型对汽车横摆侧倾状态量进行观测，以用于线性二次型调节器的输入，根据阿克曼转向原理建立汽车动力学模型对 LQR 输出的等效半挂车轴转角进行求解分析。

4.2.1 Simulink 汽车动力学模型

为了对该重型半挂牵引车进行多轴转向控制，对其进行整车动力学分析是必要的，并据此建立出整车五自由度横摆侧倾简化模型。其中，五自由度由牵引车和半挂车的横摆、侧倾及牵引车的质心侧偏角组成。在研究结果不受影响的前提下，存在以下假设：

① 忽略了重型半挂牵引车与半挂车之间的俯仰运动与垂向运动；

② 忽略了空气动力学及路面坡度的影响；

③ 整车以车身轴线为中心左右对称布置；

④ 牵引车与半挂车是具有固定质心的两刚性体；

⑤ 忽略轮胎载荷变化，使轮胎和地面接触区域的压力一致。

本章所使用的重型半挂牵引车中的牵引车单元为三轴车体，前一轴为转向型；半挂车单元也为三轴车体，后三轴为转向型。对其结构尺寸进行分析，如图 4-31 所示。

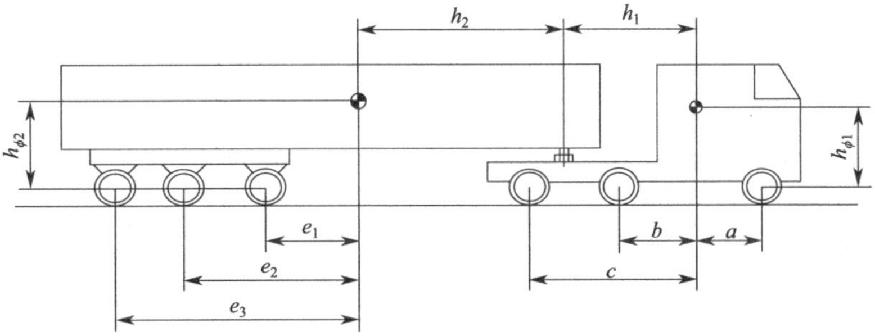

图 4-31　重型半挂牵引车结构尺寸

其中：

a——牵引车第 1 轴中心到牵引车质心的距离；

b——牵引车第 2 轴中心到牵引车质心的距离；

c——牵引车第3轴中心到牵引车质心的距离；

e_1——半挂车第1轴中心到半挂车质心的距离；

e_2——半挂车第2轴中心到半挂车质心的距离；

e_3——半挂车第3轴中心到半挂车质心的距离；

h_1——牵引车质心到铰接点的距离；

h_2——半挂车质心到铰接点的距离；

$h_{\phi 1}$、$h_{\phi 2}$——牵引车/半挂车质心高度。

为方便模型的建立，先建立汽车三自由度模型，再在此基础上考虑重型牵引车与半挂车的侧倾，以建立汽车五自由度简化动力学模型。首先将模型简化为处于车身纵向对称面上的单轨模型以建立其横摆运动，如图 4-32 所示，以此建立关于牵引车单元的质心侧偏角、横摆角速度与半挂车单元的横摆角速度这三个自由度的汽车简化模型。

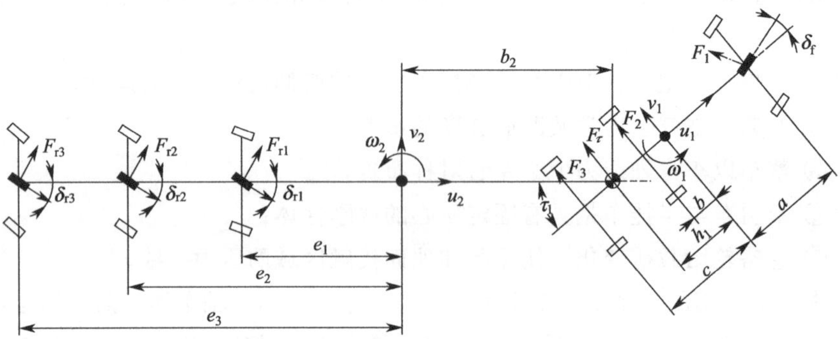

图 4-32　重型半挂牵引车简化模型

对于牵引车，由牛顿第二定律可得：

$$m_1 u_1(\dot{\beta}_1+\omega_1)=F_1\cos\delta_f+F_2+F_3-F_\tau \tag{4-1}$$

$$I_{1zz}\dot{\omega}_1=F_1 a\cos\delta_f+F_\tau h_1-F_2 b-F_3 c \tag{4-2}$$

同理，根据牛顿第二定律可得到半挂车单元的动力学方程：

$$m_2 u_2(\dot{\beta}_2+\omega_2)=F_{r1}\cos\delta_{r1}+F_{r2}\cos\delta_{r2}+F_{r3}\cos\delta_{r3}+F_\tau\cos\tau \tag{4-3}$$

$$I_{2zz}\dot{\omega}_2=-(F_{r1}e_1\cos\delta_{r1}+F_{r2}e_2\cos\delta_{r2}+F_{r3}e_3\cos\delta_{r3})+F_\tau h_2\cos\tau \tag{4-4}$$

式中　m_1，m_2——牵引车、半挂车质量；

u_1，u_2——牵引车、半挂车纵向车速；

β_1，β_2——牵引车、半挂车质心侧偏角；

ω_1，ω_2——牵引车、半挂车单元横摆角速度；

I_{1zz}，I_{2zz}——牵引车、半挂车横摆惯性矩；

F_1，F_2，F_3——牵引车第 1、2、3 轴侧向力；

F_{r1}，F_{r2}，F_{r3}——半挂车第 1、2、3 轴侧向力；

F_τ——第五轮（铰接位置）处相互作用力在与牵引车纵向对称线垂直方向的分力；

τ_1——第五轮转角（牵引车与半挂车单元组成的角度）；

δ_f——牵引车单元转向轮转角；

δ_{r1}，δ_{r2}，δ_{r3}——半挂车第 1、2、3 轴车轮转角。

在建立了牵引车、半挂车的动力学方程后，还要考虑到牵引车与半挂车连接装置（第五轮或牵引座）的作用，牵引车与半挂车的速度矢量应与连接装置处的速度矢量相关联[17]，对连接处的速度进行速度矢量分析，如图 4 33 所示。

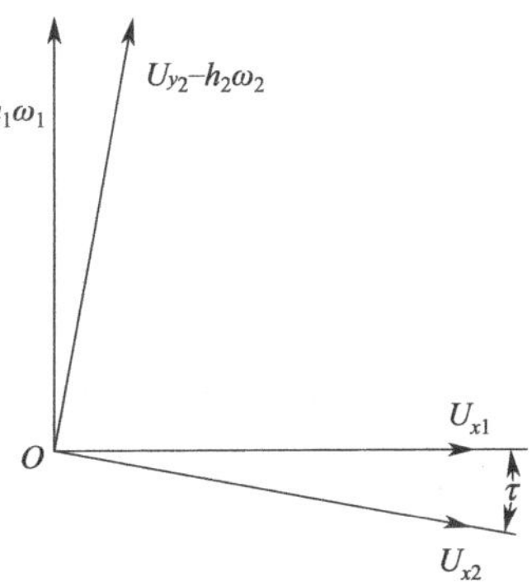

图 4-33　连接处速度矢量

由速度矢量图可以看出牵引车与半挂车的速度关系与横摆角速度关系。

$$\begin{cases} U_{x1}\cos\tau-(U_{y1}-h_1\omega_1)\sin\tau=U_{x2} \\ U_{x1}\sin\tau+(U_{y1}-h_1\omega_1)\cos\tau=U_{y2}+h_2\omega_2 \end{cases} \tag{4-5}$$

此外，牵引车与半挂车横摆角速度与其连接位置（第五轮）转角存在如下关系：

$$\dot{\tau}=\omega_1-\omega_2 \tag{4-6}$$

考虑到实际中牵引车与半挂车之间的铰接角很小，使铰接角近似为 0，则有 $\sin\tau\approx\tau$，$\cos\tau\approx1$，式（4-5）可化简为：

$$\begin{cases} U_{x1}-(U_{y1}-h_1\omega_1)\tau=U_{x2} \\ U_{x1}\tau+U_{y1}-h_1\omega_1=U_{y2}+h_2\omega_2 \end{cases} \tag{4-7}$$

由速度矢量图可以看出 $u_1=U_{x1}$、$u_2=U_{x2}$，且认为 u_1、u_2 近似相等，对式(4-7）求导可得到约束方程如下：

$$\dot{\beta}_1-\dot{\beta}_2+\omega_1-\omega_2-\frac{h_1}{u_1}\dot{\omega}_1-\frac{h_2}{u_2}\dot{\omega}_2=0 \tag{4-8}$$

在重型半挂牵引车动力学方程和约束方程的基础上，建立轮胎模型，进而得到汽车状态方程，本章使用线性轮胎模型，即各轴车轮所受到的侧向力与该轴的等效侧偏角呈线性关系，即：

$$F=k\alpha \tag{4-9}$$

对于牵引车，各轴侧偏力可表示为：

$$\begin{cases}F_1=K_1\alpha_1\\F_2=K_2\alpha_2\\F_3=K_3\alpha_3\end{cases} \tag{4-10}$$

对于半挂车，各轴侧偏力可表示为：

$$\begin{cases}F_{r1}=K_{r1}\alpha_{r1}\\F_{r2}=K_{r2}\alpha_{r2}\\F_{r3}=K_{r3}\alpha_{r3}\end{cases} \tag{4-11}$$

式中　K_1、K_2、K_3——牵引车 1、2、3 轴侧偏刚度；

K_{r1}、K_{r2}、K_{r3}——半挂车 1、2、3 轴侧偏刚度。

α_1、α_2、α_3 分别为牵引车各轴等效侧偏角，牵引车为前轴转向，因此，在 α_1 中加入车轮转角的影响。

$$\begin{cases}\alpha_1=\beta_1+\dfrac{a}{u_1}\omega_1-\delta_f\\\alpha_2=\beta_1-\dfrac{b}{u_1}\omega_1\\\alpha_3=\beta_1-\dfrac{c}{u_1}\omega_1\end{cases} \tag{4-12}$$

α_{r1}、α_{r2}、α_{r3} 分别为半挂车各轴等效侧偏角，由于要对半挂车进行转向控制，因此，在半挂车各轴上均要加入车轮转角的影响。

$$\begin{cases}\alpha_{r1}=\beta_2-\dfrac{e_1}{u_2}\omega_2-\delta_{r1}\\\alpha_{r2}=\beta_2-\dfrac{e_2}{u_2}\omega_2-\delta_{r2}\\\alpha_{r3}=\beta_2-\dfrac{e_3}{u_2}\omega_2-\delta_{r3}\end{cases} \tag{4-13}$$

以上建立了重型半挂牵引车三自由度下的动力学模型，汽车横摆通常伴随着侧倾运动，重型汽车的侧倾运动更为明显，在重型半挂牵引车三自由度模型的基础上考虑汽车的侧倾运动建立重型半挂牵引车横摆侧倾五自由度动力学模型，该模型也是研究铰接式汽车横向稳定性的基础模型。

汽车侧倾示意图如图 4-34 所示。

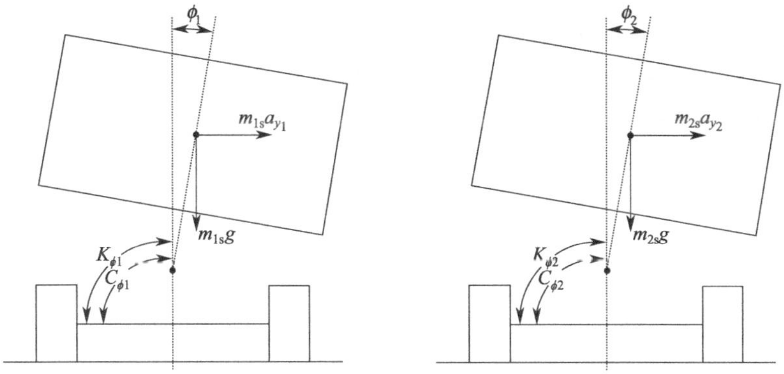

图 4-34　重型半挂牵引车侧倾示意图

图中　m_{1s}、m_{2s}——牵引车、半挂车簧载质量；

$K_{\phi 1}$、$K_{\phi 2}$——牵引车、半挂车侧倾刚度；

$C_{\phi 1}$、$C_{\phi 2}$——牵引车、半挂车侧倾阻尼；

ϕ_1、ϕ_2——牵引车、半挂车侧倾角；

a_{y1}、a_{y2}——牵引车、半挂车侧向加速度。

结合汽车侧倾示意图与牛顿第二定律可得：

$$m_1 u_1(\dot{\beta}_1+\omega_1)-m_{1s}\ddot{\phi}_1 h_{\phi_1}\cos\phi_1=F_1\cos\delta_f+F_2+F_3-F_\tau \tag{4-14}$$

$$I_{1zz}\dot{\omega}_1-I_{1xz}\ddot{\phi}_1=F_1 a\cos\delta_f+F_\tau h_1-F_2 b-F_3 c \tag{4-15}$$

$$\begin{aligned}(I_{1xx}+m_{1s}h_{\phi_1}^2)\ddot{\phi}_1-I_{1xz}\dot{\omega}_1=&-C_{\phi_1}\dot{\phi}_1-K_{\phi_1}\phi_1+K_\tau(\phi_2-\phi_1)+F_\tau h_{\tau 1}\\&+m_{1s}gh_{\phi_1}\sin\phi_1+m_{1s}[u_1(\dot{\beta}_1+\omega_1)-\ddot{\phi}_1 h_{\phi_1}\cos\phi_1]h_{\phi_1}\cos\phi_1\end{aligned} \tag{4-16}$$

对于半挂车单元，根据牛顿第二定律可推导出：

$$m_2 u_2(\dot{\beta}_2+\omega_2)-m_{2s}\ddot{\phi}_2 h_{\phi_2}\cos\phi_2=F_{r1}\cos\delta_{r1}+F_{r2}\cos\delta_{r2}+F_{r3}\cos\delta_{r3}-F_\tau\cos\tau \tag{4-17}$$

$$I_{2zz}\dot{\omega}_2-I_{2xz}\ddot{\phi}_2=F_\tau h_2\cos\tau-(e_1F_{r1}\cos\delta_{r1}+e_2F_{r2}\cos\delta_{r2}+e_3F_{r3}\cos\delta_{r3}) \tag{4-18}$$

$$\begin{aligned}(I_{2xx}+m_{2s}h_{\phi_2}^2)\ddot{\phi}_2-I_{2xz}\dot{\omega}_2=&-C_{\phi_2}\dot{\phi}_2-K_{\phi_2}\phi_2-K_\tau(\phi_2-\phi_1)-F_\tau h_{\tau 2}\cos\tau\\&+m_{2s}gh_{\phi_2}\sin\phi_2+m_{2s}[u_2(\dot{\beta}_2+\omega_2)-\ddot{\phi}_2 h_{\phi_2}\cos\phi_2]h_{\phi_2}\cos\phi_2\end{aligned} \tag{4-19}$$

式中　K_τ——铰接点（第五轮）侧倾刚度；

I_{1xx}、I_{2xx}——牵引车、半挂车侧倾惯性矩；

I_{1xz}、I_{2xz}——牵引车、半挂车横摆侧倾惯性积；

$h_{\phi 1}$、$h_{\phi 2}$——牵引车、半挂车簧载质量中心距其侧倾轴线的高度；

$h_{\tau 1}$、$h_{\tau 2}$——铰接点距牵引车、半挂车侧倾轴线的高度。

对于铰接处的速度矢量分析如图 4-35 所示，由于引入了汽车侧倾的影响，牵引车与半挂车在铰接处的横向速度矢量发生变化，在式(4-5) 中加入侧倾的影响，可得到式(4-20)。

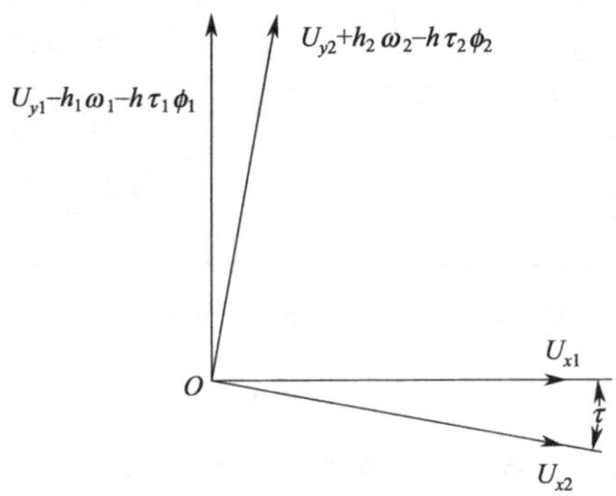

图 4-35　考虑侧倾的铰接位置速度矢量

$$\begin{cases}U_{x1}\cos\tau-(U_{y1}-h_1\omega_1-h_{\tau 1}\dot{\phi}_1)\sin\tau=U_{x2}\\U_{x1}\sin\tau+(U_{y1}-h_1\omega_1-h_{\tau 1}\dot{\phi}_1)\cos\tau=U_{y2}+h_2\omega_2-h_{\tau 2}\dot{\phi}_2\end{cases} \tag{4-20}$$

与三自由度模型下的速度矢量分析同理，将式(4-6) 代入式(4-20) 整理可得到如下约束方程：

$$\dot{\beta}_1-\dot{\beta}_2+\omega_1-\omega_2-\frac{h_1}{u_1}\dot{\omega}_1-\frac{h_2}{u_2}\dot{\omega}_2-\frac{h_{\tau 1}}{u_1}\ddot{\phi}_1-\frac{h_{\tau 2}}{u_2}\ddot{\phi}_2=0 \tag{4-21}$$

将式(4-10)～式(4-13)以及式(4-21) 代入式(4-14)～式(4-19)中，消去铰接处所受分力的影响，整理可得到重型半挂牵引车五自由度横摆侧倾模型状态空间方程如式(4-22) 所示。

$$\dot{\boldsymbol{X}}=\boldsymbol{A}\boldsymbol{X}+\boldsymbol{B}_1\boldsymbol{U}+\boldsymbol{B}_2\delta_{\mathrm{f}} \tag{4-22}$$

X 为状态向量：

$$\boldsymbol{X}=[\beta_1\omega_1\phi_1\dot{\phi}_1\beta_2\omega_2\phi_2\dot{\phi}_2]^{\mathrm{T}} \tag{4-23}$$

控制向量为 **U**：

$$\boldsymbol{U}=[\delta_{\mathrm{r}}] \tag{4-24}$$

式中　δ_{r}——系统控制的等效半挂车车轮转角。

A 为状态向量的系数矩阵，$\boldsymbol{B}_1$ 为控制向量的系数矩阵，$\boldsymbol{B}_2$ 为牵引车前轮转角的系数矩阵。$\boldsymbol{A}$、$\boldsymbol{B}_1$、$\boldsymbol{B}_2$ 可通过式(4-25) 进行计算：

$$\begin{cases}\boldsymbol{A}=\boldsymbol{M}^{-1}\boldsymbol{N}\\ \boldsymbol{B}_1=\boldsymbol{M}^{-1}\boldsymbol{S}\\ \boldsymbol{B}_2=\boldsymbol{M}^{-1}\boldsymbol{T}\end{cases} \tag{4-25}$$

其中，矩阵 $\boldsymbol{M}$、$\boldsymbol{N}$、$\boldsymbol{S}$、$\boldsymbol{T}$ 如式(4-26)～式(4-29)所示：

$$\boldsymbol{M}=\begin{bmatrix} m_1u_1h_1 & I_{1zz} & 0 & M_{14} & 0 & 0 & 0 & 0\\ M_{21} & -I_{1xz} & 0 & M_{24} & 0 & 0 & 0 & 0\\ m_1u_1 & 0 & 0 & m_{1s}h_{\phi 1} & m_2u_2 & 0 & 0 & -m_{2s}h_{\phi 2}\\ 0 & 0 & 0 & 0 & -m_2u_2h_2 & I_{2zz} & 0 & M_{48}\\ 0 & 0 & 0 & 0 & M_{55} & -I_{2xz} & 0 & M_{58}\\ 1 & -\dfrac{h_1}{u_1} & 0 & \dfrac{h_{\tau 1}}{u_1} & -1 & -\dfrac{h_2}{u_2} & 0 & \dfrac{h_{\tau 1}}{u_2}\\ 0 & 0 & 1 & 0 & 0 & 0 & 1 & 0\\ 0 & 0 & 0 & 0 & 0 & 0 & 0 & 0 \end{bmatrix} \tag{4-26}$$

$$\boldsymbol{N}=\begin{bmatrix} N_{11} & N_{12} & 0 & 0 & 0 & 0 & 0 & 0\\ N_{21} & N_{22} & N_{23} & -C_{\phi 1} & 0 & 0 & K_{\tau} & 0\\ \sum\limits_{i=1}^{3}K_i & N_{32} & 0 & 0 & \sum\limits_{i=1}^{3}K_{ri} & N_{36} & 0 & 0\\ 0 & 0 & 0 & 0 & N_{45} & N_{46} & 0 & 0\\ 0 & 0 & K_{\tau} & 0 & N_{55} & N_{56} & N_{57} & C_{\phi 2}\\ 0 & -1 & 0 & 0 & 0 & 1 & 0 & 0\\ 0 & 0 & 0 & 0 & 0 & 0 & 0 & 0\\ 0 & 0 & 0 & 0 & 0 & 0 & 0 & 1 \end{bmatrix} \tag{4-27}$$

$$\boldsymbol{S}=\begin{bmatrix}0 & 0 & -\sum\limits_{i=1}^{3}K_{ri} & -N_{45} & -N_{55} & 0 & 0 & 0\end{bmatrix}^{\mathrm{T}} \tag{4-28}$$

$$\boldsymbol{T}=\begin{bmatrix}-N_{11} & -N_{21} & -\sum\limits_{i=1}^{3}K_{i} & 0 & 0 & 0 & 0 & 0\end{bmatrix}^{\mathrm{T}} \tag{4-29}$$

矩阵中部分参数如式(4-30)、式(4-31) 所示：

$$
\begin{cases}
M_{14}=-(I_{1xz}+m_{1s}h_{\phi1}h_1)\\
M_{21}=(m_1h_{\tau1}-m_{1s}h_{\phi1})u_1\\
M_{24}=I_{1xx}-m_{1s}h_{\phi1}h_{\tau1}+2m_{1s}h_{\phi1}^2\\
M_{48}=-I_{2xz}+m_{2s}h_{\phi2}h_2\\
M_{55}=(m_2h_{\tau2}-m_{2s}h_{\phi2})u_2\\
M_{58}=I_{2xx}-m_{2s}h_{\phi2}h_{\tau2}+2m_{2s}h_{\phi2}^2
\end{cases}
\tag{4-30}
$$

$$
\begin{cases}
N_{11}=K_1(h_1+a)+K_2(h_1-b)+K_3(h_1-c)\\
N_{12}=\dfrac{K_1a}{u_1}(h_1+a)-\dfrac{K_2b}{u_1}(h_1-b)-\dfrac{K_3c}{u_1}(h_1-c)-m_1u_1h_1\\
N_{21}=(K_1+K_2+K_3)h_{\tau1}\\
N_{22}=\left(\dfrac{K_1a}{u_1}-\dfrac{K_2b}{u_1}-\dfrac{K_3c}{u_1}\right)h_{\tau1}+(m_{1s}h_{\phi1}-m_1h_{\tau1})u_1\\
N_{23}=m_{1s}gh_{\phi1}-K_{\phi1}-K_{\tau1}\\
N_{32}=\dfrac{K_1a}{u_1}-\dfrac{K_2b}{u_1}-\dfrac{K_3c}{u_1}-m_1u_1\\
N_{36}=-\dfrac{K_{r1}e_1}{u_2}-\dfrac{K_{r2}e_2}{u_2}-\dfrac{K_{r3}e_3}{u_2}-m_2u_2\\
N_{45}=K_{r1}(h_2+e_1)+K_{r2}(h_2+e_2)+K_{r3}(h_2+e_3)\\
N_{46}=\dfrac{K_{r1}e_1}{u_2}(h_2+e_1)+\dfrac{K_{r2}e_2}{u_2}(h_2+e_2)+\dfrac{K_{r3}e_3}{u_2}(h_2+e_3)+m_2u_2h_2\\
N_{55}=(K_{r1}+K_{r2}+K_{r3})h_{\tau2}\\
N_{56}=-\left(\dfrac{K_{r1}e_1}{u_2}+\dfrac{K_{r2}e_2}{u_2}+\dfrac{K_{r3}e_3}{u_2}\right)h_{\tau2}+(m_{2s}h_{\phi2}-m_2h_{\tau2})u_2\\
N_{57}=m_{2s}gh_{\phi2}-K_{\phi2}-K_{\tau}
\end{cases}
\tag{4-31}
$$

上述公式所用到的重型半挂牵引车的相关参数与表 4-1 中 TruckSim 建模参数相一致，对于重型半挂牵引车各车轴的侧偏刚度（K_1、K_2、K_3、K_{r1}、K_{r2}、K_{r3}）、第五轮侧偏刚度 K_τ、重型半挂牵引车侧倾刚度（$K_{\phi1}$、$K_{\phi2}$）以及重型半挂牵引车侧倾阻尼（$C_{\phi1}$、$C_{\phi2}$），其参数值如表 4-4 所示，由于牵引车 2、3 轴以及半挂车轴相同，因此，具有相同的侧偏刚度。

表 4-4　重型半挂牵引车刚度、阻尼参数值

K_1	K_2、K_3	K_{r1}、K_{r2}、K_{r3}	K_τ	$K_{\phi1}$	$K_{\phi2}$	$C_{\phi1}$	$C_{\phi2}$
−1700000	−310000	−64000	2200000	1270000	979000	55000	52000

在得到重型半挂牵引车五自由度状态方程后，使用 MATLAB/Simulink 进行动力学模型的搭建，由于本书所建立的模型涉及参数较多、方程复杂，因此，使用 Simulink 中的 MATLAB Function 模块进行状态方程系数矩阵的创建，其代码创建如下：

① 首先启动 MATLAB，在命令行窗口输入“Simulink”并按下回车键打开 Simulink，出现图 4-36 所示界面。

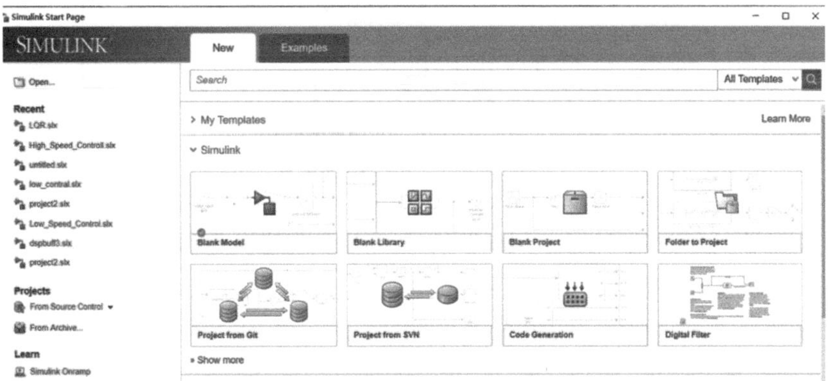

图 4-36　Simulink 初始界面

② 点击“Blank Model”创建空白模型，进入 Simulink 工作界面，如图 4-37，点击指示 1 将模型命名为“model1”并保存。

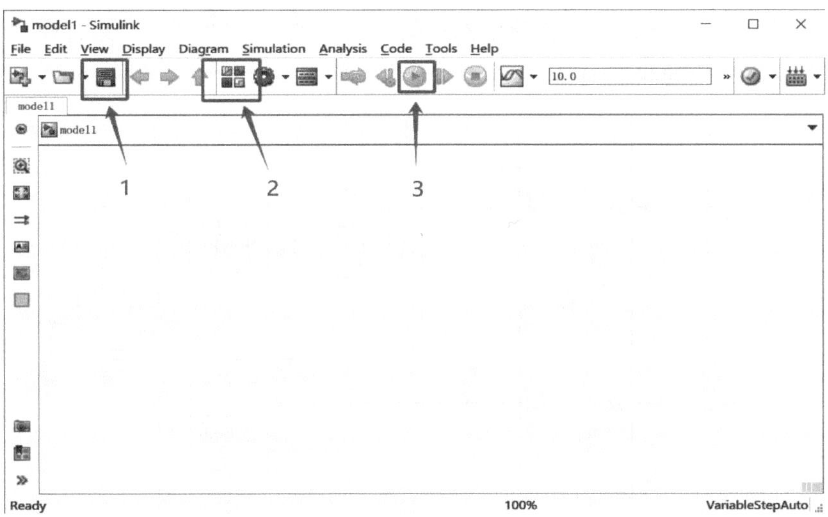

图 4-37　Simulink 工作界面

③ 点击图 4-37 中的指示 2 打开 Simulink 库浏览器，如图 4-38，在搜索框

中输入“matlab function”进行搜索，将模块拖动到工作界面。

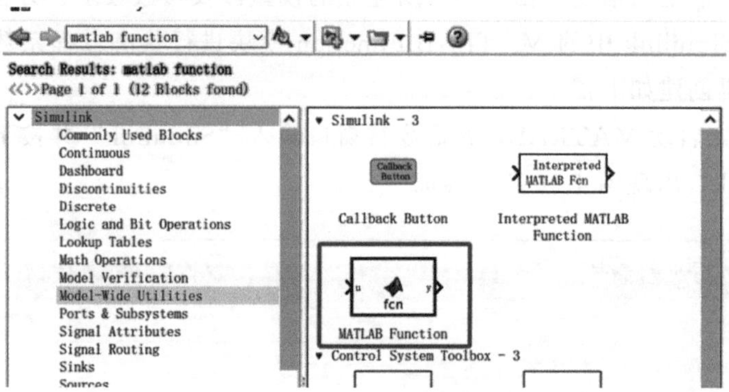

图 4-38　Simulink 库浏览器

④ 双击“MATLAB function”模块进入函数编辑界面，模块输入为牵引车、半挂车车速，输出为重型半挂牵引车五自由度模型状态方程系数矩阵 $\boldsymbol{A}$、$\boldsymbol{B}_1$，函数如下：

```
function [A,B1]= fcn(u1,u2)


end
```

⑤ 将重型半挂牵引车动力学模型系数矩阵以函数形式输入函数编辑界面。

⑥ 在 Simulink 模块中搭建状态空间方程，如图 4-39 所示，运行模型可以得到随时间变化的状态向量。

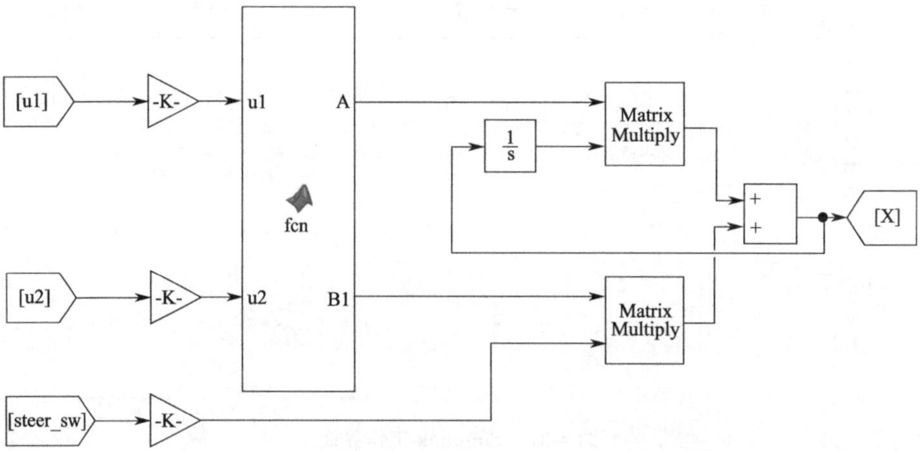

图 4-39　重型半挂牵引车 Simulink 模型

4.2.2　基于 LQR 的多轴转向稳定性控制策略

重型半挂牵引车的稳定性控制采用半挂车多轴转向的控制策略，建立线性二次型调节器（LQR），结合第 4.2.1 节所建立的状态方程得到等效半挂车转角 δ_r 的最优控制量，通过阿克曼转向关系建立转角分配器将等效半挂车转角转化为半挂车各车轮转角输入 TruckSim 重型半挂牵引车模型，通过半挂车主动转向的方式提高重型半挂牵引车的稳定性。

（1） LQR 控制理论

LQR(linear quadratic regulator，线性二次型调节器)，是基于状态空间方程的全状态反馈控制器，易于获得线性状态反馈的最优控制律，构成最优的闭环控制，在现代控制理论中占有非常重要的位置。

在 LQR 控制中，一般设计有一个最优目标函数，如式(4-32)：

$$J(\boldsymbol{U})=\frac{1}{2}\int_0^{\infty}[\boldsymbol{X}^{\mathrm{T}}(t)\boldsymbol{Q}\boldsymbol{X}(t)+\boldsymbol{U}^{\mathrm{T}}(t)\boldsymbol{R}\boldsymbol{U}(t)]\mathrm{d}t \tag{4-32}$$

式中，$\boldsymbol{Q}$ 为 $n\times n$ 半正定矩阵，代表状态变量的权重，称为状态权重矩阵；$\boldsymbol{R}$ 为 $m\times m$ 正定矩阵，代表控制变量的权重，称为控制权重矩阵。

$\boldsymbol{X}(t)$ 为一维向量，$\boldsymbol{X}^{\mathrm{T}}\boldsymbol{Q}\boldsymbol{X}$ 是一个关于 $\boldsymbol{X}$ 的二次型，即 $\boldsymbol{X}^{\mathrm{T}}\boldsymbol{Q}\boldsymbol{X}\geqslant 0$，同理可得 $\boldsymbol{U}^{\mathrm{T}}\boldsymbol{R}\boldsymbol{U}>0$，最优控制量 $\boldsymbol{U}(t)$ 应满足最优目标函数 J 取最小值。当代价函数 J 取最小时，要求系统的状态量 $\boldsymbol{X}(t)$ 最小和控制量 $\boldsymbol{U}(t)$ 都最少。根据 J 存在最小值及积分的有界性，可以得出 J 是有界的函数。因此，当 $t\to\infty$ 时，$\boldsymbol{X}\to\boldsymbol{0}$；$\boldsymbol{U}$ 最小，表示用最少的控制量，便可获得最优控制效果。

引入常量矩阵 $\boldsymbol{P}$，使矩阵 $\boldsymbol{P}$ 满足：

$$\frac{\mathrm{d}}{\mathrm{d}t}(\boldsymbol{X}^{\mathrm{T}}\boldsymbol{P}\boldsymbol{X})=-(\boldsymbol{X}^{\mathrm{T}}\boldsymbol{Q}\boldsymbol{X}+\boldsymbol{U}^{\mathrm{T}}\boldsymbol{R}\boldsymbol{U}) \tag{4-33}$$

结合最优目标函数式(4-32)，整理得到

$$\dot{\boldsymbol{X}}^{\mathrm{T}}\boldsymbol{P}\boldsymbol{X}+\boldsymbol{X}^{\mathrm{T}}\boldsymbol{P}\dot{\boldsymbol{X}}+\boldsymbol{X}^{\mathrm{T}}\boldsymbol{Q}\boldsymbol{X}+\boldsymbol{U}^{\mathrm{T}}\boldsymbol{R}\boldsymbol{U}=\boldsymbol{0} \tag{4-34}$$

LQR 控制器本质上是一个负反馈控制，其目的是求解最优目标函数 J 最小下的最优控制量 $\boldsymbol{U}$，控制量 $\boldsymbol{U}$ 与状态量 $\boldsymbol{X}$ 存在如下关系：

$$\boldsymbol{U}=-\boldsymbol{K}\boldsymbol{X} \tag{4-35}$$

式中，$\boldsymbol{K}$ 为最优控制器增益。

假定线性定常系统的状态空间方程如下：

$$\begin{cases}\dot{\boldsymbol{X}}=\boldsymbol{A}\boldsymbol{X}+\boldsymbol{B}\boldsymbol{U}\\ \boldsymbol{Y}=\boldsymbol{C}\boldsymbol{X}+\boldsymbol{D}\boldsymbol{U}\end{cases} \tag{4-36}$$

式中，$\boldsymbol{X}$ 是 $n\times1$ 维状态向量；$\boldsymbol{U}$ 是 $r\times1$ 维输入向量；$\boldsymbol{Y}$ 是 $m\times1$ 维输出向量；$\boldsymbol{A}$ 是 $n\times n$ 维常数矩阵；$\boldsymbol{B}$ 是 $n\times r$ 维常数矩阵；$\boldsymbol{C}$ 是 $m\times n$ 维常数矩阵；$\boldsymbol{D}$ 是 $m\times r$ 维常数矩阵。

将式(4-35) 分别代入状态方程式(4-36) 与式(4-34)，可得到如下公式：

$$\dot{\boldsymbol{X}}=\boldsymbol{AX}-\boldsymbol{BKX}=(\boldsymbol{A}-\boldsymbol{BK})\boldsymbol{X} \tag{4-37}$$

$$\dot{\boldsymbol{X}}^{\mathrm{T}}\boldsymbol{PX}+\boldsymbol{X}^{\mathrm{T}}\boldsymbol{P}\dot{\boldsymbol{X}}+\boldsymbol{X}^{\mathrm{T}}\boldsymbol{QX}+\boldsymbol{X}^{\mathrm{T}}\boldsymbol{K}^{\mathrm{T}}\boldsymbol{RKX}=\boldsymbol{0} \tag{4-38}$$

将式(4-37) 代入式(4-38) 中整理可得：

$$\boldsymbol{X}^{\mathrm{T}}\left[(\boldsymbol{A}-\boldsymbol{BK})^{\mathrm{T}}\boldsymbol{P}+\boldsymbol{P}(\boldsymbol{A}-\boldsymbol{BK})+\boldsymbol{Q}+\boldsymbol{K}^{\mathrm{T}}\boldsymbol{RK}\right]\boldsymbol{X}=\boldsymbol{0} \tag{4-39}$$

已知状态变量 $\boldsymbol{X}$ 及 $\boldsymbol{X}^{\mathrm{T}}$ 不为 $\boldsymbol{0}$，且式(4-39) 恒成立，则有：

$$(\boldsymbol{A}-\boldsymbol{BK})^{\mathrm{T}}\boldsymbol{P}+\boldsymbol{P}(\boldsymbol{A}-\boldsymbol{BK})+\boldsymbol{Q}+\boldsymbol{K}^{\mathrm{T}}\boldsymbol{RK}=\boldsymbol{0} \tag{4-40}$$

即：

$$\boldsymbol{A}^{\mathrm{T}}\boldsymbol{P}+\boldsymbol{PA}+\boldsymbol{Q}+\boldsymbol{K}^{\mathrm{T}}\boldsymbol{RK}-\boldsymbol{K}^{\mathrm{T}}\boldsymbol{B}^{\mathrm{T}}\boldsymbol{P}-\boldsymbol{PBK}=\boldsymbol{0} \tag{4-41}$$

已知由变分法求得退化黎卡提方程（Riccati equation）为：

$$\boldsymbol{A}^{\mathrm{T}}\boldsymbol{P}+\boldsymbol{PA}+\boldsymbol{Q}=\boldsymbol{PBR}^{-1}\boldsymbol{B}^{\mathrm{T}}\boldsymbol{P} \tag{4-42}$$

联立式(4-41) 可得到 LQR 控制器增益 $\boldsymbol{K}=\boldsymbol{R}^{-1}\boldsymbol{B}^{\mathrm{T}}\boldsymbol{P}$，因此，只需求解出 $\boldsymbol{P}$，便可得到 $\boldsymbol{K}$。所以说在 LQR 控制器的设计中，首先需确定权重矩阵 $\boldsymbol{Q}$、$\boldsymbol{R}$，再根据系统的状态空间方程中的 $\boldsymbol{A}$、$\boldsymbol{B}$ 矩阵，通过求解 Riccati equation 便可得到常数矩阵 $\boldsymbol{P}$，进而得到最优控制器增益 $\boldsymbol{K}$。最后根据 $\boldsymbol{U}=-\boldsymbol{KX}$，便可得到满足最优目标函数 J 最小时的控制量 $\boldsymbol{U}$。

（2）半挂车等效转角控制器设计

利用（1）的中 LQR 控制理论建立半挂车等效转角控制器，已知重型半挂牵引车状态方程如下：

$$\dot{\boldsymbol{X}}=\boldsymbol{AX}+\boldsymbol{B}_1\boldsymbol{U}+\boldsymbol{B}_2\delta_{\mathrm{f}}$$

LQR 的控制变量为半挂车等效转角，因此，将重型半挂牵引车状态方程中牵引车转角项删除，其状态方程为：

$$\dot{\boldsymbol{X}}=\boldsymbol{AX}+\boldsymbol{B}_1\boldsymbol{U} \tag{4-43}$$

式中，$\boldsymbol{X}$ 如式(4-23)，为一维向量；$\boldsymbol{U}$ 为半挂车等效转角；$\boldsymbol{A}$ 为一个 8×8 的矩阵；$\boldsymbol{B}_1$ 为 8×1 阶常数矩阵。

最优目标函数 J 设为：

$$J=\frac{1}{2}\int_0^{\infty}(\boldsymbol{X}^{\mathrm{T}}\boldsymbol{QX}+\boldsymbol{U}^{\mathrm{T}}\boldsymbol{RU})\mathrm{d}t \tag{4-44}$$

由变分法求解得到的连续系统无限时间的黎卡提方程为：

$$\boldsymbol{A}^{\mathrm{T}}\boldsymbol{P}+\boldsymbol{P}\boldsymbol{A}+\boldsymbol{Q}-\boldsymbol{P}\boldsymbol{B}_1\boldsymbol{R}^{-1}\boldsymbol{B}_1^{\mathrm{T}}\boldsymbol{P}=\boldsymbol{0} \tag{4-45}$$

控制器增益：

$$\boldsymbol{K}=\boldsymbol{R}^{-1}\boldsymbol{B}_1^{\mathrm{T}}\boldsymbol{P} \tag{4-46}$$

式中，$\boldsymbol{P}$ 为式(4-45) 黎卡提方程的解。

已知矩阵 $\boldsymbol{A}$ 和矩阵 $\boldsymbol{B}_1$ 为系统状态方程状态量和控制量的系数矩阵，如果知道矩阵 $\boldsymbol{Q}$ 和矩阵 $\boldsymbol{R}$，即可根据式(4-45) 求得常数矩阵 $\boldsymbol{P}$，进而根据式(4-46) 可求得最优控制器增益 $\boldsymbol{K}$，最终由式(4-35) 即可求得半挂车等效转角 δ_{r}。

(3) LQR 控制器

由于 LQR 控制器求解较为复杂，本书采用 MATLAB 的 LQR 工具箱进行离线求解。系统状态方程系数矩阵 $\boldsymbol{A}$、$\boldsymbol{B}_1$ 可以通过式(4-25) 在 MATLAB 中进行计算。计算后的系数矩阵 $\boldsymbol{A}$、$\boldsymbol{B}_1$ 将在 MATLAB 工作区显示，如图 4-40 所示。

系数矩阵（权重矩阵）$\boldsymbol{Q}$、$\boldsymbol{R}$ 的选取为：

$$\boldsymbol{Q}=\mathrm{diag}[1,1,1,1,1,1,1,1],\boldsymbol{R}=\boldsymbol{1}$$

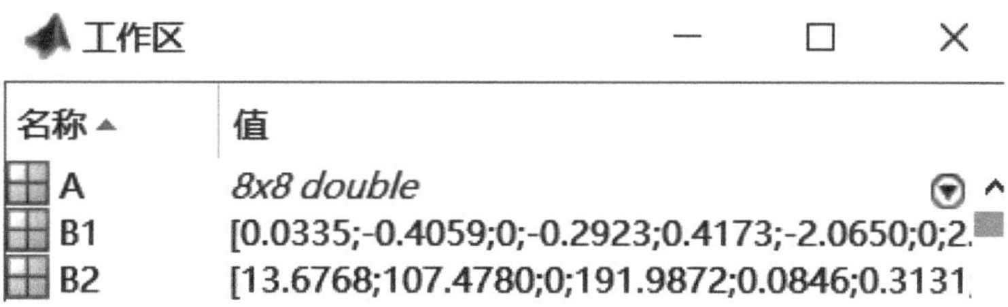

图 4-40　MATLAB 工作区

MATLAB 中 LQR 工具箱函数命令为：

[K,S,P]=lqr(A,B,Q,R,N)

在 MATLAB 命令行窗口输入如下函数：

```
Q=diag([1 1 1 1 1 1 1 1]);
 R=1;
 K=lqr(A,B1,Q,R);
```

MATLAB 返回最优控制器增益 $\boldsymbol{K}$，将增益模块从 Simulink 库浏览器中添加到工作界面，设置增益为“−K”，如图 4-41 所示。

(4) 转角分配器

在根据式(4-35) 计算出半挂车等效转角后，并不能直接输入 TruckSim，

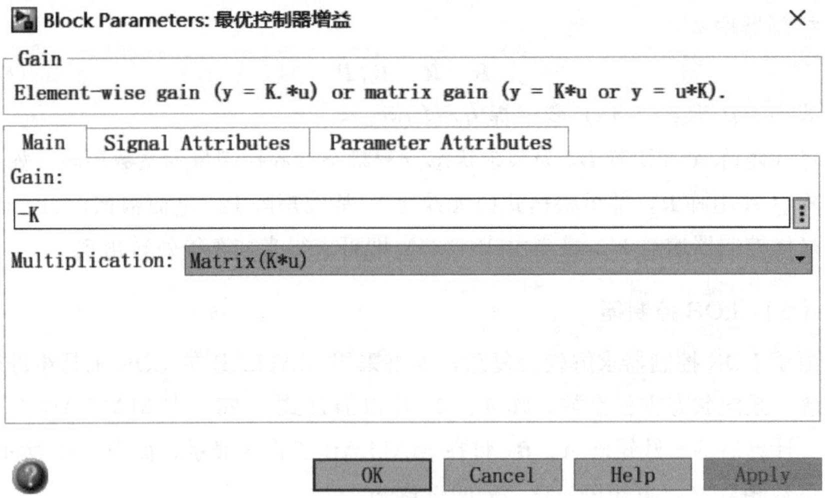

图 4-41　增益模块设置

需要对半挂车等效转角进行分解计算出半挂车各车轮的转角，转角分配关系如图 4-42 所示。

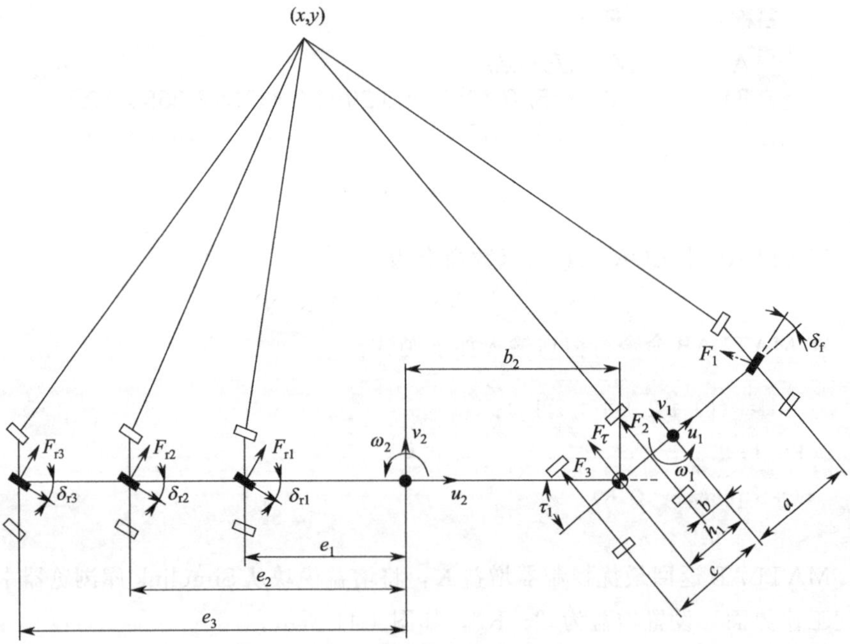

图 4-42　半挂车转角分配关系

由动力学模型可知半挂车等效转角位置在半挂车最后轴中心，由阿克曼转向关系可得到半挂车各车轮转角与等效转角的关系：

$$x_i=\frac{(h_2+e_3)}{1+\tan\tau/\tan\delta_r}$$

$$y_i=\frac{(h_2+e_3)}{\tan\tau+\tan\delta_r}$$

$$\delta_{4l}=\arctan\left(\frac{x_i-2l_r}{y_i-t_r/2}\right)$$

$$\delta_{4r}=\arctan\left(\frac{x_i-2l_r}{y_i+t_r/2}\right)$$

$$\delta_{5l}=\arctan\left(\frac{x_i-l_r}{y_i-t_r/2}\right)$$

$$\delta_{5r}=\arctan\left(\frac{x_i-l_r}{y_i+t_r/2}\right)$$

$$\delta_{6l}=\arctan\left(\frac{x_i}{y_i-t_r/2}\right)$$

$$\delta_{6r}=\arctan\left(\frac{x_i}{y_i+t_r/2}\right)$$

式中　x_i、y_i——半挂车单元转向中心的横、纵向坐标；

δ_{4l}、δ_{4r}——半挂车第 1 轴左、右侧轮胎转角；

δ_{5l}、δ_{5r}——半挂车第 2 轴左、右侧轮胎转角；

δ_{6l}、δ_{6r}——半挂车第 3 轴左、右侧轮胎转角；

l_r——半挂车轴距，由 TruckSim 模型可知半挂车三轴轴距相等，即 $l_r=1.2\text{m}$；

t_r——半挂车轮距，指半挂车同一轴上两车轮间距离，$t_r=1.815\text{m}$。

使用 Simulink 中的 MATLAB function 模块对转角分配器进行构建，模块输入设置为铰接角（第五轮转角）Art_H 与等效半挂车转角 steer_6，输出设置为 steer_l4、steer_r4、steer_l5、steer_r5、steer_l6、steer_r6，分别代表半挂车第 1、2、3 轴左、右轮胎转角，函数如下：

```
function[steer_l4,steer_r4,steer_l5,steer_r5,steer_l6,steer_r6]=
        fcn(Art_H,steer_6)
steer_l4=0;
steer_r4=0;
steer_l5=0;
steer_r5=0;
```

```
steer_l6=0;
steer_r6=0;
%初始化半挂车车轮转角%
steer_6=deg2rad(steer_6);%将角度转为弧度%
h2=3.4;lr=1.2;tr=1.815;e3=5.7;
xi=(h2+e3)/(1+tan(abs(Art_H))/tan(abs(steer_6)));
yi=(h2+e3)/(tan(abs(Art_H))+tan(abs(steer_6)));
steer_l4=atan((xi-(2*lr))/(yi-tr/2));
steer_r4=atan((xi-(2*lr))/(yi+tr/2));
steer_l5=atan((xi-lr)/(yi-tr/2));
steer_r5=atan((xi-lr)/(yi+tr/2));
steer_l6=atan(xi/(yi-tr/2));
steer_r6=atan(xi/(yi+tr/2));
end
```

将转角分配器的输出接入 TruckSim 中，点击图 4-37 中的指示 3 运行 Simulink 模型即可完成系统仿真。

4.3 TruckSim/Simulink 联合仿真控制策略验证

在建立了第 4.1 节的 TruckSim 重型半挂牵引车模型以及第 4.2 节的 Simulink 汽车动力学模型与稳定性控制模型后，对所建立的模型进行联合仿真，以验证模型及控制策略的效果。

4.3.1 TruckSim 与 Simulink 联合仿真

(1) 创建联合仿真数据集

在 TruckSim 软件工作区的运行控制菜单栏下，选择“Run Math Model”右侧的“Models”→“Models：Simulink”，选择“Link to New Dataset”新建联合仿真数据集，如图 4-43 所示，将新数据集类别命名为“Steer _ control”，将新数据集标题命名为“lqr _ steers”，点击“Copy and Link”创建新的 Simulink 联合仿真数据集。

点击创建的数据集进入参数设置界面，如图 4-44。

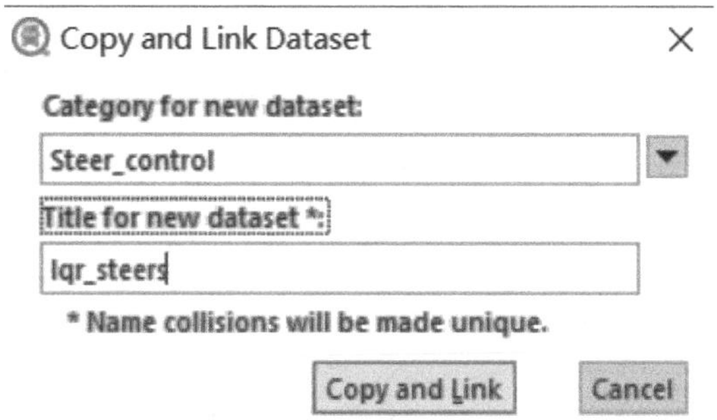

图 4-43　联合仿真数据集创建

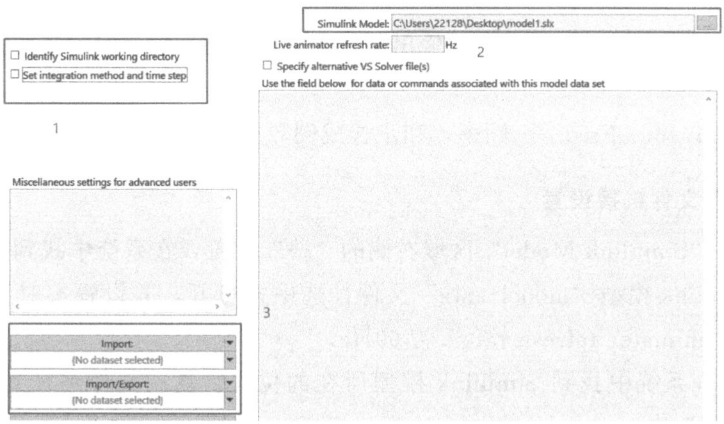

图 4-44　联合仿真参数设置界面

其中：

Set integration method and time step——设置模型运行及输出步长与频率；

Simulink Model——选择需要联合仿真的 Simulink 模型位置；

Live animator refresh rate——生成动画的刷新率；

Import——设置 TruckSim 模型的输入接口数据；

Export——设置 TruckSim 模型的输出接口数据。

（2）步长设置

选择“Set integration method and time step”，设置输出步长，如图 4-45，需要注意的是输出文件的时间步长需要与 Simulink 的模型运行步长对应。

其中：

Math model：Time step——数学模型的时间步长，减小时间步长，提高

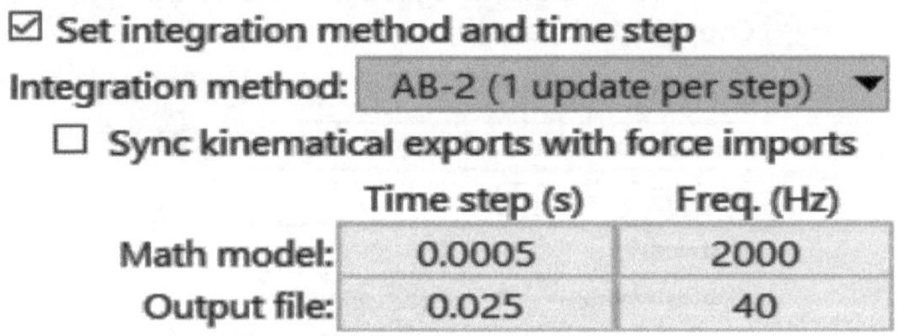

图 4-45　TruckSim 仿真步长设置

精度，但会增加计算时间；

Math model：Freg——频率，和步长成倒数关系；

Output file：Time step——输出文件的时间步长，减小时间步长，提高曲线的精度；

Output file：Freq——频率，和步长成倒数关系。

（3）文件链接设置

单击“Simulink Model”区域右侧的“…”位置，在系统中找到要联合仿真的 Simulink 模型“model1. slx”文件，选中并打开，并设置实时动画刷新率“Live animator refresh rate”为 60Hz。

也可在系统中找到 Simulink 模型所在的位置，复制文件路径到“Simulink Model”中。

（4）设置输入接口参数

在“Export”和“Import”中新建数据集，将新数据集类别命名为“part4”，将新数据集分别命名为“export”和“import”，并点击“import”数据集，进入输入接口设置界面，如图 4-46 所示。需要注意的是，这里的输入，指的是从外部（Simulink）输入 TruckSim 中的参数。

该界面包括变量类别“Categories”、变量名称“Available Variables”以及导入的变量“Variables Activated for Import”三部分。

其中，“Categories”栏可以通过“Show all variables”“Select by type of component”“Select by units”三种方式对输入变量进行索引，选择“Show all variables”可以在“Available Variables”中显示所有变量；“Select by type of component”为按系统搜索变量名称，根据 TruckSim 汽车模型不同系统的分类显示变量，如“Brakes”中包含各制动主缸、轮缸的制动力，“Powertrain”中包含动力系统的参数变量，“Steering”转向系统中包含各车轮转角等变量；“Select by units”为按照单位进行索引，如“deg”中包含方向盘转角等以角度为单位的变量，“MPa”中包含主缸压力等以压强为单位的变量。索引名称及其释义如表 4-5 所示。无论是按照单位索引还是按照系统进行索引，其变量都会显示在“Available Variables”栏中，可根据需求将变量添加到“Variables Activated for Import”中，即为 TruckSim 的输入变量。

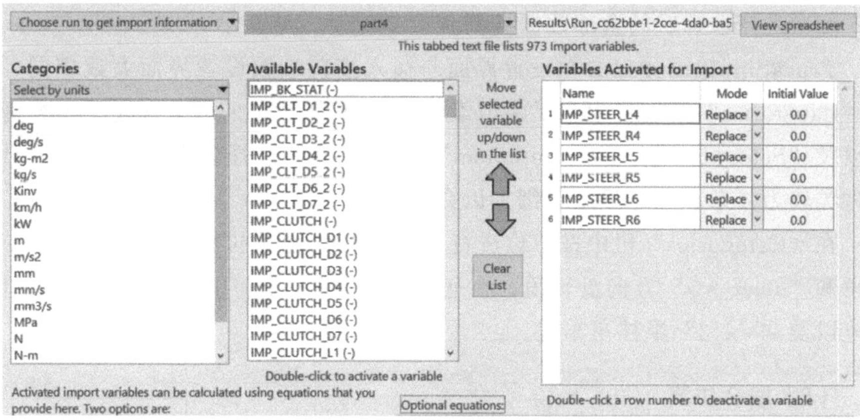

图 4-46　输入变量接口设置

表 4-5　索引名称及其释义

Select by type of component		Select by units	
索引名称	索引内容	索引名称	索引内容
Aerodynamics（空气动力学系统）	由气流产生的空气阻力、阻力矩、风速等	(°)（角度）	车轮转角、方向盘转角等
Brakes（制动系统）	制动所产生的制动力、制动力矩	(°)/s（角速度）	各车轮角速度
Powertrain（动力系统）	传动轴、差速器转矩，变速箱转速，等等	km/h（速度）	车速、风速
Speed（速度控制）	控制器导入的目标速度	N（力）	悬架压力与车轮横、纵向力
Steering（转向系统）	车轮转角、角速度等	MPa（压力）	制动压力等
Tires（轮胎系统）	轮胎的滚动力矩、滚动半径	m（长度）	汽车各位置对地距离

单击“import”数据集，在“Available Variables”找到参数“IMP_STEER_L4”、“IMP_STEER_R4”、“IMP_STEER_L5”、“IMP_STEER_R5”、“IMP_STEER_L6”和“IMP_STEER_R6”添加到“Variables Activated for Import”

中，表示 TruckSim 接收 Simulink 输出的半挂车 6 个车轮的转角数据。

(5) 设置输出接口参数

输出接口的设置方式与输入接口相同，区别是输入接口包含的参数为 TruckSim 中可被外部输入替代的，部分参数会改变 TruckSim 模型的可靠性，因此只能作为 TruckSim 内部参数，但在输出接口中，可以选择输出 TruckSim 模型运算求解后的全部数据类型。

TruckSim 输出接口参数设置界面与输入接口参数设置界面大致相同，但在“Categories”类别栏中多了两组索引，分别为“Select by type”按类型选择以及“Select by specific component”按特定组件选择。由于这两组索引包含种类较为复杂，在这里不详细加以介绍。

在“Categories”栏中按单位进行索引，在角度单位中找到“Art_H”铰接角和“steer_sw”方向盘转角，在速度单位“km/h”中找到“Vx”牵引车车速以及“Vx_2”半挂车车速。

(6) 联合仿真

配置好 TruckSim 联合仿真接口后，回到图 4-2 的工作界面，点击“Send to Simulink”，即可找到并打开设置的 MATLAB/Simulink 工作界面。在 Simulink 库浏览器中搜索“TruckSim S-Function”找到图 4-47 所示模块，将其添加到 Simulink 工作界面，需要注意的是，该模块输出输入接口变量数量、顺序与 TruckSim 中设置的“import”“export”数据相同，即该模块输入应为半挂车六个车轮对应的角度，输出应为汽车铰接角、方向盘转角、牵引车与半挂车车速。

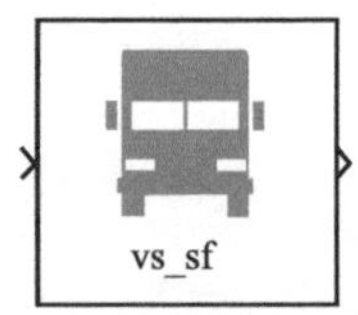

图 4-47　TruckSim 模块

在库浏览器中选择“Signal Routing”下的“mux”模块和“demux”模块对输入、输出信号进行整合与分解，其中，“mux”中设置输入信号数为 6，“demux”中设置输出信号数为 4，将该模块与 Simulink 模型连接，得到稳定性控制模型，如图 4-48 所示。图中部分增益为量纲的转换，角度转换为弧度，增益为 pi/180，TruckSim 输出速度单位为 km/h，应转换为 m/s。

点击图 4-37 中“3”运行模型，即可完成 Simulink 与 TruckSim 的联合仿真运行。在 Simulink 模型运行结束之后，可以在 TruckSim 中点击“Video+Plot”查看控制后的汽车运动动画与汽车数据。

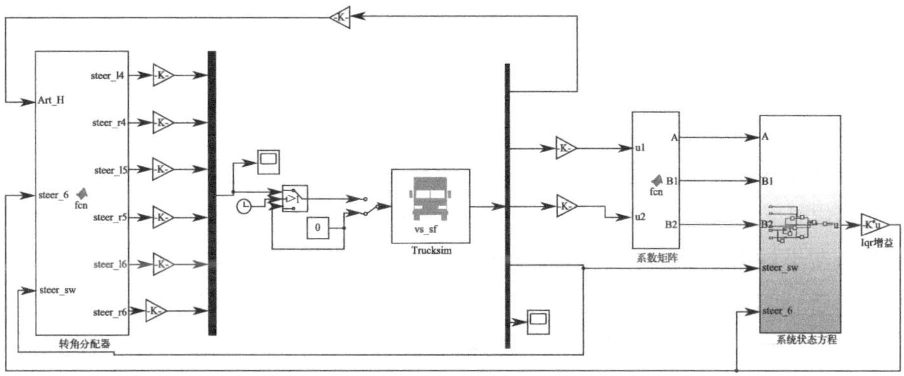

图 4-48　Simulink 半挂车多轴转向控制模型

4.3.2　稳定性控制效果验证

点击图 4-48 中的 “Manual Switch” 模块可以切换模型有、无控制，双击开关，将模式切换至无控制，即半挂车车轮转角输入均为 0，运行模型，在 “TruckSim S-Function” 模块的第三个输出上连接 “scope” 模块，即可得到无控制下的方向盘转角随时间的变化曲线，如图 4-49 所示。

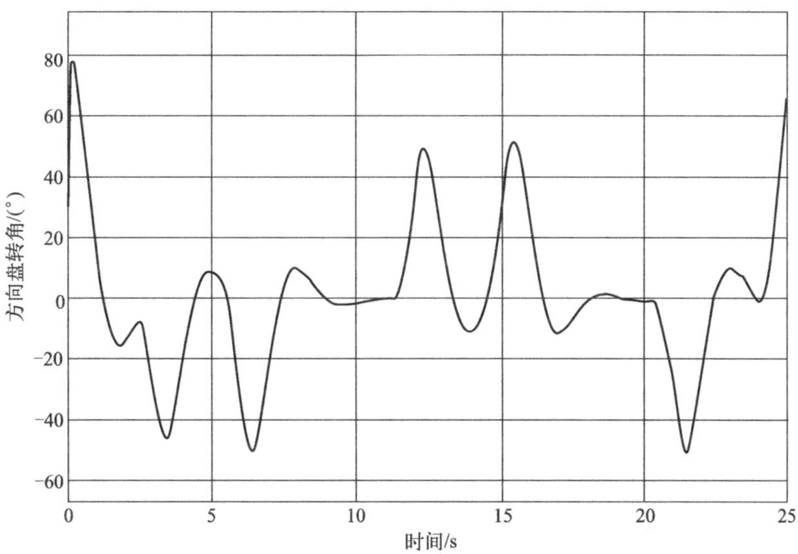

图 4-49　无控制下方向盘转角随时间的变化曲线

在 TruckSim 工作界面点击 “Video + Plot” 进入仿真动画界面，在 “view” 中唤醒数据管理器 “Data Manager”，在数据管理器中可以找到牵引车与半挂车的质心侧偏角“Bata1”“Bata2”。

将 Simulink 模型中的模式切换开关切换到有控制并运行，此时即可完成重型半挂牵引车的稳定性控制。同样，在 TruckSim 中进入动画仿真界面，在数据管理器中找到牵引车与半挂车的质心侧偏角。

将 TruckSim 数据管理器中获取的数据导入 MATLAB 并绘制图像，得到有无稳定性控制下的重型半挂牵引车质心侧偏角对比图 4-50。由对比图可以看出，在半挂车主动转向的稳定性控制策略下，牵引车质心侧偏角峰值降低，半挂车质心侧偏角峰值降低的同时，由转向所引起的质心侧偏角响应滞后，但响应周期缩短，证明该控制模型能够提高重型半挂牵引车的横向稳定性。

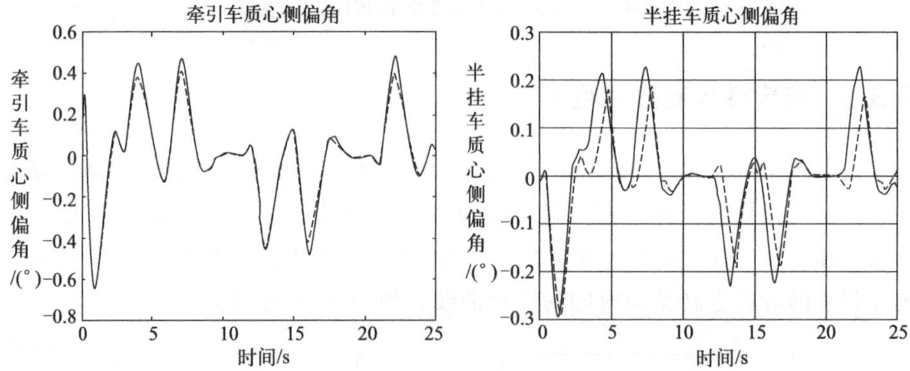

图 4-50　控制效果对比

思考题

1. TruckSim 整车模型的构建包括哪几部分?

2. 如何使用 Simulink 中的 MATLAB function 模块？其输入、输出如何确定?

3. 在 TruckSim 与 Simulink 的联合仿真中，如何设置 TruckSim 的输入、输出变量?

4. 如何在 TruckSim 中调整联合仿真文件的路径?

5. 解释 TruckSim 和 Simulink 仿真时间的关系、仿真步长应该如何设置。

第5章

汽车转向系统建模与优化

本章从转向系统的层面出发，根据汽车转向传动机构各部件连接关系、运行条件及约束位置等，将各机构连接点坐标参数化处理。运用 ADAMS 软件建立运动仿真模型，最后输出仿真结果。根据仿真结果，完成各车轮转角的转动角度曲线分析，获取影响内外侧转向角的重要参数。通过 ADAMS 软件对转向机构进行运动仿真及转角匹配优化设计，确保汽车各轴车轮转角实际值极大贴近理论值[18]。通过本章的学习，能够增强对 ADAMS 软件的了解与学习。

5.1 ADAMS 转向机构建模

在本节中，充分利用 ADAMS 这一先进的动力学仿真软件来构建机构模型。具体而言，选取一个具有代表性的车轴转向机构作为示例进行详细阐述，这一建模方法同样适用于其他轴系的转向机构，其原理与步骤可类比推广[19]。基于对各组成部件之间精确的连接关系以及实际安装过程中严格遵循的尺寸标准，设计一个高度仿真的特种半挂车某一轴转向机构动力学模型。此模型旨在通过模拟实际工况下的运动状态，为后续的性能分析、优化设计以及故障预测等提供坚实的数据支持。

5.1.1 转向机构模型建立

为了避免转向杆系设计不合理导致的轮胎早期磨损问题，需要建立转向系统运动模型来对车轮的仿真转角与理论转角之间的关系进行分析。因参数化建模效率较高，所以采用这种方式来建立系统模型，同时这种建模方式还具有修改参数方便的优点，方便后续对模型的优化。

为了分析和建模方便，需要做以下几个方面的假设：

① 假设地面与车身的位置相对固定；

② 转向系统各部件之间的连接都是刚性的，各运动副之间无间隙且忽略摩擦阻力影响；

③ 轮胎为刚性，且车轮与转向节臂固定在一起；

④ 转向机构中各部件均为刚体，仿真的过程中忽略零件变形。

图 5-1 所示为汽车转向传动机构中心转向板、转向横拉杆（杆 1 和杆 2）、转向节臂（杆 3）各部件连接关系示意图，图中，转向节臂和转向轮连接到一起，中心转向板安装在汽车车架纵梁上，左右摆角为 20°。转矩传递路线为：转向助力缸带动中心转向板绕纵梁旋转，将动力传给转向横拉杆（杆 1 和杆 2），转向横拉杆带动转向节臂（杆 3）摆动，从而控制车轮实现左右转向。

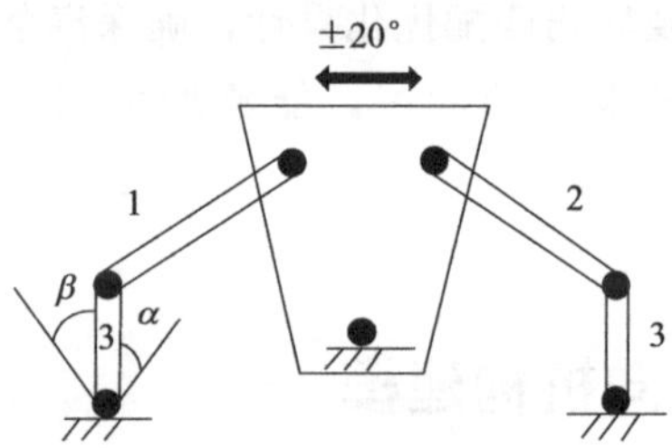

图 5-1　汽车转向传动机构各部件连接关系示意图

采用 ADAMS 进行机构建模与转角匹配的优化设计，以某一轴转向机构为例，其他轴同理。根据各部件连接关系及实际安装尺寸，建立出汽车某一轴转向机构动力学仿真模型。某轴转向机构各硬点坐标位置如表 5-1 所示。

表 5-1　某轴转向机构硬点坐标位置

硬点	Loc_X	Loc_Y
Point 1	0.0	0.0
Point 2	−910.0	−450.0
Point 3	910.0	−450.0

续表

硬点	Loc_X	Loc_Y
Point 4	−1000.0	120.0
Point 5	1000.0	120.0
Point 6	−150.0	500.0
Point 7	150.0	500.0

根据实际结构关系，对上述硬点进行连接，便可得到某轴转向机构模型，如图 5-2 所示。

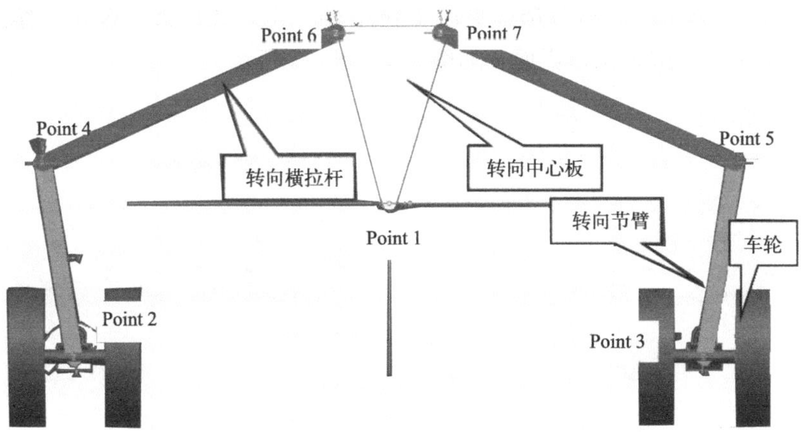

图 5-2　某轴转向机构运动仿真模型

5.1.2 约束条件设置

在 ADAMS view 模块中建立模型，本书将中心转向板、转向横拉杆、转向节臂用刚体代替与大地形体构成转向关系，模拟各杆的运动状态，具体约束类型如表 5-2 所示[20]。

根据各部件连接关系及整车参数，运用 ADAMS 多体动力学仿真软件，将特种汽车的多轴转向传动机构仿真模型建立起来，首先要将机构连接点坐标参数化处理。

表 5-2　各部件运动约束关系

约束位置	约束类型
转向中心板与大地	旋转副
转向中心板与转向横拉杆	旋转副

续表

约束位置	约束类型
转向横拉杆与转向节臂	旋转副
转向节臂与大地	旋转副

接下来根据机构连接点坐标参数化的处理结果，对转向传动机构进行动力学仿真。仿真过程如下：

① 找到 ADAMS 软件快捷方式，双击打开。

② 点击弹窗中“新建模型”，在弹出的“创建新模型”中对模型名称进行命名，如：“zxmx”。随后选择更改工作路径，建立文件夹，选择工作路径，点击“确定”后进入工作界面，如图 5-3～图 5-6 所示。

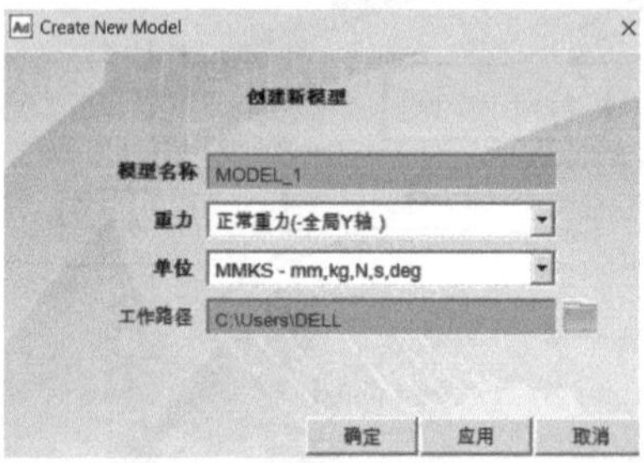

图 5-3　新建模型

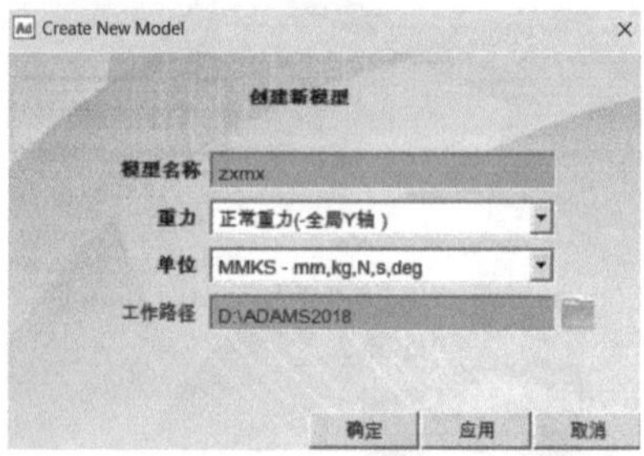

图 5-4　模型命名

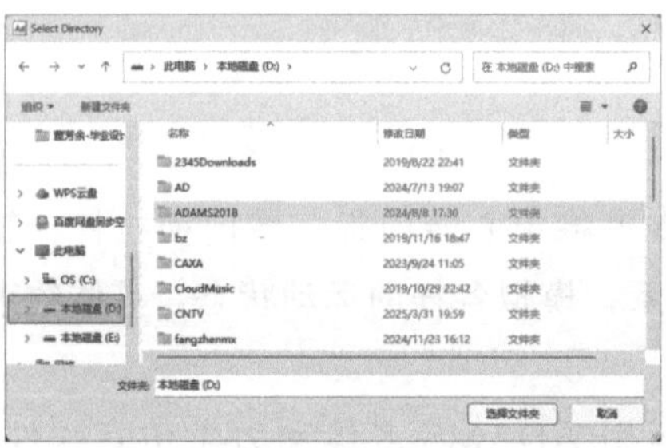

图 5-5　选择路径

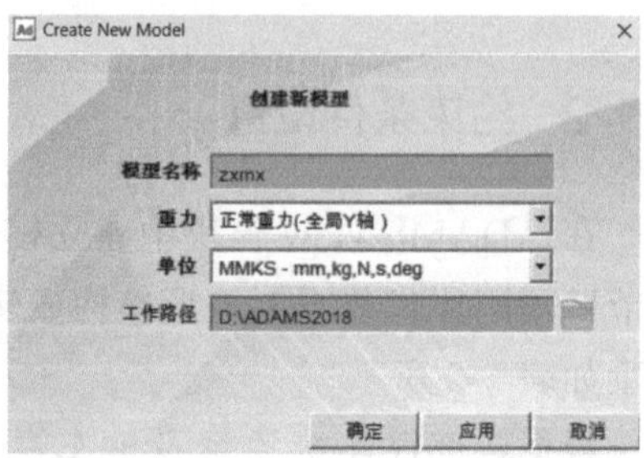

图 5-6　点击“确定”进入工作界面

③ 进入界面后，点击工具栏中的“表格编辑器”，如图 5-7 所示。

④ ADAMS view 表格编辑器是管理模型对象的一种便捷工具，以表格格式显示模型数据库中的对象，便于对象编辑和更新[21-22]。例如，可以一次性更新模型中所有零件的 x、y 和 z 位置，或建立零件的位置与其他位置的参数化关联；可以选择模型对象的查看类型和更新有关对象的信息，表格编辑器同

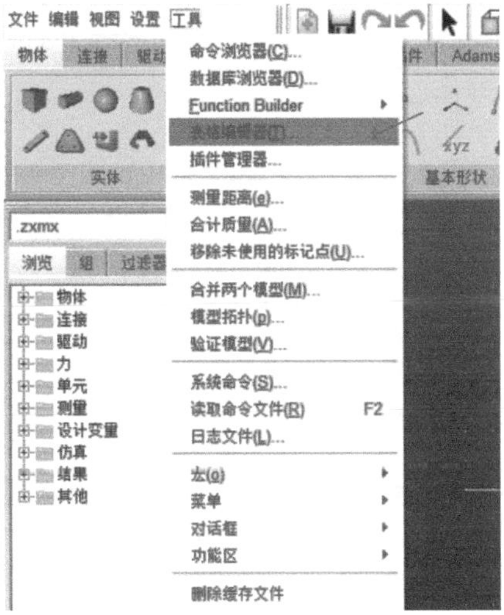

图 5-7　点击“表格编辑器”

时支持对象的创建和删除对象。

选择“表格编辑器”中的“点”，多次点击“创建”，将设置好的硬点坐标粘贴到表格中，点击“应用”后确定，如图 5-8～图 5-10 所示。

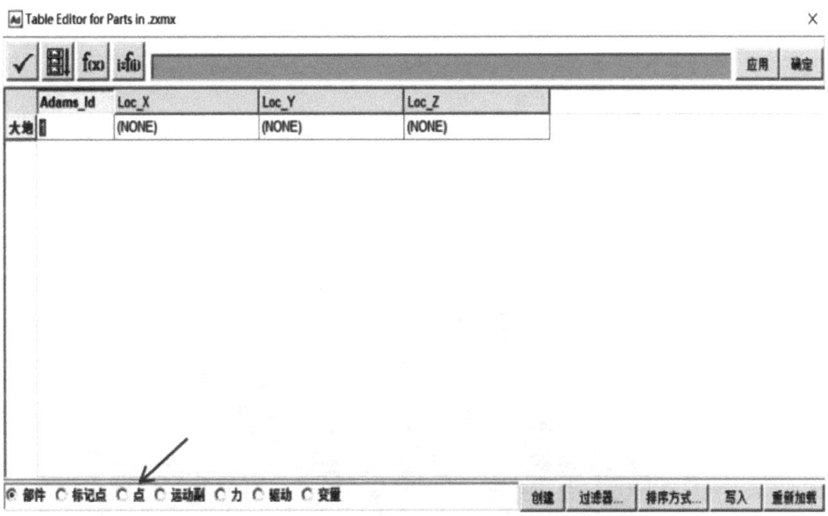

图 5-8　选择“点”

⑤ 进入界面后，选择“刚体：创建多边形板体”，如图 5-11 所示。

⑥ 根据标记的点绘制图形，左键点击多边形板，开始绘制，左键依次点击图中所示的点，直至形成图 5-12 所示的图形，完成。点击右键，生成多边形板。

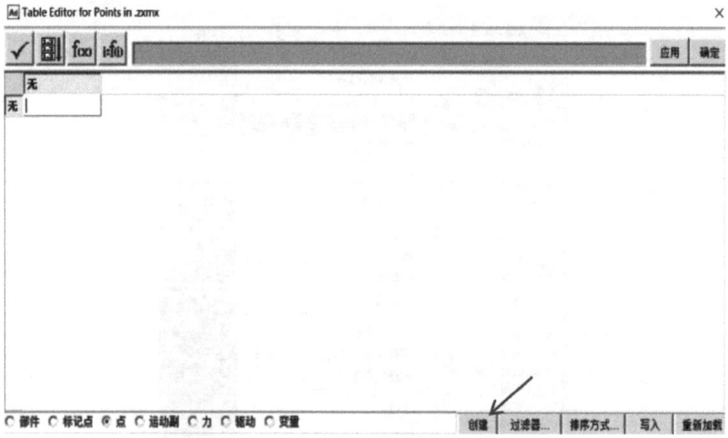

图 5-9　点击“创建”

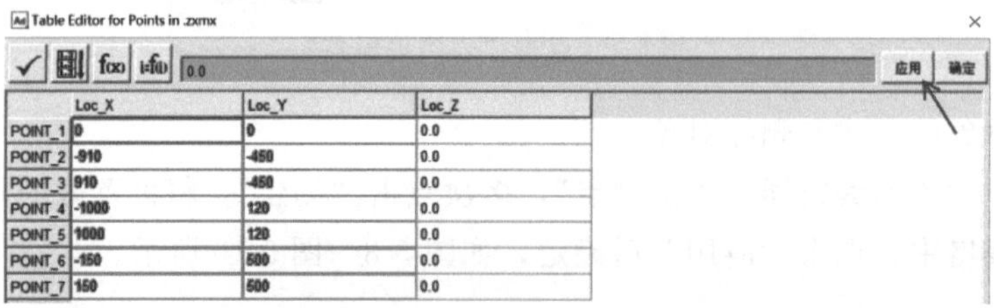

	Loc_X	Loc_Y	Loc_Z
POINT_1	0	0	0.0
POINT_2	-910	-450	0.0
POINT_3	910	-450	0.0
POINT_4	-1000	120	0.0
POINT_5	1000	120	0.0
POINT_6	-150	500	0.0
POINT_7	150	500	0.0

图 5-10　将硬点坐标代入后，点击“应用”并确定

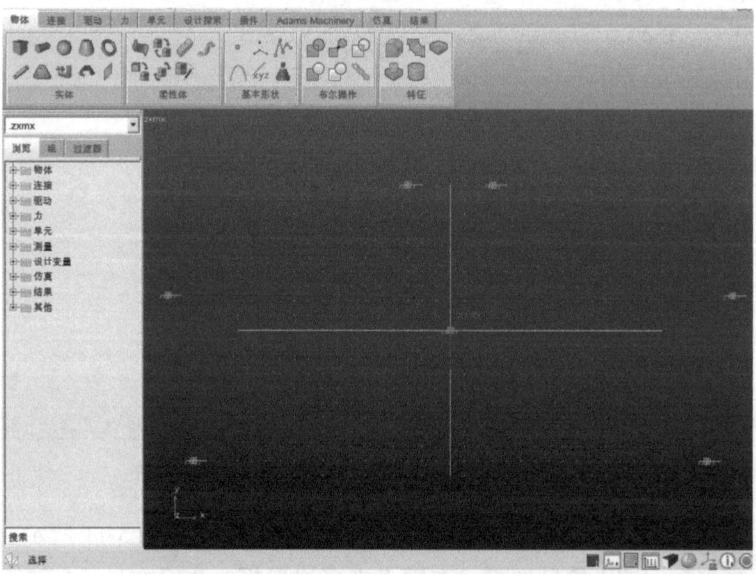

图 5-11　选择“刚体：创建多边形板体”

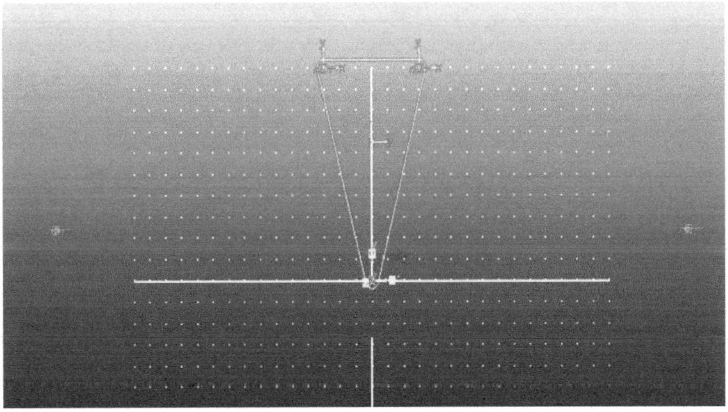

图 5-12　建立多边形板

⑦ 点击“刚体：创建连杆”，选择宽度、深度。根据上述步骤创建的硬点，依次绘制连杆，如图 5-13～图 5-16 所示。

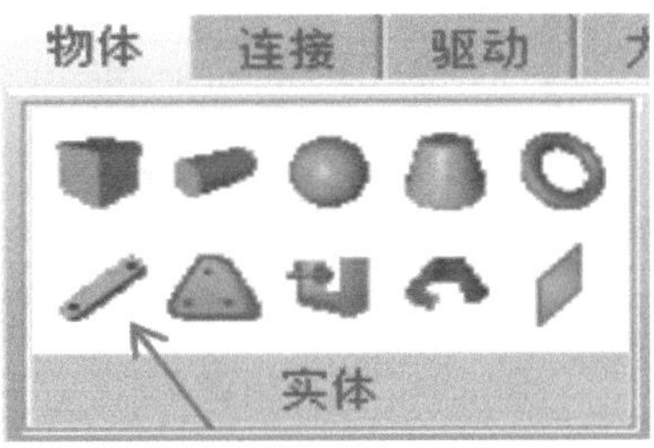

图 5-13　点击“刚体：创建连杆”

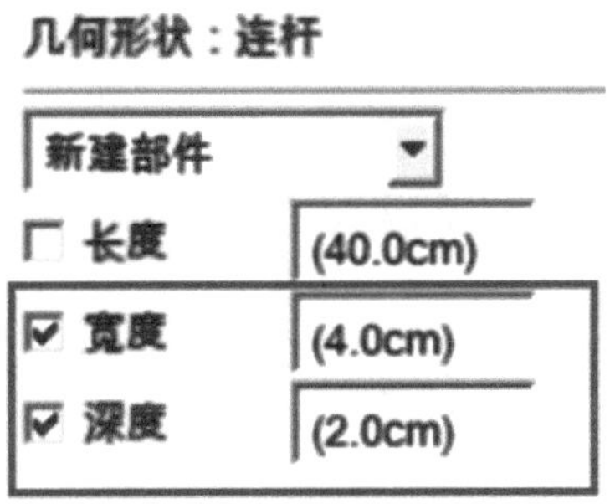

图 5-14　勾选宽度、深度

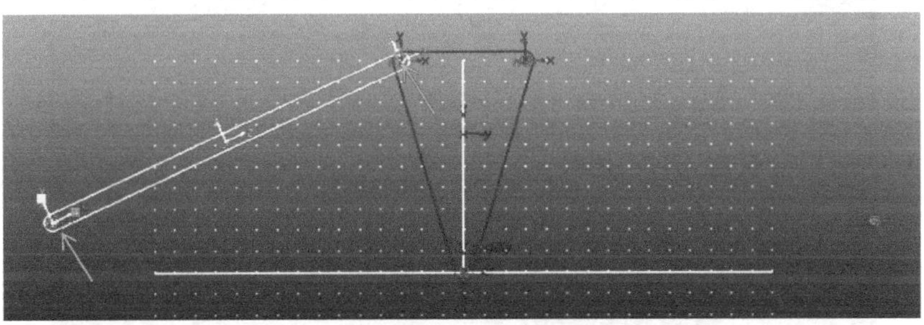

图 5-15　选择首尾点，建立连杆

⑧ 点击“连接”栏中的“创建转动副”，构建方式为“2 个物体-1 个位置”“垂直格栅”，生成地面与刚体连接的旋转副，左键依次点击地面、点击刚

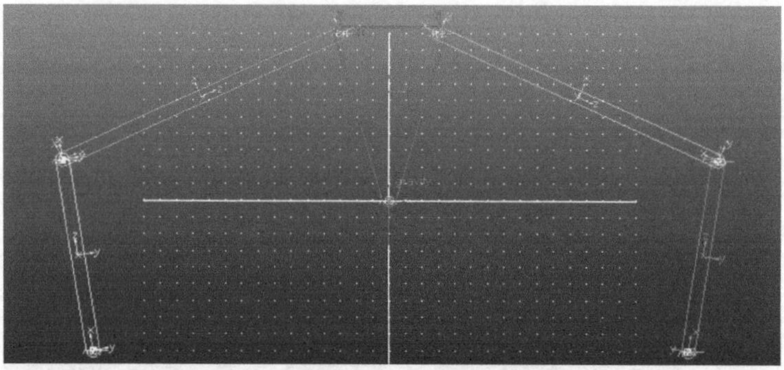

图 5-16　依次建立连杆

体、点击生成旋转副的作用点，生成旋转副，如图 5-17～图 5-20 所示。而生成刚体与刚体连接的旋转副，则是左键依次点击所需添加旋转副的两个刚体，点击生成旋转副的作用点，便可生成刚体和刚体之间的旋转副。

图 5-17　创建转动副

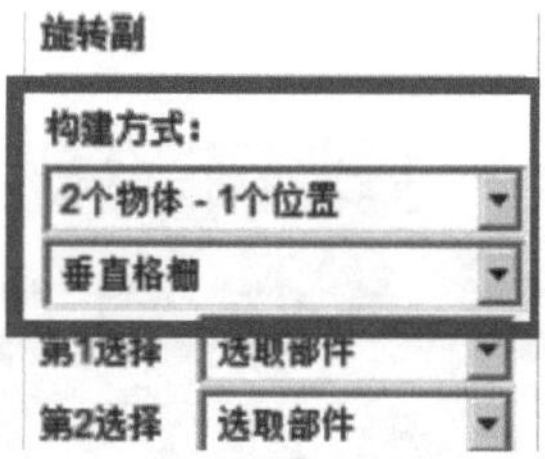

图 5-18　选择构建方式

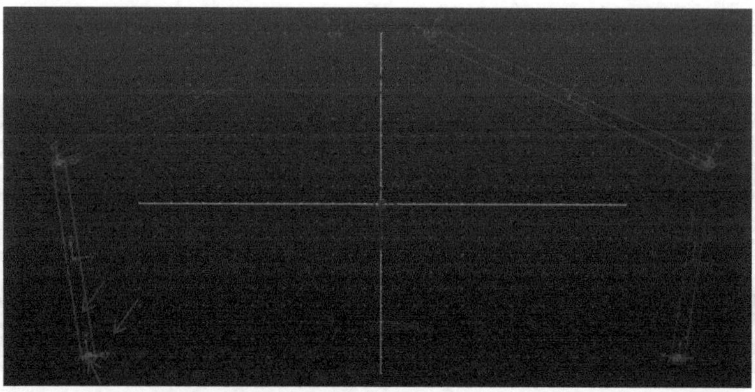

图 5-19　创建旋转副

在 ADAMS view 中，旋转副的构建方式涉及两个物体和一个位置，意味着通过设置两个物体之间的相对旋转约束来实现物体的旋转运动[23]。旋转副

图 5-20　生成地面与刚体的旋转副

允许两个物体在某一点处绕旋转轴相对旋转，而限制其他方向的移动。在构建旋转副时，需要指定两个物体以及它们之间的旋转轴。通过这种方式，可以模拟物体绕某一轴的自由旋转，同时保持其他自由度的限制。这种约束方式在机械系统仿真中非常常见，特别是在需要模拟物体绕固定轴旋转的应用场景中。“一个位置”指的是在构建旋转副时，需要确定两个物体之间的相对位置，即旋转的中心点或轴。这个位置是旋转副构建的关键参数之一，它决定了物体绕哪个点或轴进行旋转。通过精确设定这个位置，可以确保模拟的准确性，从而更好地反映实际物理系统的运动特性。

⑨ 创建刚体与刚体连接的旋转副，左键点击创建转动副小图标；左键依次点击刚体 1、刚体 2，点击生成旋转副的作用点，生成旋转副，如图 5-21 所示。

图 5-21　创建刚体与刚体的旋转副

⑩ 同上述步骤，依次创建地面与刚体、刚体与刚体的旋转副，如图 5-22 所示。

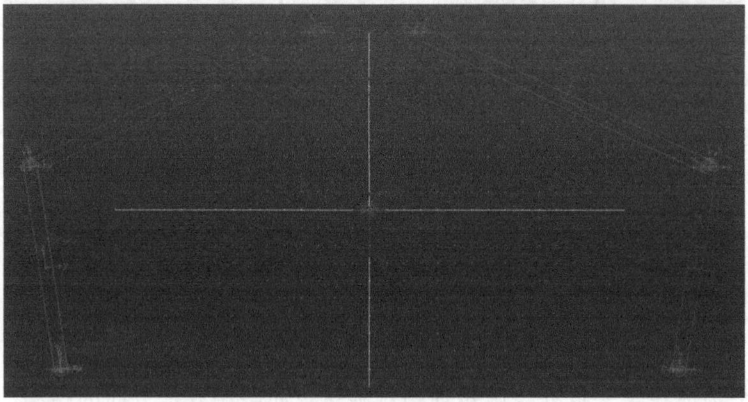

图 5-22 完成旋转副创建

⑪ 左键依次点击“驱动”、“运动副驱动”和旋转驱动作用点，建立旋转驱动，如图 5-23、图 5-24 所示。

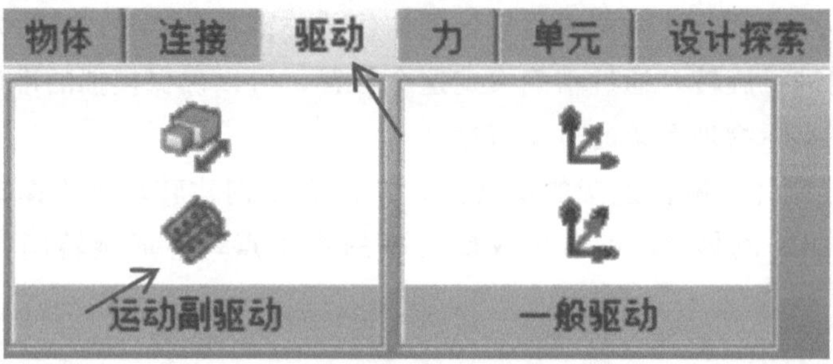

图 5-23 选择“驱动”方式

ADAMS view 创建旋转驱动的意义在于能够精确控制和分析机构中部件的旋转运动，从而优化机构设计和提高产品性能。在 ADAMS view 中，通过定义旋转驱动，可以指定一个部件绕某一轴线以特定的速度或加速度旋转，这种驱动类型在机械系统中非常常见，例如电机驱动的旋转部件等。通过设置旋转驱动，可以对机构的运动学和动力学特性进行详细的分析，包括旋转速度、加速度以及由此产生的力和转矩等。这有助于评估机构在不同工作条件下的性能表现，如效率、稳定性以及是否满足设计要求等。

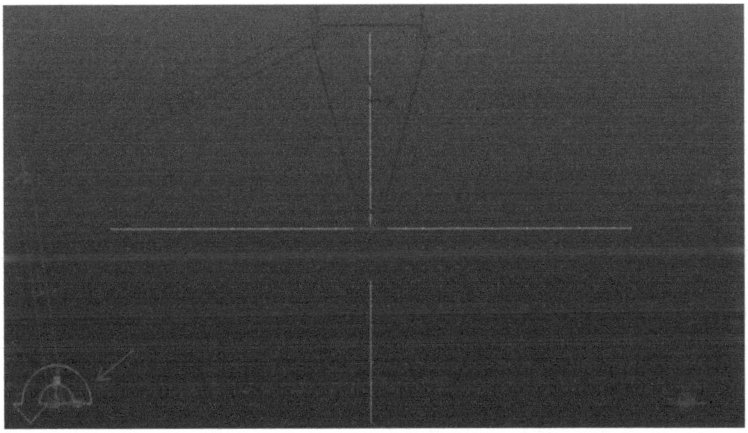

图 5-24　创建旋转驱动

5.1.3 驱动条件设置

对某轴转向机构施加一个转角驱动，根据实际情况，汽车某轴内侧车轮转角最大为 45°。因此，对左转向节臂与车轮连接处施加一个 45°/s 的驱动，具体过程如图 5-25～图 5-27 所示。

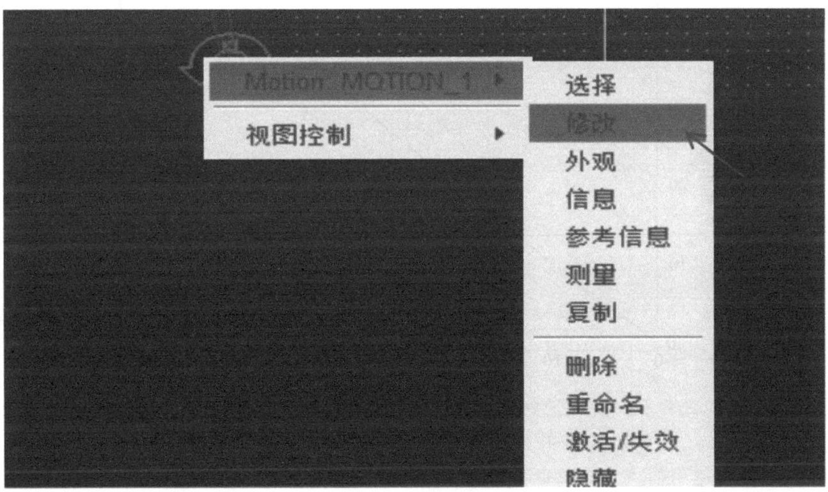

图 5-25　选择“修改”

修改转角驱动角度。操作鼠标右键，点击旋转驱动，左键依次点击“Motion：MOTION_1”“修改”。点击“函数（时间）”框格进行数值上的修改。

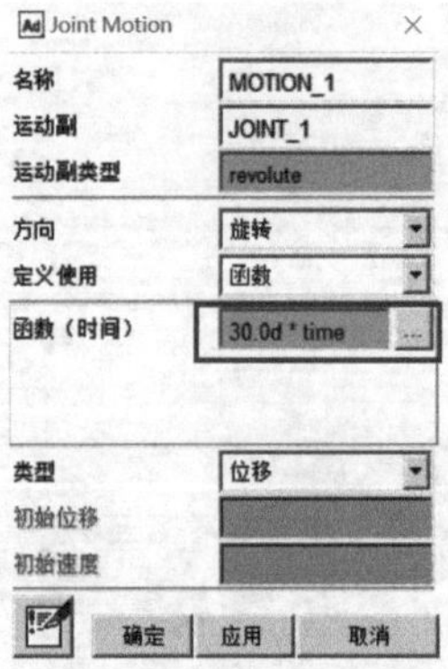

图 5-26　点击“函数（时间）”框格

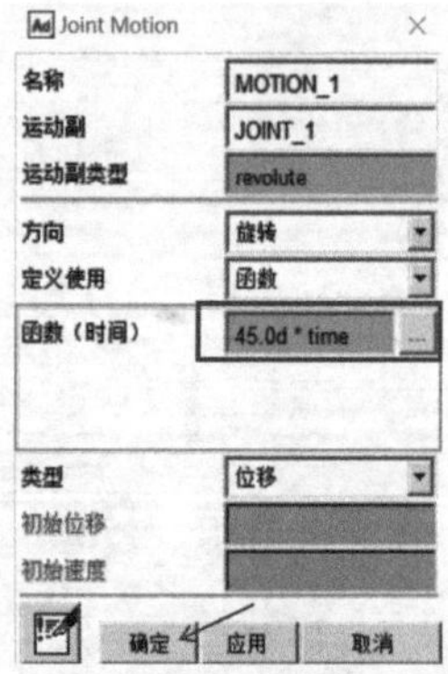

图 5-27　修改完成

对搭建的模型进行 1s 的运动仿真，并分别对左右转向节臂与车轮连接点处进行角度的测量，便可得到内外侧车轮的实际转角值，将其与前文所得理论转角进行对比分析，如图 5-28 所示。

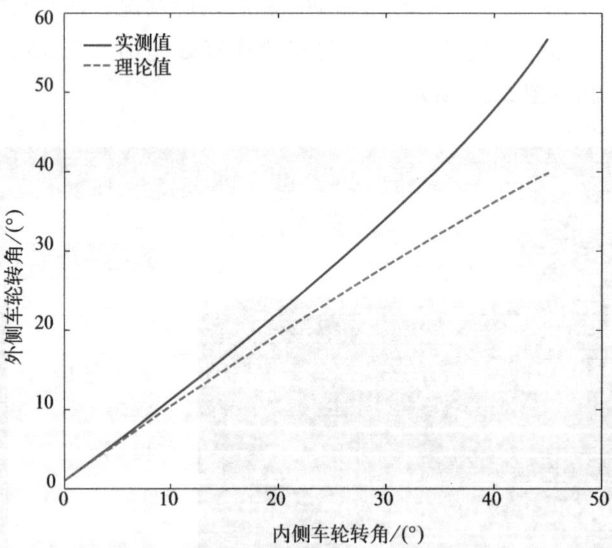

图 5-28　转向机构动力学仿真转角关系曲线图

5.1.4　运行结果分析

根据曲线变化趋势可得，随车轴内侧车轮转角的增加，外侧车轮转角的实际值与理论值之间的误差越来越大，最大误差可达 16.771°，误差过大不满足工程使用要求。因此，需对车轴转向机构进行转角匹配优化，使得实际转角值尽可能贴近理论转角值。

5.2 优化变量与优化目标确定

5.2.1 硬点敏感度分析

ADAMS 硬点敏感度分析旨在评估硬点对动态性能的响应效果。硬点在底盘设计中代表了部件间的关键连接点，它们构成了设计的骨架，是确保部件准确装配的基础。每个硬点由三个坐标值（X、Y、Z）精确定义，在 ADAMS 软件中以绿色球形图标显示。这些点不包含方向信息，仅代表空间中的位置。

硬点敏感度分析旨在评估这些关键点位置的微小变化如何影响整个机械系统的动态行为，包括但不限于振动、运动稳定性等。通过这种分析，可以优化设计，确保产品在真实环境中的性能达到预期标准。简而言之，ADAMS 硬点敏感度分析是一种通过研究硬点位置变化对系统动态性能影响的方法，以优化设计并提高产品的性能和质量。

5.2.2 确定优化变量

在 ADAMS 中，确定优化变量的含义是指通过调整设计变量的值，使模型的特定方面性能最小化或最大化。优化设计是一个涉及多个领域的复杂过程，其中，确定优化变量是关键步骤之一。在 ADAMS 软件中，优化变量的确定涉及以下几个核心概念。

设计变量：这些变量是在优化过程中可以调整的参数，它们的值可以在一定的范围内变化，以影响模型的性能。设计变量的选择应根据模型的具体需求和分析目标来确定，以确保模型性能的优化。

目标函数：这是需要最小化或最大化的性能指标，例如执行时间、能量消耗、作用力等。目标函数的定义直接关系到优化目标的实现，如提高模型的稳定性、降低总成本等。

约束条件：在优化过程中，必须满足一定的约束条件，如物理限制、性能要求等。这些约束条件确保了优化结果不仅满足性能要求，也保证了设计的可行性。

通过调整设计变量的值，可以使模型特定方面的性能达到最优，这包括但不限于提高模型的稳定性、降低总成本、提高效率等。在 ADAMS 中，优化分析的过程可以归结为：在满足各种设计条件和指定的变量变化范围内，通过自动地选择设计变量，由分析程序求取目标函数的最大值或最小值，从而实现模型的优化设计。

由前面所介绍的转向机构的运动特点可知，转向中心板与左右横拉杆的铰接点到转向横拉杆与转向节臂的铰接点之间的纵向距离、转向中心板与左右横拉杆的铰接点之间的横向距离、转向节臂的长度以及其他因素，对转向性能有很大影响。因此，选取转向中心板与转向横拉杆铰接点、转向横拉杆与转向节臂铰接点坐标位置作为优化变量，即 Point 4、Point 5、Point 6、Point 7 的坐标点，如表 5-3 所示。

表 5-3　某轴转向机构优化变量

硬点	Loc_X	Loc_Y
Point 4	(DV_7)	(DV_8)
Point 5	(DV_5)	(DV_6)
Point 6	(DV_3)	(DV_4)
Point 7	(DV_1)	(DV_2)

5.2.3　确定优化目标函数

以某轴内侧的车轮转角为基础，把外侧车轮转角实际值与理论值的误差平方和最小化作为优化的目标函数。其中，平方项可提高算法收敛速度，同时也可消除正负号差异所造成的影响，即：

$$J=\min\int_{0}^{\beta_4}(\alpha_{4\text{theroy}}-\alpha_4)^2\,\mathrm{d}t \tag{5-1}$$

式中，$\alpha_{4\text{theory}}$ 是半挂车某轴外侧车轮的理论转角值；α_4 是半挂车某轴外侧车轮的实际转角值。

优化的约束条件。需根据设计要求及实际边界尺寸来确定取值范围，即：

$$\begin{cases} b_{\min}\leqslant b\leqslant b_{\max} \\ c_{\min}\leqslant c\leqslant c_{\max} \\ l_{2\min}\leqslant l_2\leqslant l_{2\max} \\ l_{3\min}\leqslant l_3\leqslant l_{3\max} \end{cases} \tag{5-2}$$

式中，$b_{\min}$ 是转向中心板与横纵拉杆的铰接点之间纵向距离的最小容许值；$b_{\max}$ 是转向中心板与横纵拉杆的铰接点之间纵向距离的最大容许值；$c_{\min}$ 是转向中心板左右横拉杆铰接点之间的横向距离的最小容许值；$c_{\max}$ 是转向中心板的左右横拉杆铰接点之间的横向距离的最大容许值；$l_{2\min}$ 是转向横拉杆长度的最小容许值；l_{2max} 是转向横拉杆长度的最大容许值；l_{3min} 是转向节臂长度的最小容许值；l_{3max} 是转向节臂长度的最大容许值。

5.3 转向机构硬点优化

5.3.1 使用 Insight 模块进行硬点优化

由于 Insight 模块具有强大的数据处理和分析能力，所以为硬点优化提供了有力支持。通过该模块可以建立精确的转向机构模型，并设定多种仿真场景，以模拟汽车在不同工况下的转向性能。在优化过程中，Insight 模块能够自动分析硬点位置对转向性能的影响，如转向灵敏度、回正性能以及稳定性等。通过对比不同硬点配置下的仿真结果，可快速找到最佳的硬点位置组合，从而实现转向机构的优化。此外，Insight 模块还支持多种优化算法，如遗传算法、梯度下降法等，这些算法能够进一步提高优化效率和精度，可以根据实际需求选择合适的算法，并设定相应的优化目标和约束条件，以确保优化结果的准确性和可行性。具体优化过程如下。

在建立的转向模型的基础上，进行 1s 的运动仿真，并分别对左右转向节臂与车轮连接点处进行角度的测量，便可得到内外侧车轮的实际转角值。

① 进行仿真，在工具栏中选择“仿真”，选择“运行交互仿真”，如图 5-29 所示。ADAMS 运行交互仿真的含义在于通过使用 ADAMS 软件进行系统的动态特性、稳态特性和非线性特性的模拟和分析。

图 5-29　运行交互仿真

② 弹出图 5-30 的界面后，修改终止时间和步数，可根据自己的需求进行调整。终止时间指的是仿真模拟的结束时间，它定义了模拟过程的持续时间。步数则是指模拟过程中时间步的数量，它决定了模拟的详细程度和精度。步数越多，模拟越详细，计算量越大，但精度也相应提高。

③ 调整后，左键点击图 5-31 中箭头所指位置的图标，该图标表示进行仿真的操作，用于指示执行仿真的命令或操作。

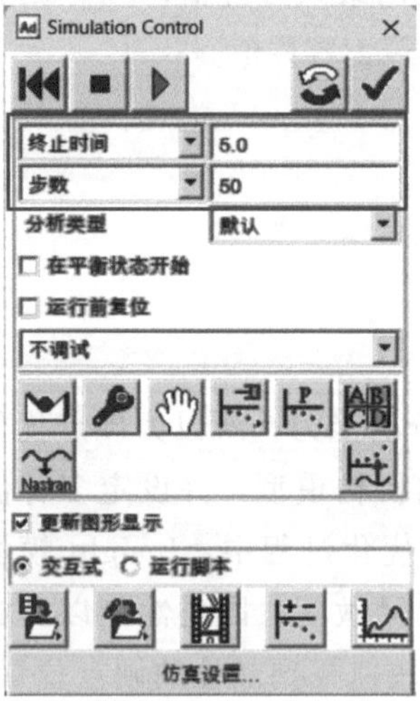

图 5-30　修改终止时间和步数

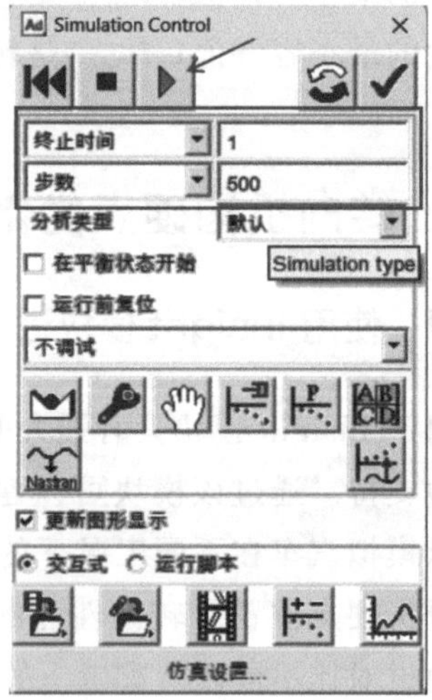

图 5-31　进行仿真

④ 仿真运行的过程如图 5-32 所示。

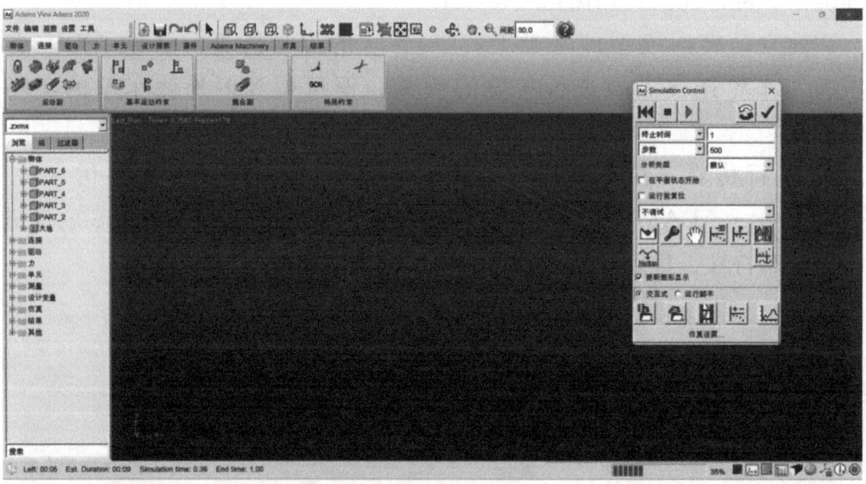

图 5-32　仿真运行

⑤ 仿真完毕，左键点击图 5-33 中所示位置的重置并输入配置图标进行退出。在 ADAMS view 仿真中，重置并输入配置的含义是重新设置仿真参数，以便进行新的仿真分析。可以通过重置并输入配置来调整模型的仿真参数，包括但不限于仿真时间、仿真步数、仿真类型等。

⑥ 进行测量。右键点击箭头处，左键依次点击“Joint:JOINT_1”→“选择”。右键再次点击箭头处，左键依次点击“Joint:JOINT_1”→“测量”，如图

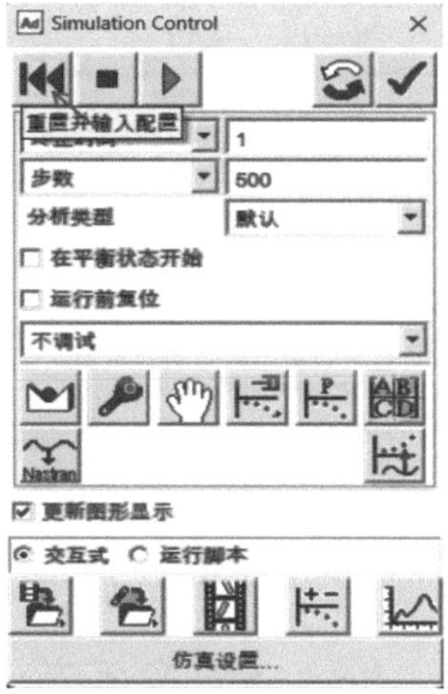

图 5-33　退出仿真

5-34 所示。

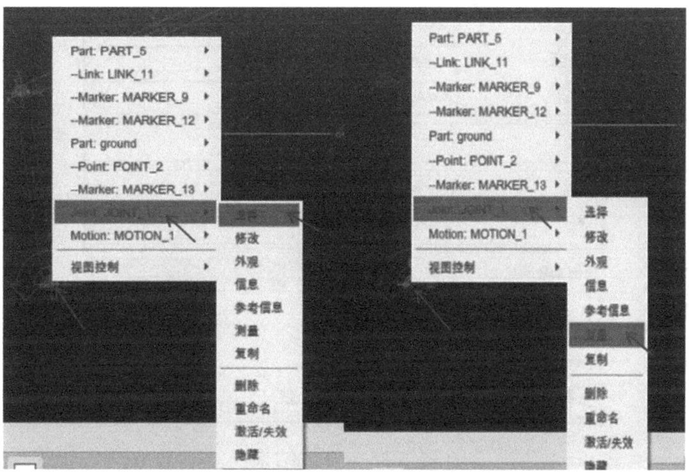

图 5-34　对“Joint:JOINT_1”进行测量

⑦ 弹出图 5-35 所示测量窗口，对“测量名称”“运动副”“特性”“分量”“从/在”进行修改。

⑧ 图 5-36 为修改完毕的结果，左键点击“确定”。在 ADAMS view 中，“Ax/Ay/Az 投影旋转”指的是在特定参考坐标系中，测量两点间关于 X 轴、Y 轴和 Z 轴的角度差。这些测量可以帮助分析物体在三维空间中的方向和姿态变化。具体来说：

Ax 函数返回在指定参考坐标系中两点间关于 X 轴的角度差。

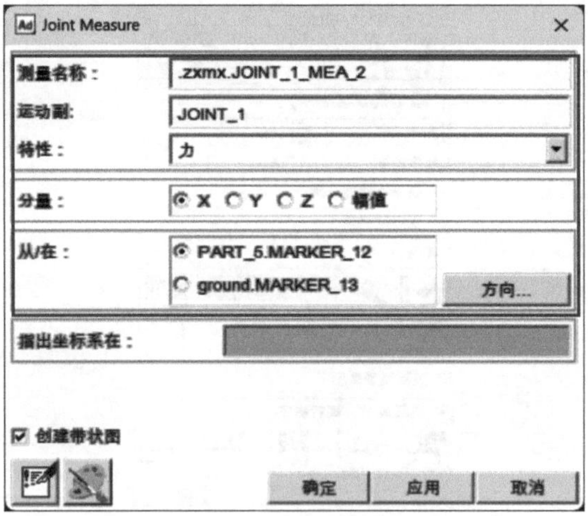

图 5-35　弹出测量窗口

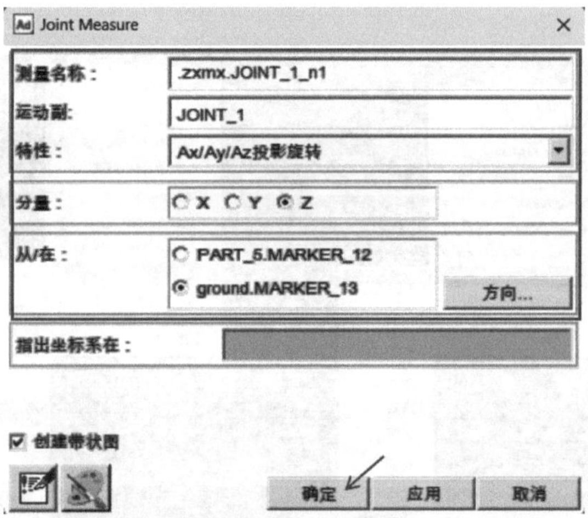

图 5-36　修改结果

Ay 函数返回在指定参考坐标系中两点间关于 Y 轴的角度差。

Az 函数返回在指定参考坐标系中两点间关于 Z 轴的角度差。

这些测量对于理解物体在三维空间中的旋转和方向变化非常重要，尤其是在进行机构系统仿真时，可以帮助分析和优化物体的运动轨迹和姿态。而“分量”则指的是测量结果的不同组成部分。在 ADAMS 中，一个完整的测量结果通常由多个分量组成，这些分量可以是位移、速度、加速度等运动学或动力学参数。通过选择不同的分量，可以对关节的运动状态进行详细的分析和评估。

关于“从/在”的含义，在 ADAMS 的上下文中，指的是测量的参考坐标系或测量点的位置。例如，当进行关节测量时，“从”指的是从某个点或坐标系开始测量，可以指定测量的起始位置；“在”指的是测量结果在某个特定坐标系或位置上的表现。

⑨ 生成如图 5-37 所示图像，该图像为内侧车轮转角关于时间的曲线。

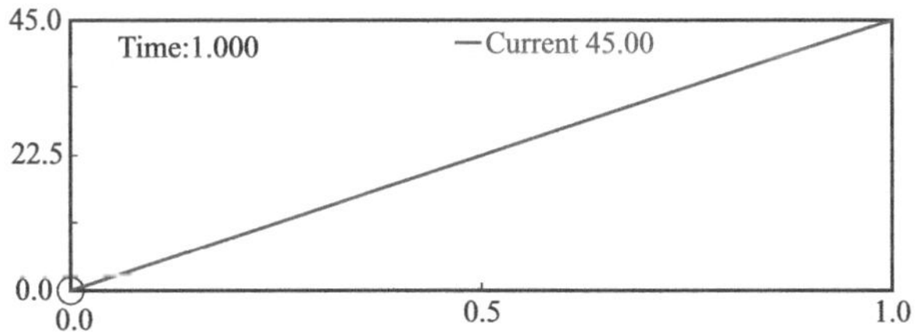

图 5-37　内侧车轮转角关于时间的曲线图像

（Time—时间；Current—转角趋势）

⑩ 对 Joint:JOINT_6 进行测量。右键点击图 5-38 中箭头所指位置，左键依次点击“Joint:JOINT_6”→“选择”。右键再次点击箭头处，左键依次点击“Joint:JOINT_6”→“测量”。

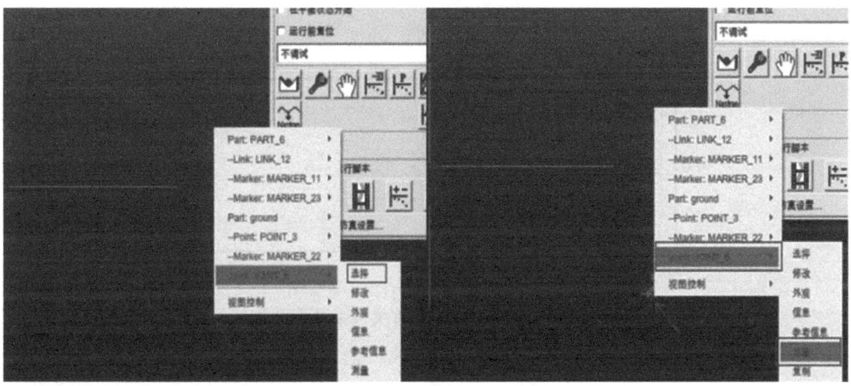

图 5-38　对 Joint:JOINT_6 进行测量

⑪ 弹出图 5-39 所示窗口，对“测量名称”“运动副”“特性”“分量”进行修改。

⑫ 修改后左键点击“确定”，结果如图 5-40 所示。

⑬ 生成图 5-41 所示图像，该图像为外侧车轮转角关于时间的曲线。

⑭ 在工具栏中点击“结果”，点击“后处理”，如图 5-42 所示。

在后处理阶段，可以对仿真结果进行深入分析，包括但不限于曲线的运算、FFT（快速傅里叶变换）分析、样条曲线生成等，从而评估系统的性能和

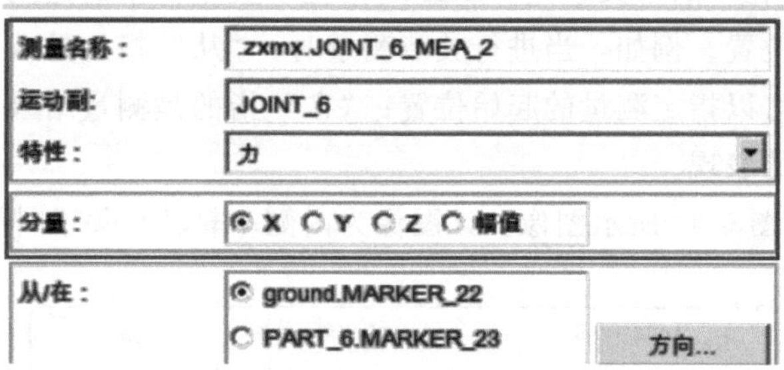

图 5-39 测量窗口

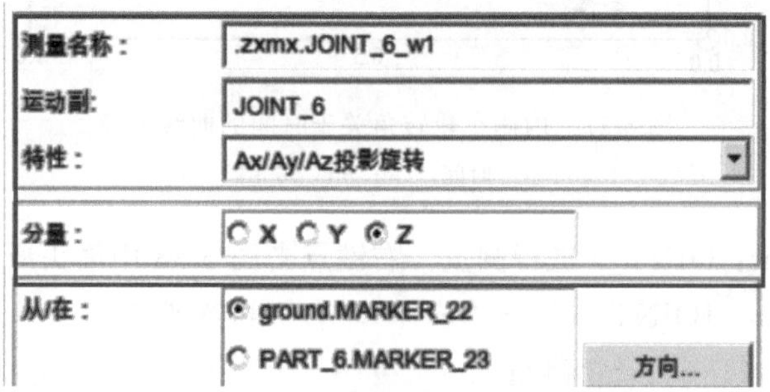

图 5-40 修改结果

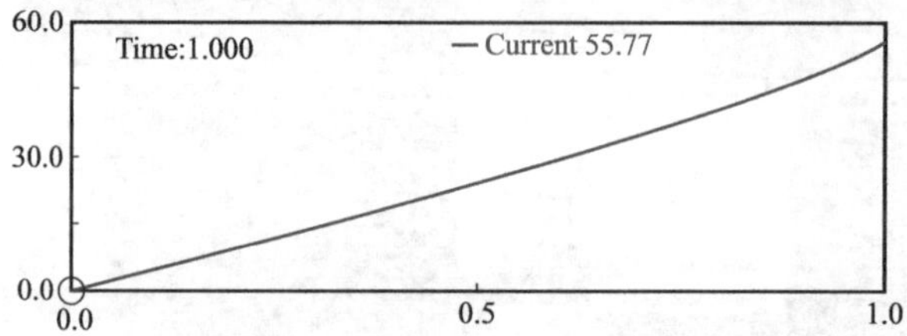

图 5-41 生成外侧车轮转角关于时间的曲线图像

（Time—时间；Current—转角趋势）

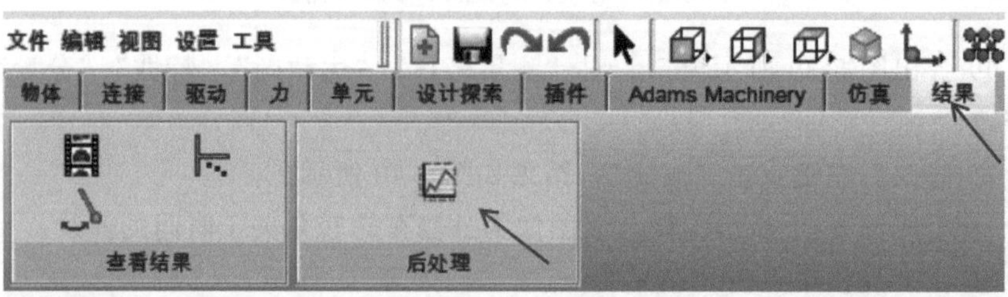

图 5-42 后处理

功能。通过后处理，可以获得更直观的仿真结果展示，包括曲线图、数据表格等，这些结果对于优化设计具有重要意义。

⑮ 出现图 5-43 所示窗口，左键点击“独立轴”中的“数据”。

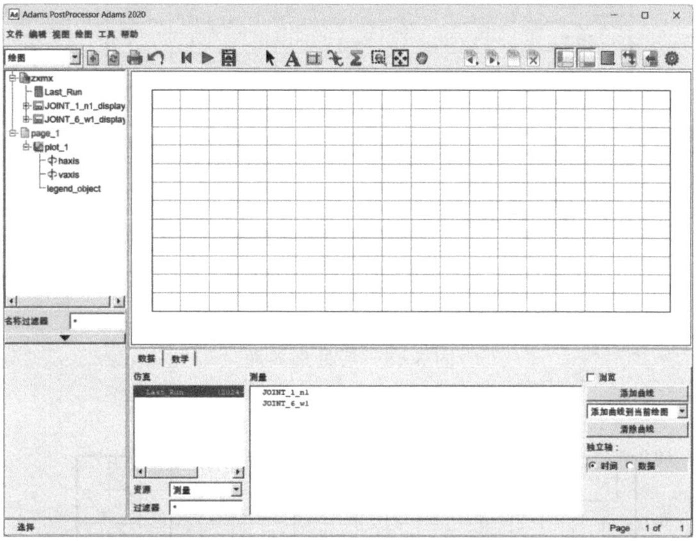

图 5-43　出现弹窗后，选择“数据”

⑯ 弹出窗口，左键点击“JOINT_1_n1”（作为 x 轴坐标），随后点击“确定”，框内结果如图 5-44 所示。

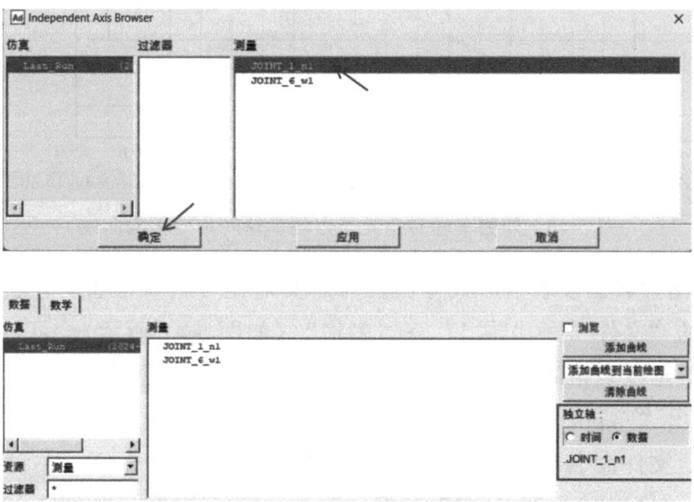

图 5-44　确定独立轴中的变量

⑰ 在图 5-45 所示后处理界面生成外侧车轮转角随内侧车轮转角变化的曲线（图 5-46）。

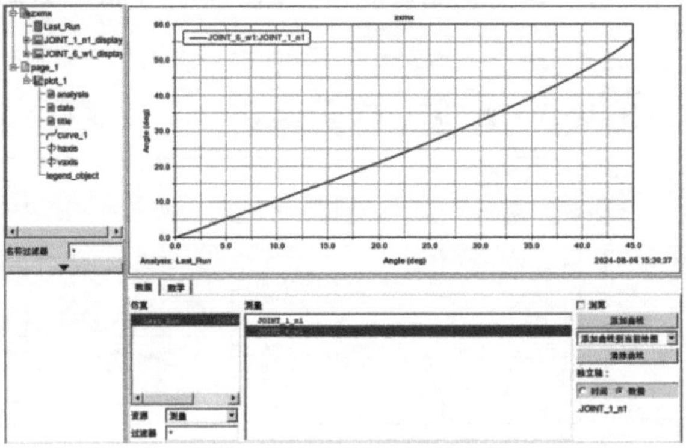

图 5-45　后处理界面

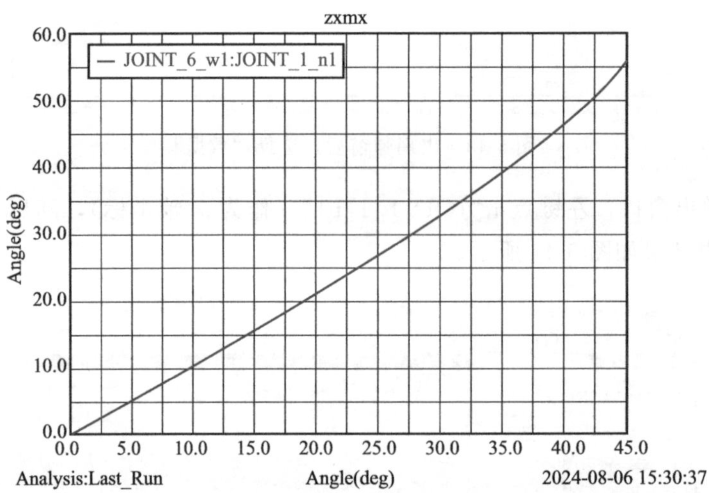

图 5-46　外侧车轮转角关于内侧车轮转角变化的曲线

⑱ 将图像数据以表格形式导出，为后文对比分析做准备。左键依次点击标题栏中的“文件”→“导出”→“表格”（如图 5-47 所示），可以将仿真分析的结果数据以表格的形式导出，便于进行进一步的数据处理和分析。

⑲ 弹出“Export”窗口，依次对文件名称命名、选取绘图曲线、对形式进行选择。文件命名为 . xls 格式；绘图中右键点击箭头处，左键依次点击“绘图”→“推测”→“plot_1”。“形式”为“电子表格”，如图 5-48 所示。

⑳ 完成上述操作，左键点击“确定”。图线数据将存放在以“61. xls”为文件名的表格中，文件存放位置与模型存放位置相同，如图 5-49 所示。

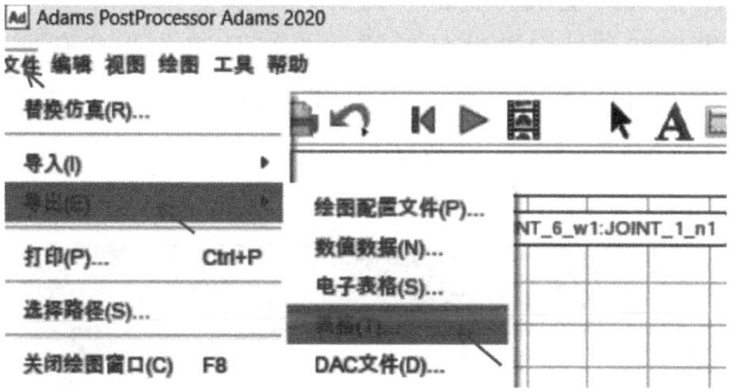

图 5-47　导出表格

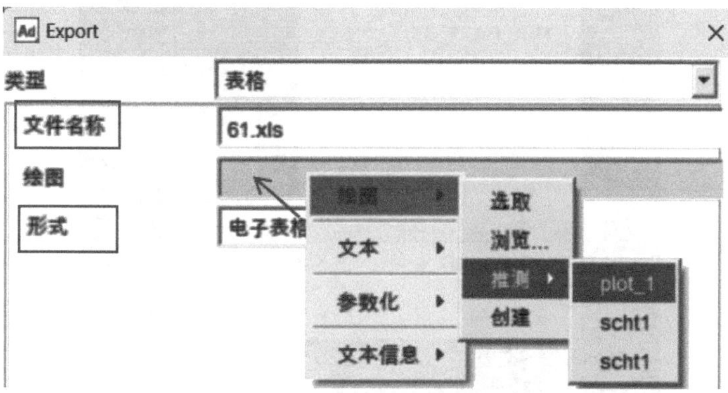

图 5-48　更改表格类型

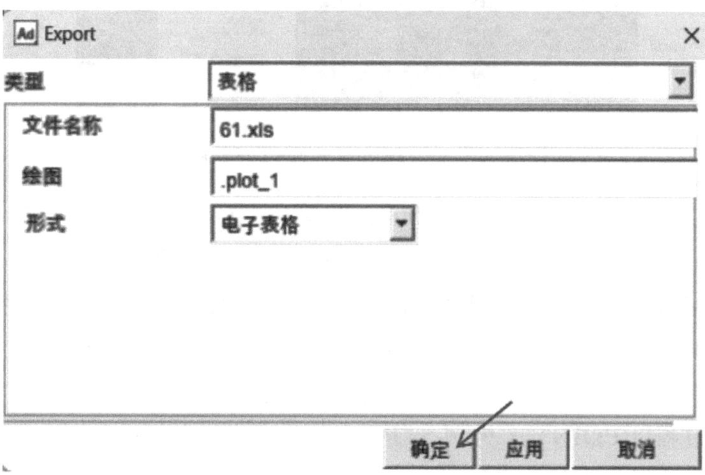

图 5-49　更改后点击“确定”

㉑ 在存储路径找到生成的表格，打开并观察数据。

㉒ 以转向横拉杆与转向节臂的铰接点坐标位置作为优化变量，即“Point 4”、“Point 5”、“Point 6”和“Point 7”的坐标点，右键点击箭头处，左键依次点击“Point：POINT_7”→“修改”，如图 5-50 所示。

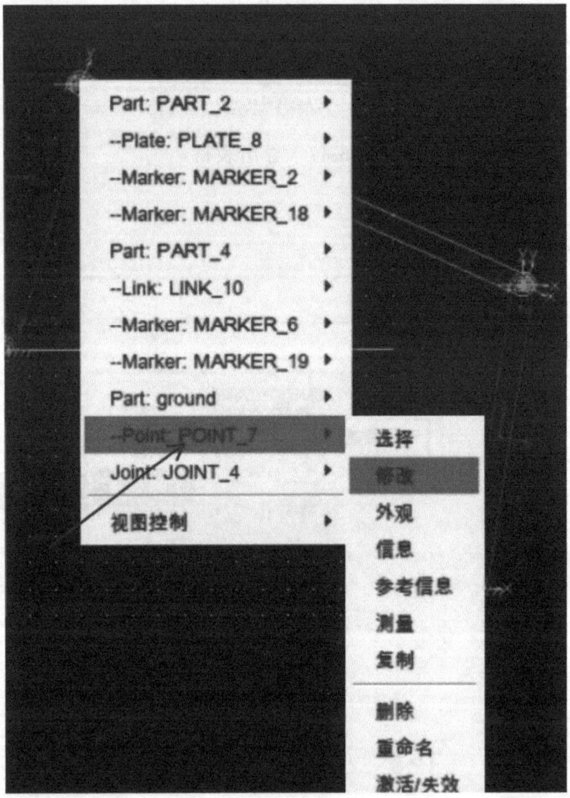

图 5-50 对“Point：POINT_7”修改

㉓ 弹出图 5-51 所示窗口 Table Editor for Points，在 ADAMS view 中，Table Editor for Points 允许用户以表格格式显示模型数据库中的点对象，这为对象的编辑和更新提供了极大的便利。通过这种方式，可以一次性更新模型中所有点的特定属性，如位置、方向等，而无需逐个点进行操作。这种工具适用于需要批量修改点对象的属性或进行数据管理的场景。

操作过程以 POINT_7 为例，“POINT_6”、“POINT_5”和“POINT_4”同理。将坐标位置作为优化变量。

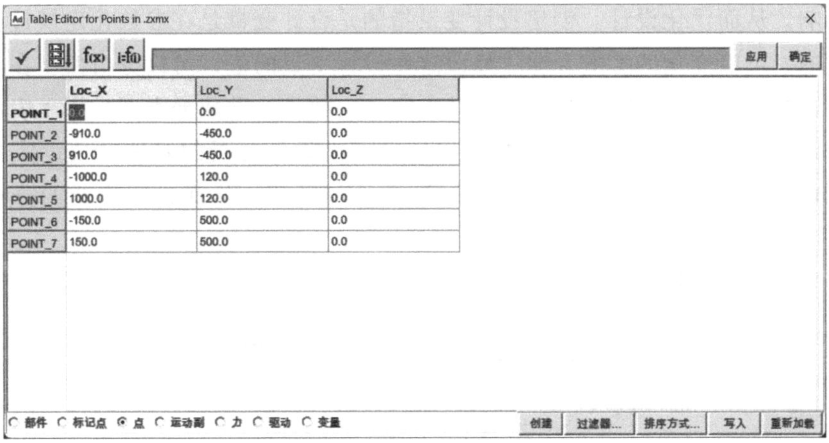

图 5-51　Table Editor for Points 窗口

㉔ 左键点击图5-52 的箭头处，对 POINT_7 的 Loc_X 进行处理。

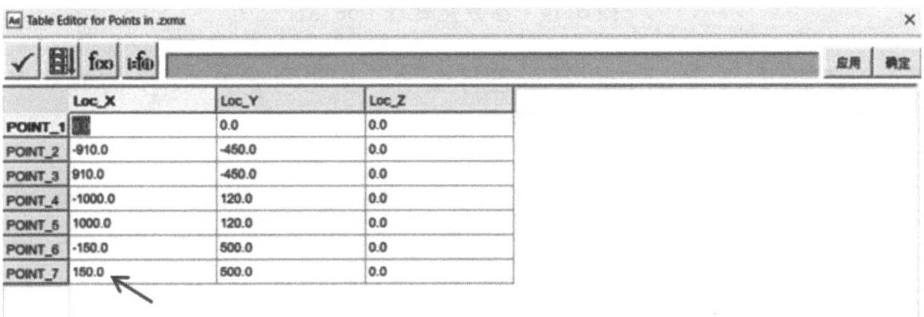

图 5-52　选择 POINT_7 的变量

㉕ 如图 5-53 所示，右键点击箭头处，左键依次点击“参数化”→“创建设计变量”→“实数”。

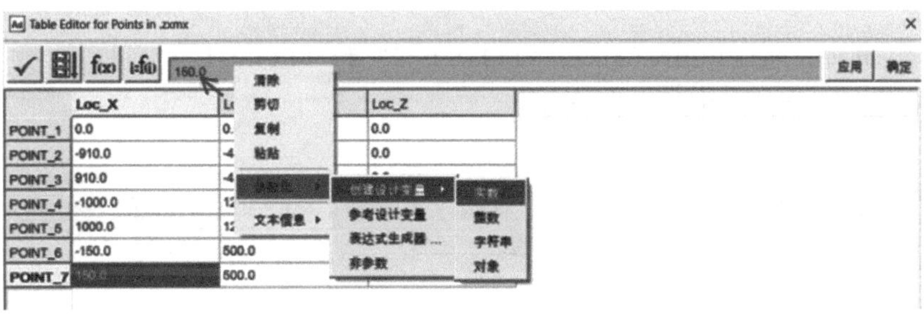

图 5-53　对变量进行参数化处理

其中，在 ADAMS 中，参数化是指将模型中的某些几何属性、运动属性或物理属性定义为参数，这些参数可以在后续的分析或设计中被修改，而不需要重新构建整个模型。通过参数化，可以方便地探索不同设计变量对模型性能的影响，从而优化设计。创建设计变量指的是设计变量是在参数化建模过程中定义的、可以变化的参数。通过修改这些设计变量的值，可以分析模型在不同条件下的行为，从而找到最佳的设计方案。实数是一种数据类型，用于表示连续的数值。在 ADAMS 中，实数可以用来定义设计变量的具体数值。实数的使用使得模型可以适应各种不同的物理条件和场景，从而进行广泛的分析和优化。

㉖ POINT_7 的 Loc_X 创建为 DV_1，如图 5-54 所示。

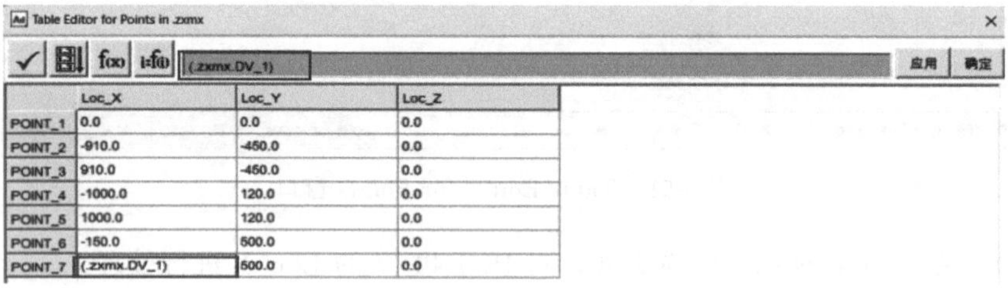

图 5-54　参数化处理 Loc_X

㉗ 创建 POINT_7 的 Loc_Y 的设计变量。步骤同 POINT_7 的 Loc_X，创建结果如图 5-55 所示。

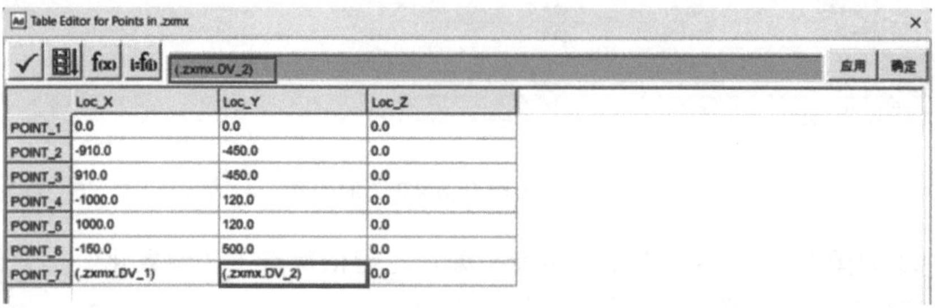

图 5-55　参数化处理 Loc_Y

㉘ 同理，将“POINT_6”、“POINT_5”和“POINT_4”进行参数化处理，点击“应用”，如图 5-56 所示。

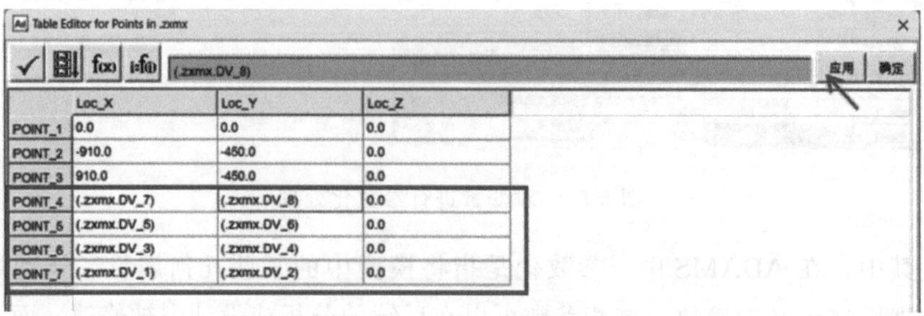

图 5-56　完成参数化处理

㉙ 左键点击“确定”，优化变量创建完成，创建后的结果如图 5-57 所示。

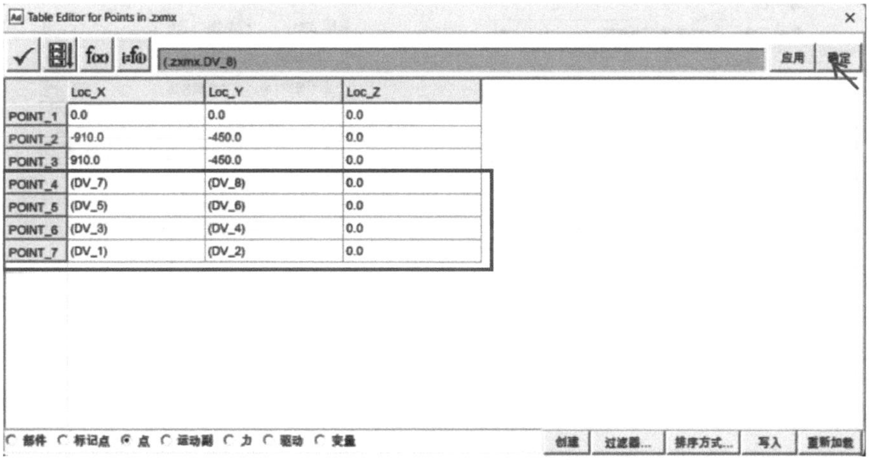

图 5-57　优化变量创建完成

㉚ 创建后退出，进入工作界面，左键点击左侧浏览栏中的“设计变量”，逐次点击“DV_1”“DV_2”“DV_3”“DV_4”“DV_5”“DV_6”“DV_7”“DV_8”，修改值变化区间。右键点击“DV_1”，左键点击“修改”，DV_2 至 DV_8 打开修改界面方式与 DV_1 相同，如图 5-58 所示。

㉛ 弹出“Modify Design Variable”窗口，如图 5-59 所示。

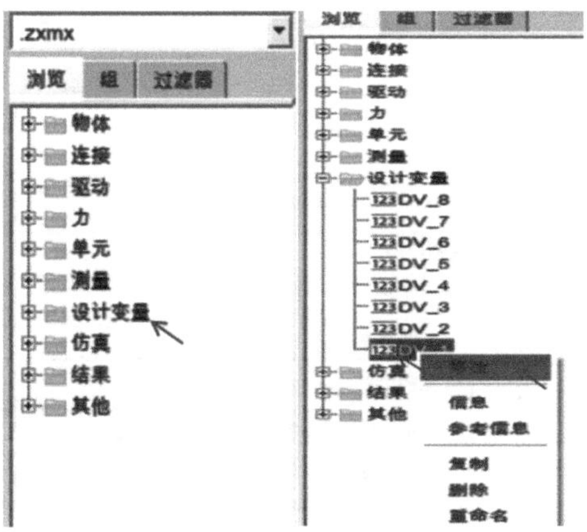

图 5-58　对设计变量进行修改

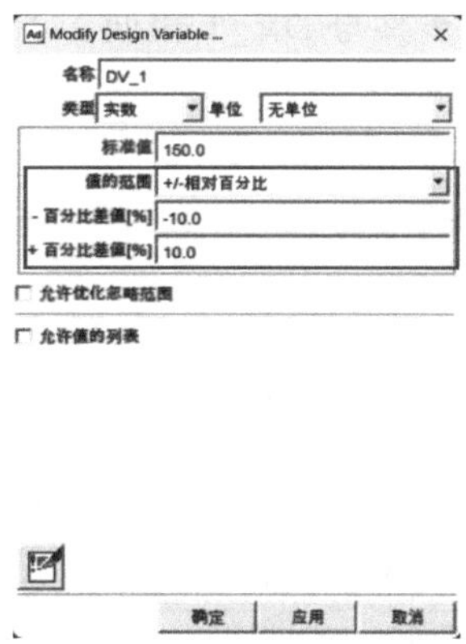

图 5-59　调整值的范围

㉜ 左键点击箭头处，选择“绝对最小和最大值”，并修改“最大值”“最

小值”，具体过程参考图 5-60、图 5-61。

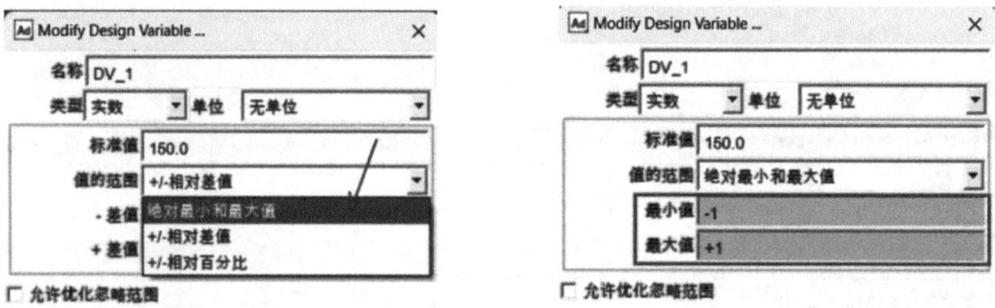

(a) 选择“绝对最小和最大值”

(b) 修改值的范围

图 5-60 选择“绝对最小和最大值”并修改值的范围

“绝对最小和最大值”指的是设计变量可以取到的具体数值范围。这种设置方式直接限定了变量的取值范围，不依赖于其他变量的值。“相对差值”通常不是直接在设计变量的“值的范围”中设置的，而是用于评估两个数值之间的差异程度。“相对百分比”在设计变量的值的范围中表现为设计变量相对于某个基准值的允许变化范围。然而，在 ADAMS view 的常规设置中，更常见的是直接设置绝对最小和最大值。但在某些高级功能或用户自定义算法中，可能会使用相对百分比来定义设计变量的变化范围。

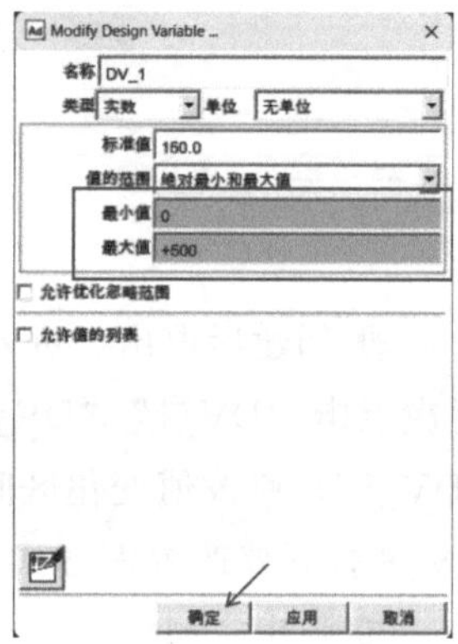

图 5-61 修改完成后左键点击“确定”，关闭窗口

㉝ DV_1 数值范围调整完毕后，DV_2 至 DV_8 调整步骤与 DV_1 相同。不再重复叙述，调整结果如图 5-62～图 5-68。

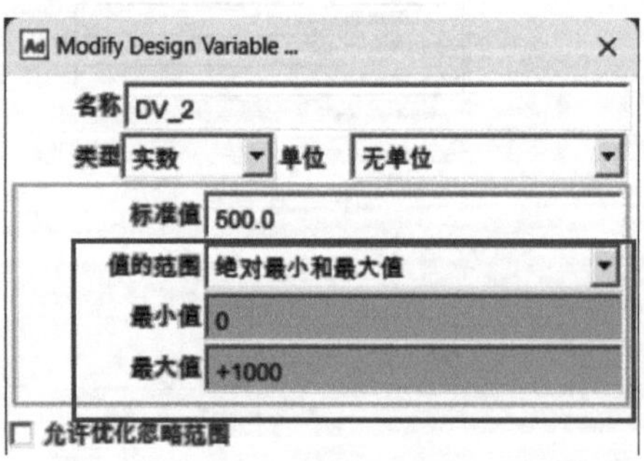

图 5-62 对 DV_2 数值范围进行调整

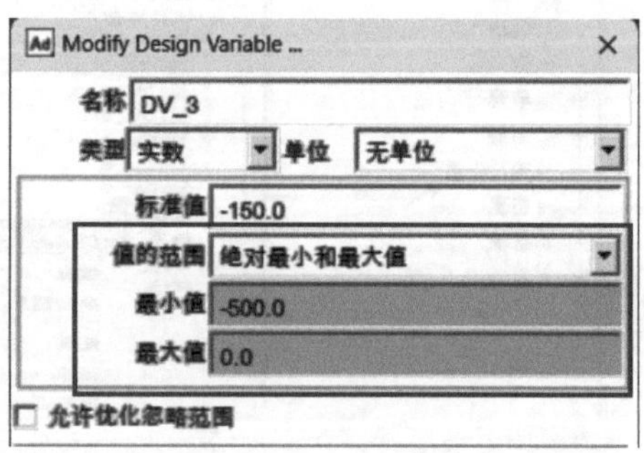

图 5-63 对 DV_3 数值范围进行调整

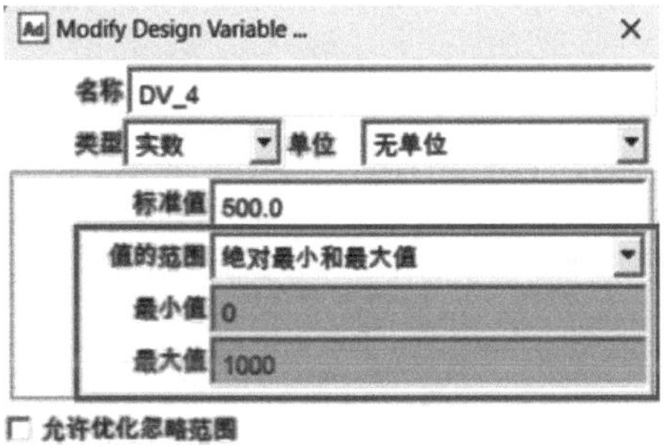

图 5-64　对 DV_4 数值范围进行调整

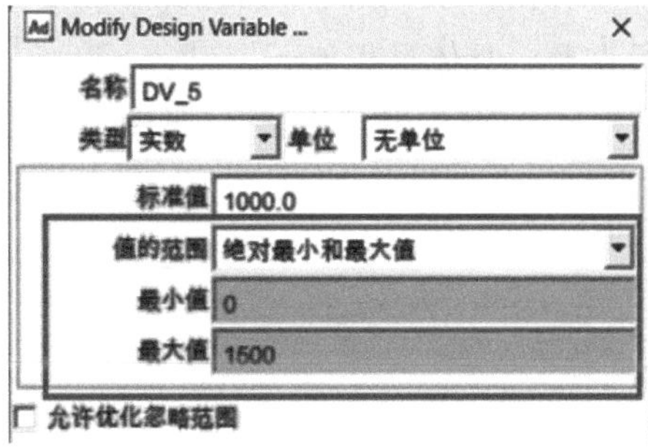

图 5-65　对 DV_5 数值范围进行调整

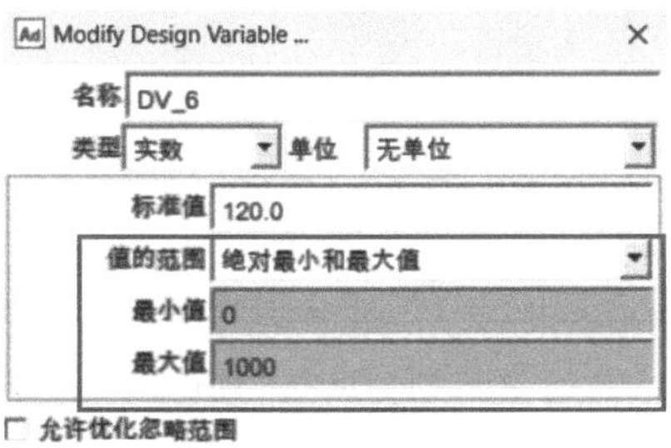

图 5-66　对 DV_6 数值范围进行调整

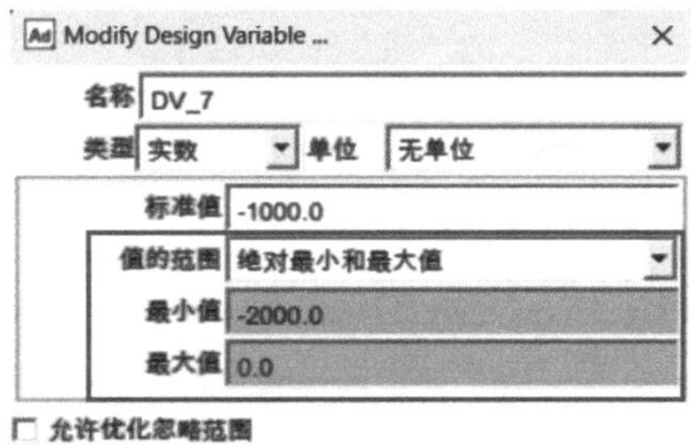

图 5-67　对 DV_7 数值范围进行调整

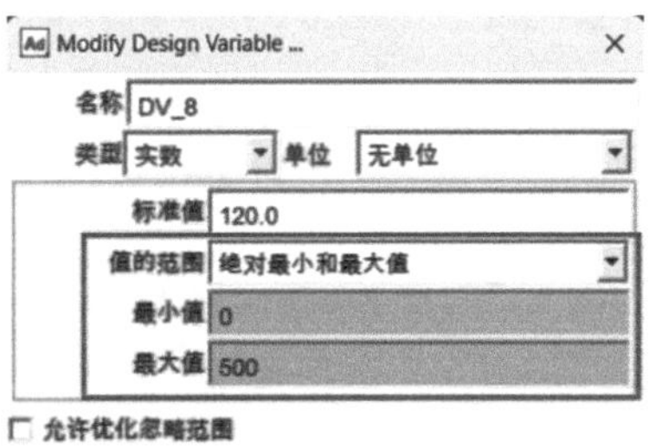

图 5-68　对 DV_8 数值范围进行调整

㉞ 如图 5-69 所示，左键依次点击标题栏中的“设计探索”→“设计评价工具”。

图 5-69　依次点击“设计探索”→“设计评价工具”

弹出“Design Evaluation Tools”窗口，如图 5-70 所示。对框中的内容进行调整，具体过程如下。

a. 左键点击“优化”（见图 5-71）。

图 5-70　对框中内容进行修改

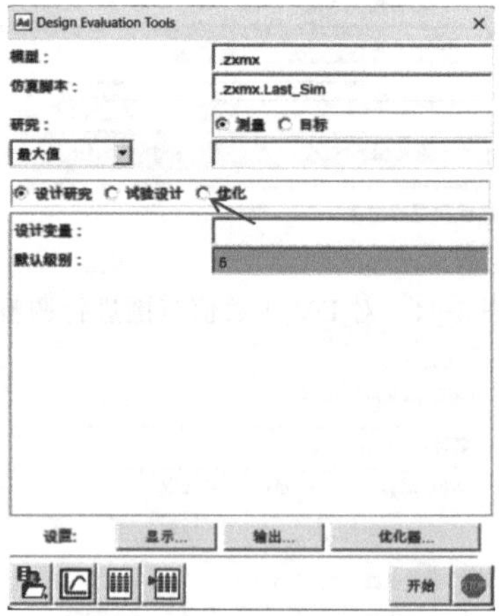

图 5-71　点击“优化”

b. 点击“研究”下的下拉箭头选择“最小值”（见图 5-72）。选择优化部分，右键点击箭头所指部分，左键依次点击“测量”→“推测”→“JOINT_6_w1”（见图 5-73）。

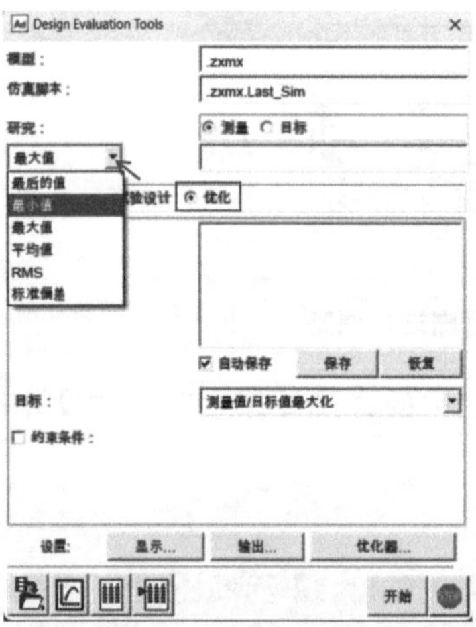

图 5-72　选择研究值

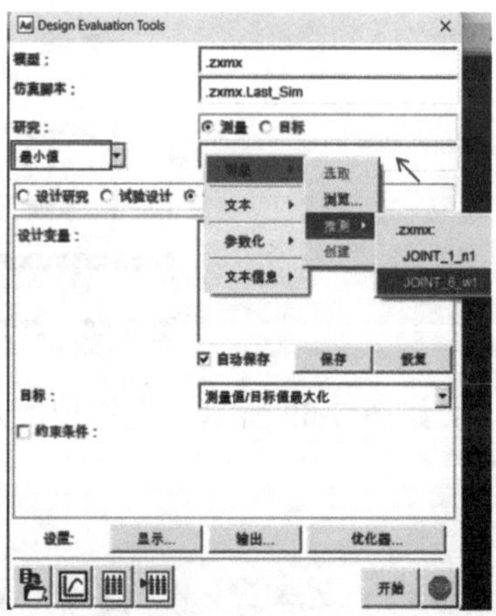

图 5-73　选择优化部分

c. 选择设计变量。右键点击箭头所指部分，左键依次点击“变量”→“推测”→“*”（“*”代表 DV_1～DV_8 都选），见图 5-74。

d. 点击箭头所指位置，选择“测量值/目标值最小化”（见图 5-75）。

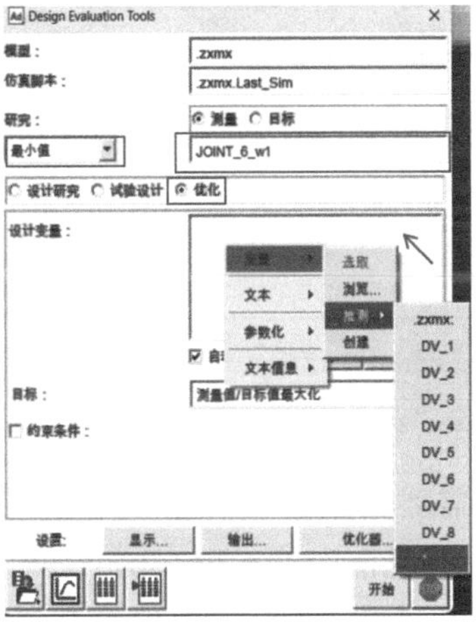

图 5-74　选择设计变量

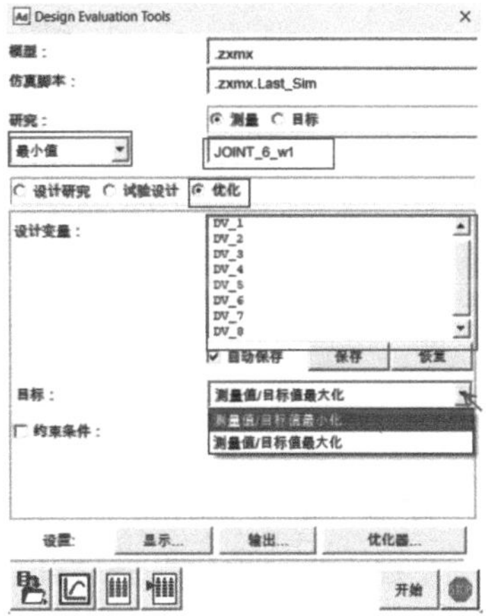

图 5-75　确定目标

e. ADAMS 中设置约束条件是为了限制和定义各零件的位置和运动，模拟实际的运行状况，组成完整的系统为后续分析做准备。左键勾选“约束条件”，右键点击箭头所指位置，左键依次点击“Optimization_Constraint”→“创建”，如图 5-76 所示。

f. 右键点击箭头所指位置，左键依次点击“测量”→“推测”→“JOINT_6_w1”，“设计约束的值是”选择“仿真中的最小值”，并点击“确定”，约束 1 设置完成（见图 5-77、图 5-78）。

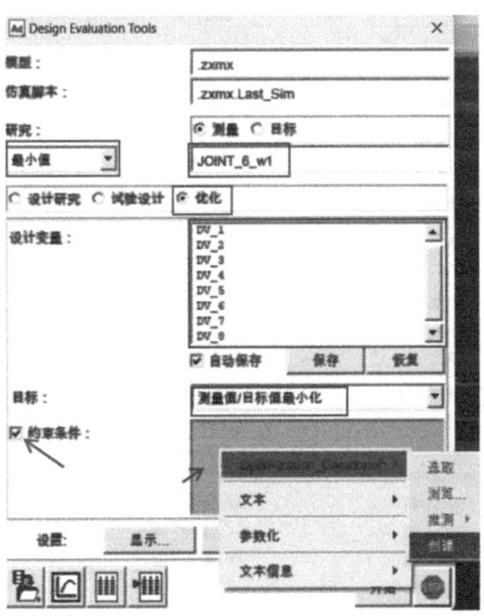

图 5-76　选择约束条件

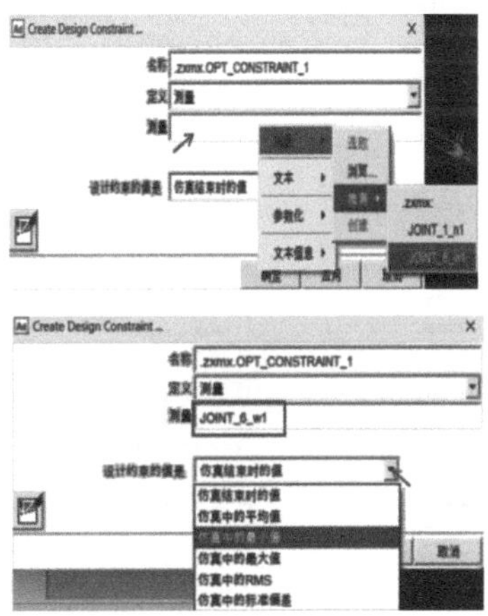

图 5-77　选中需测量的约束并设置约束的值

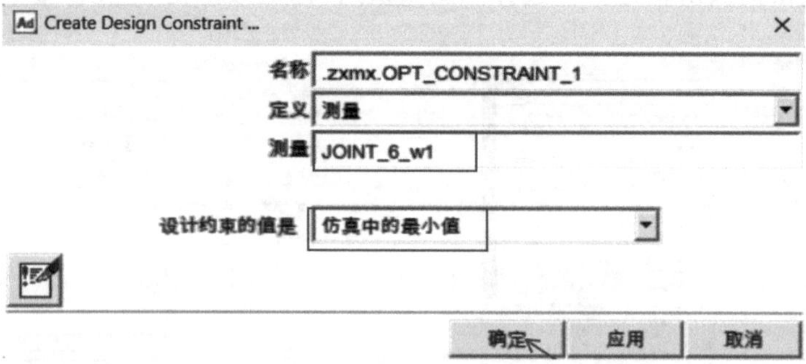

图 5-78　设置完成后点击“确定”

g. 左键点击“显示”→“更多”→根据需要调整选项“是”或者“否”，调整后左键点击“关闭”→“开始”进行优化（见图 5-79～图 5-84）。

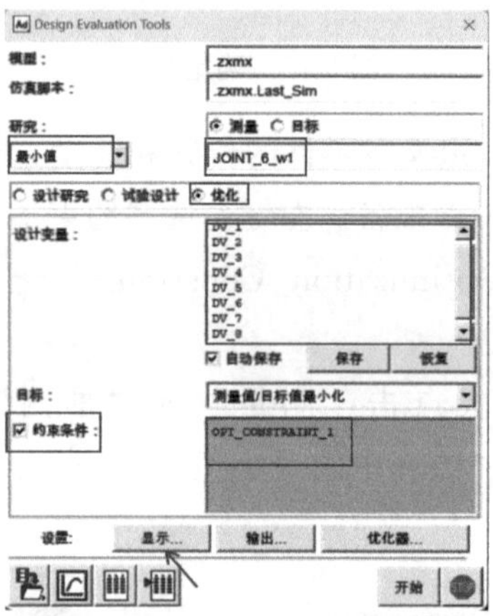

图 5-79　点击“显示”

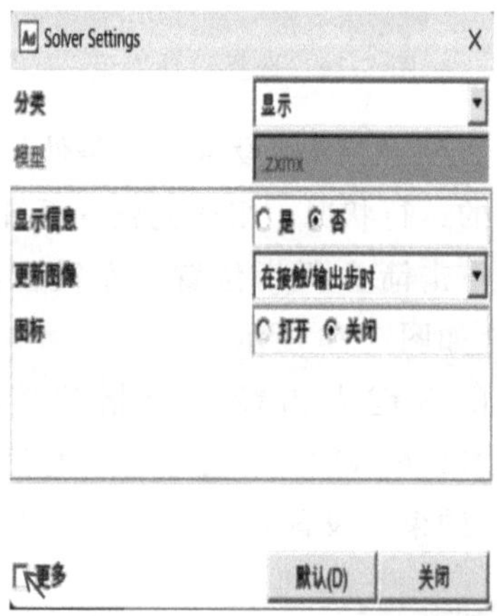

图 5-80　点击“更多”

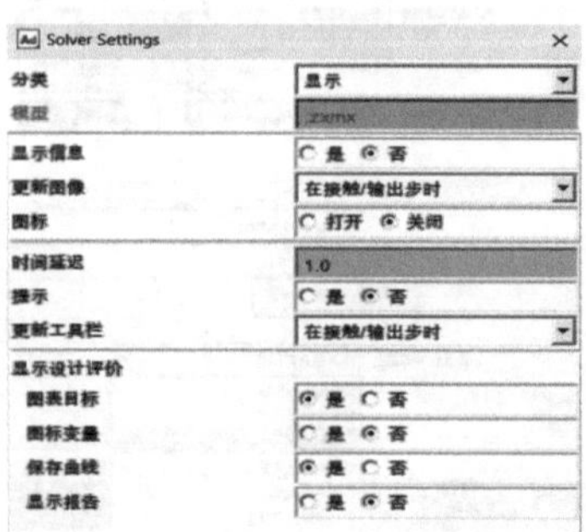

图 5-81　根据需求调整选项

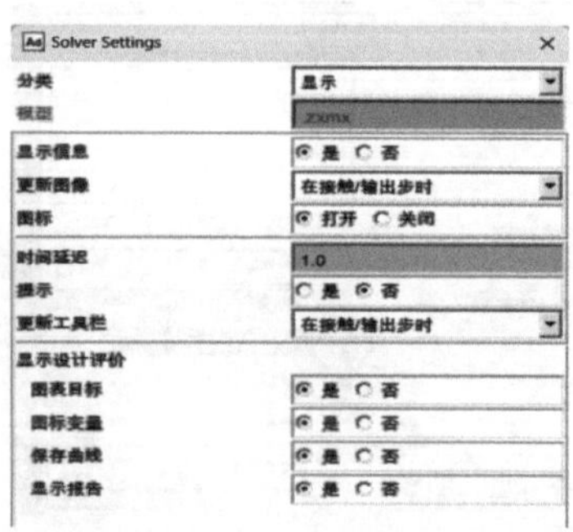

图 5-82　调整结果

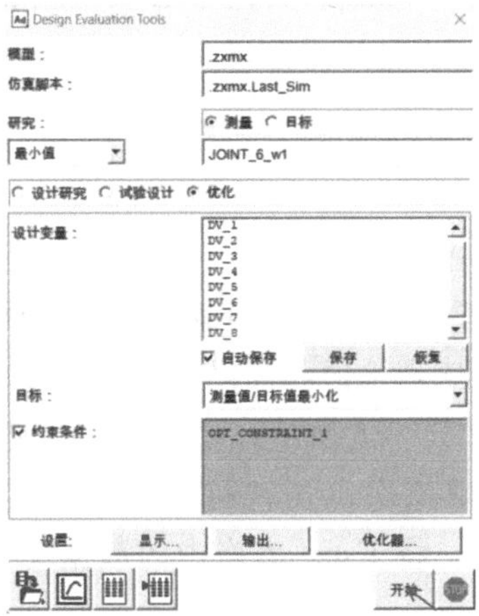

图 5-83　点击“开始”，开始优化

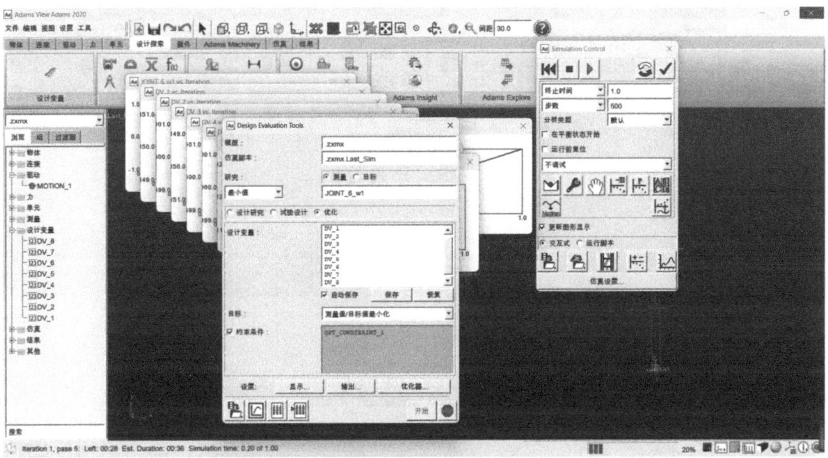

图 5-84　优化过程

㉟ 等待优化结束，利用 ADAMS 内置的优化模块进行计算分析，结果如表 5-4 所示。

表 5-4　某轴转向机构优化结果

迭代次数	以第 4 轴为目标	DV_1	DV_2	DV_3	DV_4	DV_5	DV_6	DV_7	DV_8
0	4.7636	150.0	500.0	1000.0	120.0	1000.0	120.81	−1000.0	120.0
1	0.376	133.67	520.00	1209.4	120.03	1209.4	120.03	−1209.4	120.03
2	0.17345	137.41	510.23	1183.7	120.81	1183.7	120.81	−1183.7	120.81
3	0.17344	137.41	510.23	1183.7	120.84	1183.7	120.84	−1183.7	120.84

取整后，转向中心板与左右横纵拉杆的铰接点到转向横拉杆与转向节臂的

铰接点之间的纵向距离是137mm；转向中心板与左右横拉杆的铰接点之间的横向距离是510mm；进一步可以得到转向横拉杆的长度为1117mm；转向节臂的长度为630mm。

5.3.2 优化结果对比

优化结束后，在后处理中采用与优化前相同的操作方法，并将图像数据导入表格。用MATLAB生成理论值和优化前、优化后的外侧车轮转角关于内侧车轮转角的变化图像，如图5-85所示。

打开MATLAB，左键依次点击“新建实时脚本”→“导入文件中的数据”→“data”→“打开”，将Excel表格中的数据导入MATLAB。如图5-85、图5-86所示。

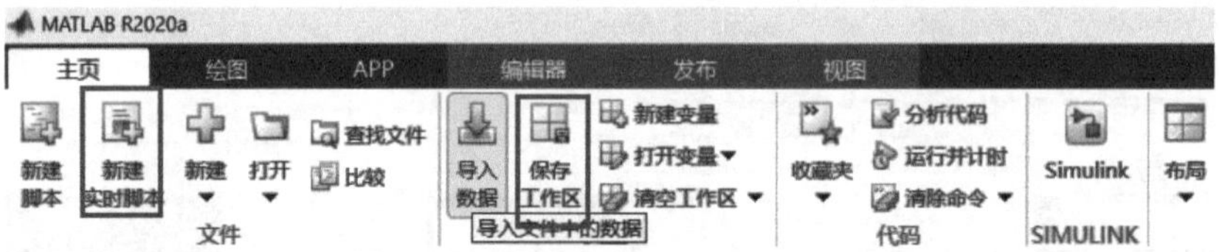

图5-85　导入数据

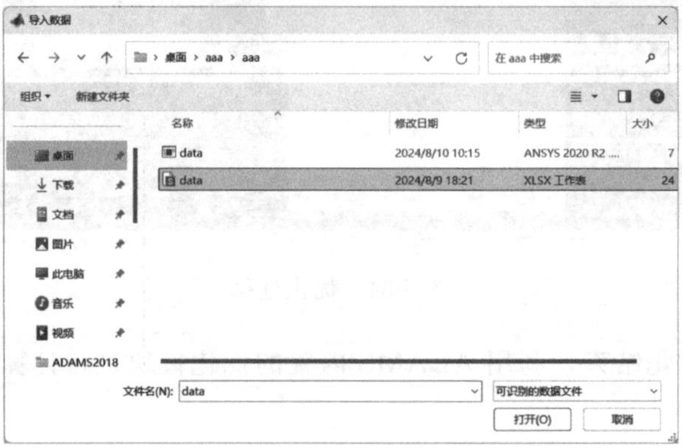

图5-86　选择data文件

依次双击“VarName1”“VarName2”“VarName3”“VarName4”，更改变量命名为“A”“B”“C”“D”。更改完成后，选中导入的数据，点击“导入所选内容”，完成数据导入。见图5-87、图5-88。

将生成图形所需要的代码编辑在“编辑器”界面。点击“运行”，选择保存位置，并命名为.m文件，点击“保存”便可生成图像，见图5-89、图5-90。

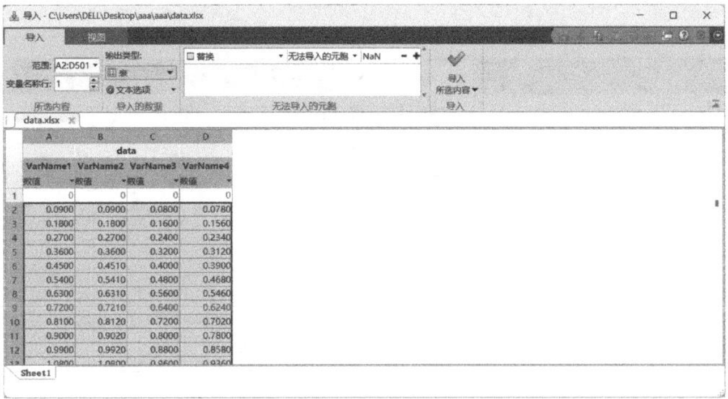

图 5-87　更改命名界面

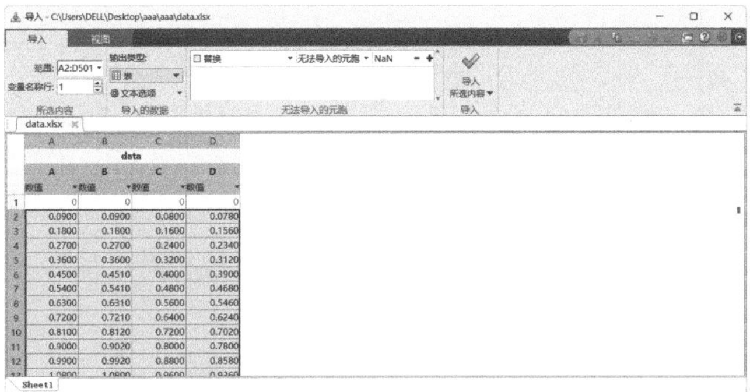

图 5-88　修改命名、导入所选内容

代码如下：

```
xData = data.A;y1Data = data.B;y2Data = data.C;y3Data = data.D;
figure; % 创建图形窗口
plot(xData, y1Data); % 绘制第一个 y 轴的数据
hold on;
plot( xData, y2Data, '-r'); % 添加第二个 y 轴并绘制第二个 y 轴的数据
plot( xData, y3Data, ':k');
ylabel('外侧车轮转角/(°)'); % 设置 y 轴标签
title('基于 Excel 数据的图像'); % 添加标题
xlabel('内侧车轮转角/(°)'); % 设置 x 轴标签
grid on; % 显示网格
legend('优化前','理论值','优化后','Location','best'); % 添加图例,并指定最佳位置
```

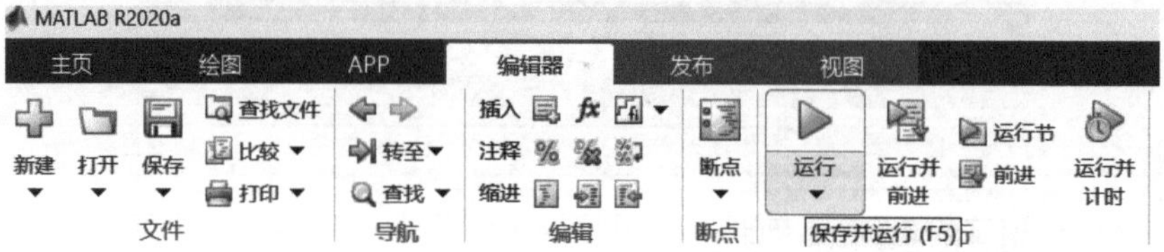

图 5-89　保存并运行

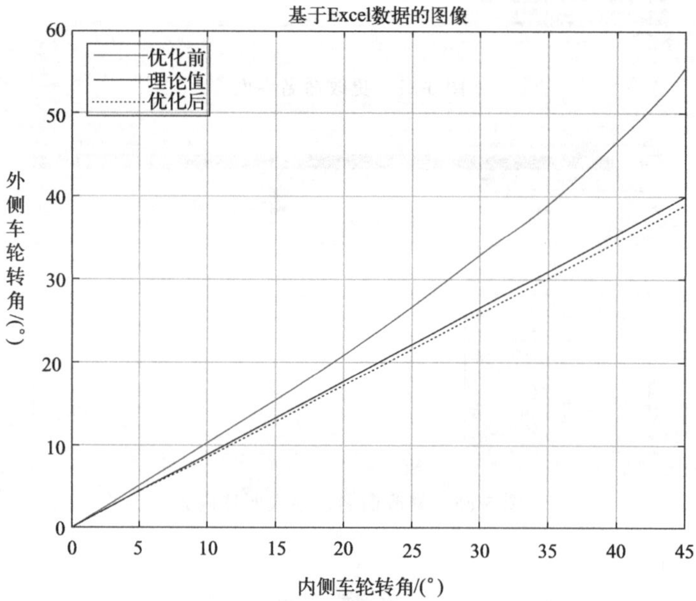

图 5-90　优化后某轴内外侧车轮转角关系曲线

根据曲线情况，转角匹配优化后的车轮转角能更好地贴合理论值，最大误差为 0.799°，误差降低了 95.24%。误差控制在 2°范围内，已达到实际工程的使用需求。

思考题

1. 什么是汽车转向系统？机械转向系统由哪几部分组成（以简图说明）？
2. 转向机构模型的一般组成包括什么？
3. ADAMS 软件如何创建运动副？创建的运动副的种类有哪些？
4. 在 ADAMS view 中，Ax/Ay/Az 投影旋转的具体含义是什么？

第6章

分布式驱动汽车自适应巡航系统建模与仿真

随着汽车行业的不断发展，汽车仿真技术的应用越来越广泛。汽车仿真技术不仅可以帮助工程师和研究人员在虚拟环境下进行汽车设计、驾驶行为研究，还可以模拟汽车的运动学和动力学特性。而 CarSim 作为一款广泛应用于汽车行业的动力学仿真软件，具备完善的整车模型库和友好的用户界面，已经成为许多汽车制造商和研究机构不可缺少的工具[24]。

为了实现更为准确、更加全面的汽车系统仿真，本章将通过 CarSim 与 MATLAB/Simulink 构建联合仿真平台。结合汽车动力学模型与控制策略，从而实现整车系统的自适应巡航仿真分析。

6.1 分布式驱动汽车系统动力学仿真模型的建立

6.1.1 整车模型

搭建仿真模型的第一步是在 CarSim 中搭建整车模型。整车模型搭建过程的本质是对分布式驱动汽车进行适当的抽象简化，将各个系统通过参数表达，并根据数学表达式，使各系统之间串联起来，共同构成整车模型[25]。

合理的特性参数可以反映整车结构特点、协调各部件之间的关系，因此对整车和子系统（见图 6-1）进行动力学建模是极为重要的，参数必须满足相应指标，从而为后续开展四轮独立驱动电动汽车（分布式驱动汽车）相关研究仿真分析提供数据支持。本章汽车模型的参数设定主要以 CarSim 软件中的 C-

Class 模型为参考。点击图 6-2 箭头所指区域，整车的主要配置参数如图 6-3 所示。

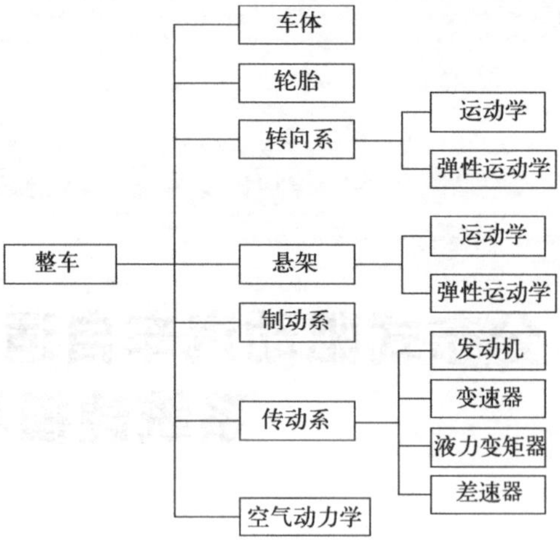

图 6-1　CarSim 整车模型

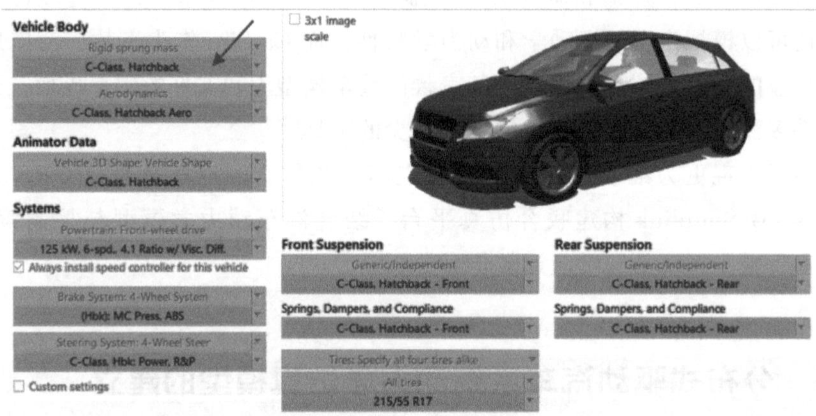

图 6-2　点击进入整车参数界面

本章所需要的汽车动力学参数如表 6-1 所示。

表 6-1　汽车动力学参数

参数	取值
汽车质量/kg	$m=1270$
绕 z 轴转动惯量/($kg \cdot m^2$)	$I_z=1536.7$
整车高度/m	$W=1.730$
轴距/m	$a=1.015, b=1.895$

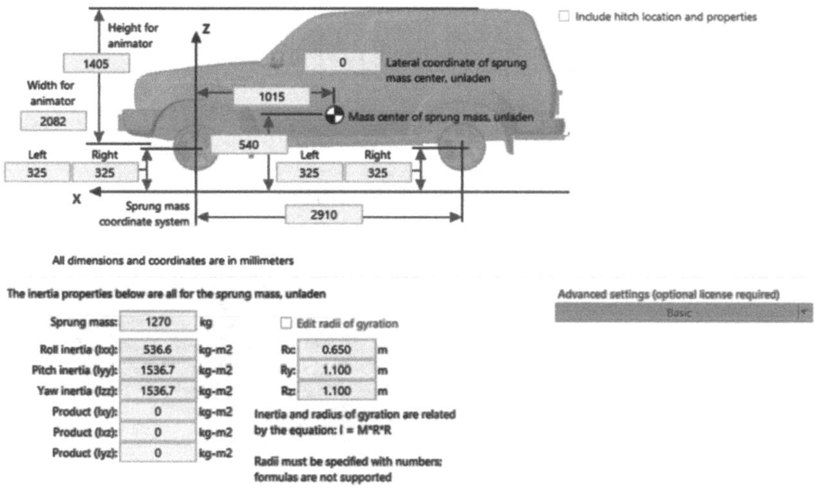

图 6-3　汽车参数设置界面

6.1.2　轮胎模型

在进行汽车动力学仿真时，轮胎所受的垂向力、纵向力、侧向力和回正力矩对汽车的平顺性、操纵稳定性和安全性起着至关重要的作用。在整车模型的建立过程中，轮胎模型是其中最重要的一部分，选择符合实际又便于使用的轮胎模型是建立汽车模型并进行动力学仿真的关键[26]。

主要的轮胎模型可以分为理论轮胎模型、经验轮胎模型和物理轮胎模型。目前应用最广泛的是 Pacejka 提出的以魔术公式为基础的经验轮胎模型。其以三角函数组合的形式拟合轮胎试验数据，得出了一套形式相同并可同时表达纵向力、侧向力、回正力矩的轮胎模型。魔术公式的一般表达式为：

$$Y(x)=D\sin(C\arctan\{Bx-E[Bx-\arctan(Bx)]\}) \tag{6-1}$$

式中，系数 B、C、D 由轮胎的垂直载荷和外倾角确定；Y 为输出变量，可以是纵向力、侧向力，也可以是回正力矩；x 为输入变量，在不同的情况下可以分别表示轮胎的侧偏角或纵向滑移率；B 为刚度因子；C 为形状因子；D 为峰值因子；E 为曲率因子。

CarSim 软件中的轮胎模型（见图 6-4）是基于魔术公式而改进得到的模型，在模型中不仅加入了高精度的实车测试的数据，还可以根据特定的正弦函数匹配出轮胎的纵向力、侧向力和回正力矩，进一步提高了轮胎模型的精度。根据日常使用与 CarSim 软件中不同型号轮胎的性能差异，汽车的轮胎选择 215/55 R17，点击图 6-5 箭头所示区域，其设置结果如图 6-6 所示。

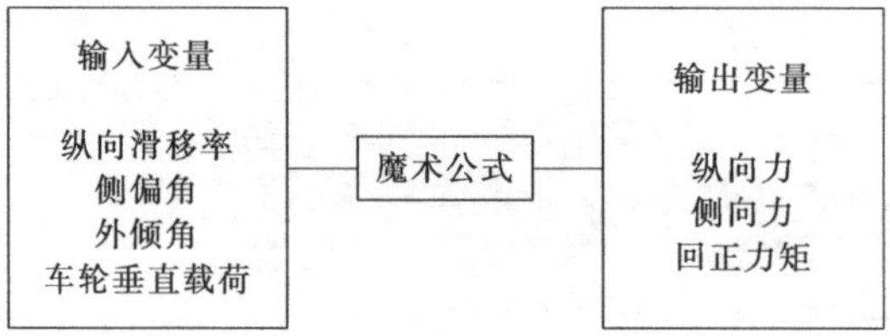

图 6-4　基于魔术公式的轮胎模型的输入与输出变量

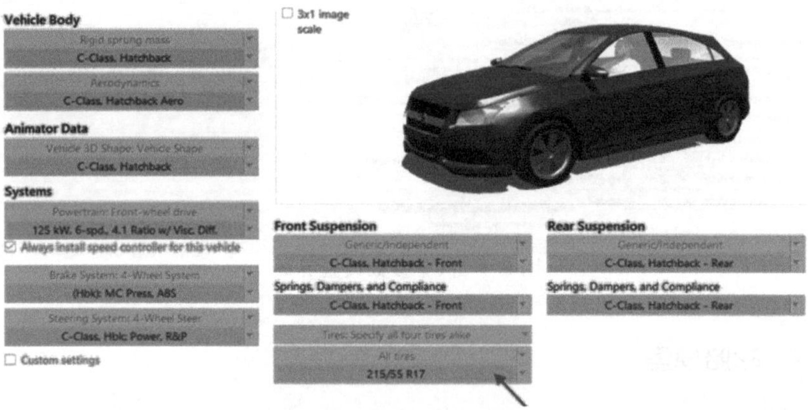

图 6-5　点击进入轮胎参数界面

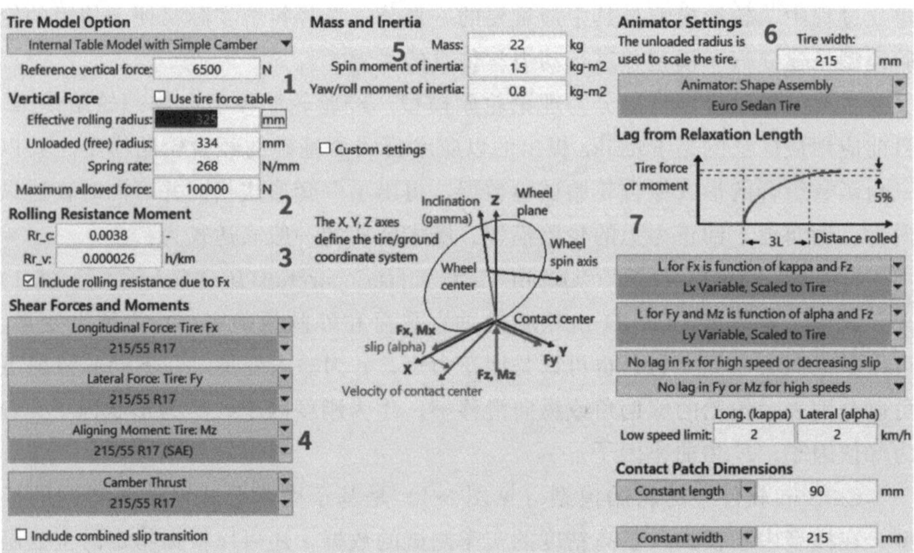

图 6-6　轮胎参数设置界面

在轮胎参数设置界面中，序号 1 可切换轮胎类型并设置参考最大垂直压力，序号 2 表示模型参数，分别为有效滚动半径、空载轮胎半径、弹簧刚度和最大承载力，序号 3 表示滚动阻力参数，序号 4 表示轮胎的受力和力矩，序号 5 表示轮胎的惯性参数等动态参数设置，序号 6 表示轮胎宽度，序号 7 表示轮胎长度和宽度方向与地面的接触长度。

6.1.3 悬架模型

底盘悬挂（悬架）系统是汽车的车架与车桥或车轮之间的一切传力连接装置的总称，悬架的主要作用是传递作用在车轮和车身之间的一切力和力矩，比如支撑力、制动力和驱动力等，并且缓和由不平路面传给车身的冲击、衰减由此引起的振动、保证乘员的舒适性、减小货物和汽车本身的动载荷[27]。

目前在分布式驱动汽车上，常见的悬架结构主要有五种，分别是麦弗逊式悬架、双交叉臂式悬架、多连杆式悬架、扭力梁式悬架、整体桥式悬架。

CarSim 中的悬架模型包括独立悬架和非独立悬架等，本章研究四轮独立驱动的汽车，因此，前后均采用独立悬架结构，主要作用是传递车轮和车架之间的力和转矩，点击图 6-7 箭头所示区域，其设置结果如图 6-8 所示。

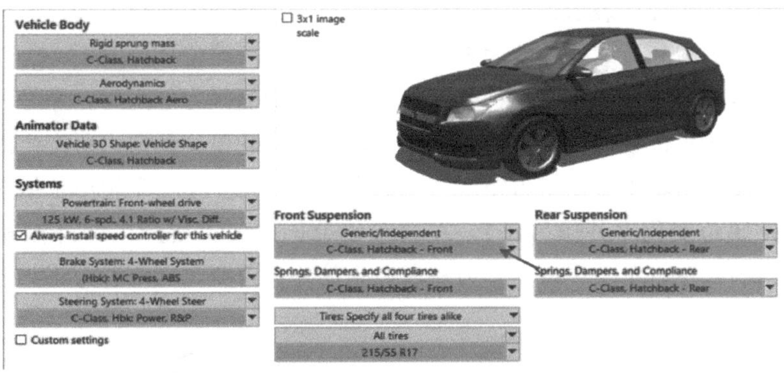

图 6-7　点击进入悬架参数设置界面

图 6-8 为独立悬架设置界面，序号 1 表示的是转向部分的非簧载质量；序号 2 表示的是转向部分的簧载质量；序号 3 表示轮距；序号 4 表示轮心距离地面的高度；序号 5 表示的是左右车轮后倾角随车轮轮心跳动量的变化关系，后倾角向前倾为正；序号 6 表示的是左右车轮轮心在 X 轴方向上的位移关系；序号 7 表示的是左右车轮外倾角与轮跳的变化关系，外倾为正；序号 8 表示的是左右车轮侧向位移与轮跳量（轮心跳动量）的变化关系，侧向位移向内为正；序号 9 表示的是左右车轮前束角与轮跳的变化关系，前束角向内为正；序号 10 表示前左右车轮的外倾角和前束角。

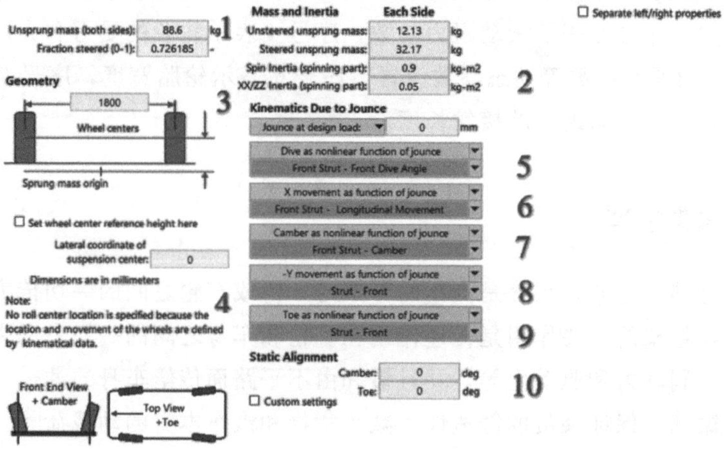

图 6-8 悬架设置界面

图 6-9 箭头指的是独立悬架弹性特性设置界面入口，点击可进入弹性特性设置界面（见图 6-10）。在弹性设置界面中，序号 1 表示弹簧参数设置界面，包括刚度、阻力、压缩和拉伸参数；序号 2 表示左右外部弹簧初始压力和上弹簧座调整量；序号 3 表示减振器特性，即力随压缩速度的变化关系；序号 4 表示上限位块力与其压缩位移的关系和下限位块与其压缩位移的关系；序号 5 表示横向稳定杆的刚度和除横拉杆外其他部件的辅助侧倾力矩阻尼；序号 6 表示的是左右车轮单位纵向力所产生的前束角，左右车轮单位侧向力所产生的车轮转向角，左右车轮单位回正力矩所产生的车轮转向角，左右车轮单位纵向力所产生的外倾角变化（外倾为正），左右车轮单位侧向力所产生的外倾角变化（向右为正），左右车轮单位回正力矩所产生的外倾角变化（向右为正）等。

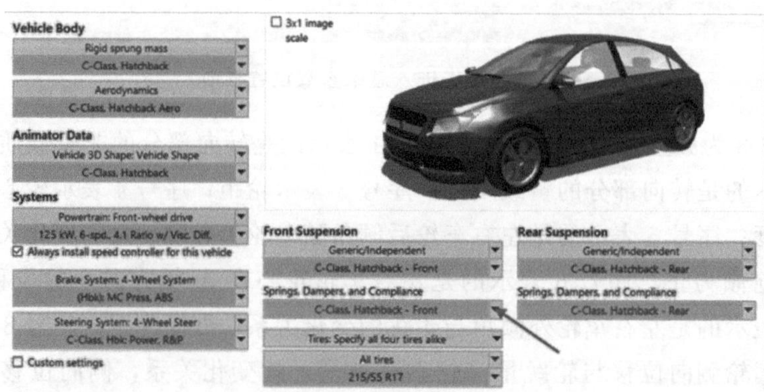

图 6-9 点击进入弹性特性设置界面

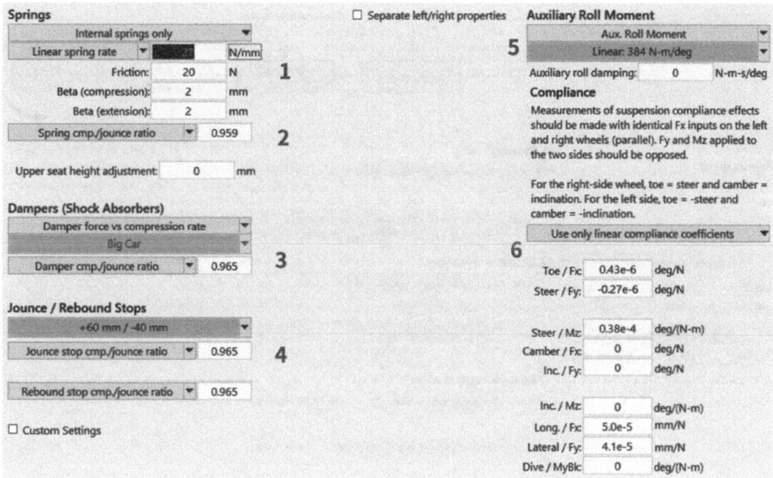

图 6-10　弹性特性设置界面

6.1.4　制动系统模型

制动性能对于分布式驱动汽车在制动过程中的稳定性和安全性十分重要，对于评价汽车的安全性能有着十分重要的意义，是开展制动控制策略研究中必须考虑的问题[28]。

在 CarSim 的制动系统中，我们主要面对两种类型：复杂制动系统和简单制动系统。因为复杂制动系统在设定时需要考虑助力及热衰减等多重因素，所以本章只考虑 CarSim 的简单制动系统。

首先介绍 CarSim 的制动系统界面。点击图 6-11 中箭头所示区域，即可进入制动参数设置界面，如图 6-12 所示。

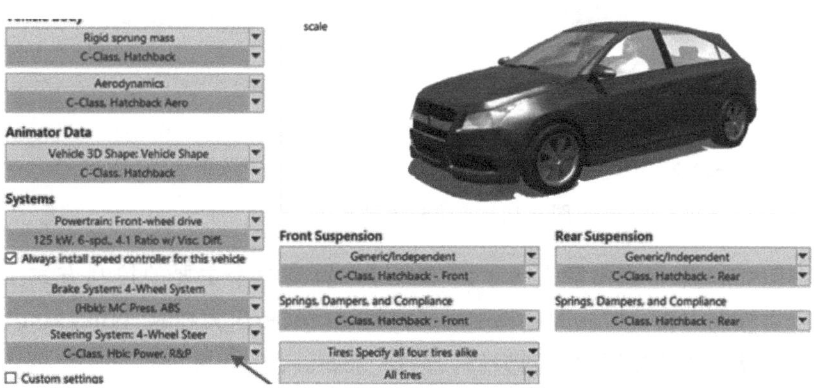

图 6-11　点击进入制动参数界面

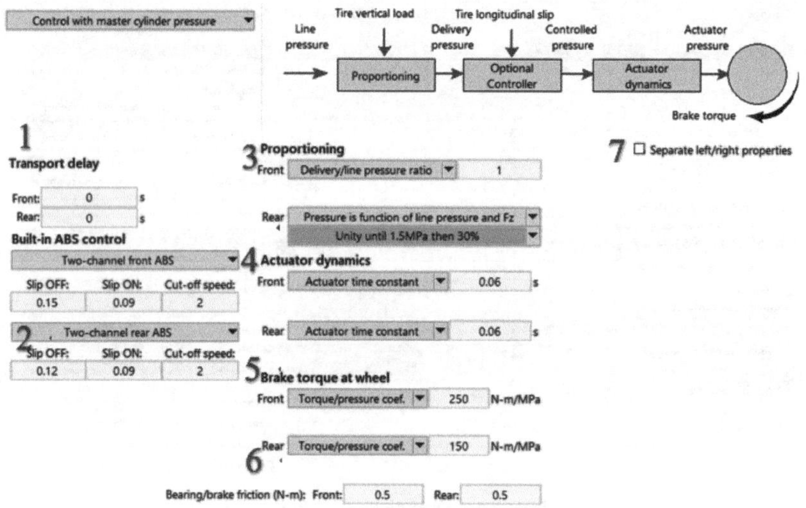

图 6-12　制动参数设置界面

如图 6-12 所示，可以看到各个关键参数的设定，序号 1 表示流体迟滞时间；序号 2 表示 ABS 工作的最低速度截止点；序号 3 表示比例阀后的管路压力与输入压力的比例关系；序号 4 表示流体动力学时间常数；序号 5 表示制动力矩与车轮气缸压力的关系；序号 6 表示轴承摩擦阻力；序号 7 表示在左右轮参数不同时，可以分别设定相关参数。

除此之外，在 CarSim 中还包括驾驶员对制动系统控制的内容。在 CarSim 的主页面中，点击图 6-13 箭头所示区域，可进入制动控制选项界面。

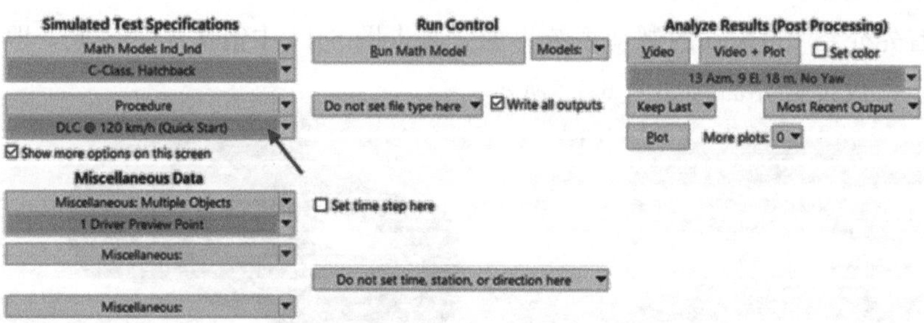

图 6-13　点击进入制动选项界面

在图 6-14 中，点击箭头所示区域，可以看到两个主要的控制方式：制动主缸压力控制（Breaking MC Pressure）和制动踏板压力控制（Breaking Pedal Force）。以制动踏板压力控制为例。选择“Spike：140 N @ 2 sec.”进入详细的设置界面，如图 6-15 所示，在设置界面中，左侧的曲线图由右侧的数据框中的内容生成。横轴代表时间，纵轴代表踏板压力。可以观察到，在 0 到 1.99s 期间，制动压力维持在 0，至 2.0s，压力则稳定在 140N。这意味着驾驶员在 0 到 1.99s 期间是没有踩制动踏板的，而在 2.0s 时，驾驶员踩住制动踏板，以此来实现紧急制动。

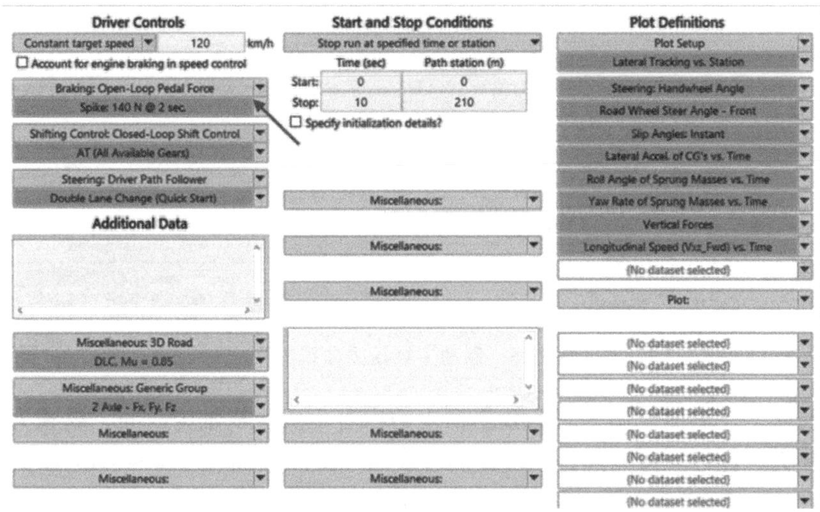

图 6-14　制动选项界面

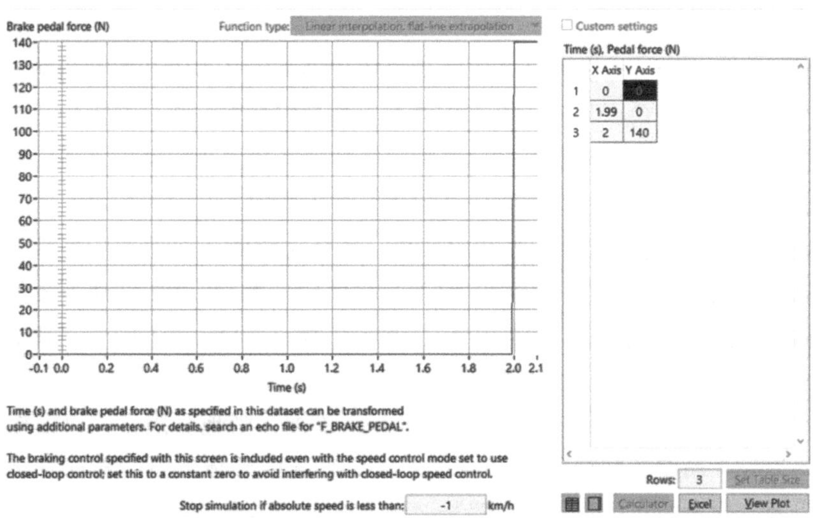

图 6-15　制动踏板压力曲线界面

也可选择制动主缸压力控制。在图 6-14 中，选择制动主缸压力控制后，选择“RAMP：0-4MPa”，并设定起始时间为 2s，其图像如图 6-16 所示。

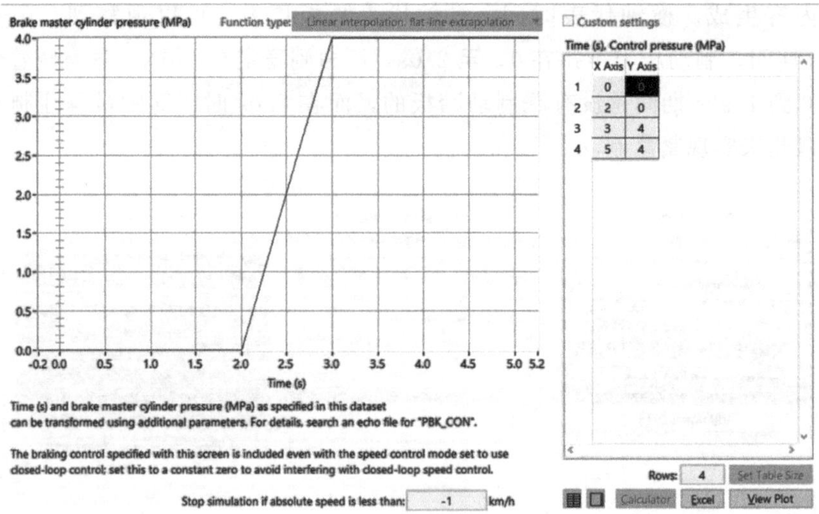

图 6-16　制动主缸压力曲线界面

同样，左侧曲线图由右侧数据框中的内容生成。横轴为时间，纵轴为制动主缸压力，在 0～2s 期间，主缸压力保持在 0MPa；而在 2.0～3.0s 期间，压力逐渐从 0 上升到 4MPa；3s 之后，压力稳定在 4MPa。

6.1.5　转向系统模型

转向系统作为分布式驱动汽车的重要组成部分，负责将驾驶员的转向操作传递为实际车轮转角，从而使汽车能够灵活地进行左右转弯、精准定位及稳定行驶。该系统囊括的方向盘、转向机构、轮胎等关键组件，共同协作，确保汽车行驶方向的灵活调整，为驾驶安全提供坚实保障[29]。

在 CarSim 软件中提供四种转向系统，每个转向助力辅助系统提供两个选项（辅助应用于齿轮的输入侧或应用于圆柱的输出侧）。本文以助力式齿轮齿条转向系统为例。点击图 6-17 中箭头所示区域，选择“C-Class，Hbk：Col Asst. R&P”，点击后，进入转向系统设置界面，如图 6-18。

在图 6-18 界面中，前轮与后轮的转向设置被清晰地分隔开。以前轮转向为例，序号 1 涵盖了转向管柱的惯量、转向系统的整体惯量、转向管柱的阻尼，以及方向盘的自由角行程。序号 2 则允许选择转向力矩的计算方式，可以是直接计算，也可以通过查找表格来确定。序号 3～11 则详细定义了包括车轮主销轴线位置、转向器类型、齿条与齿轮的转角关系、车轮转角与齿条行程的对应关系、汽车转角定义方式、主销相对于方向盘的滞后角度、转向阻尼参数、不同载荷下的转向阻力矩变化、系统助力与扭杆力矩的关系。

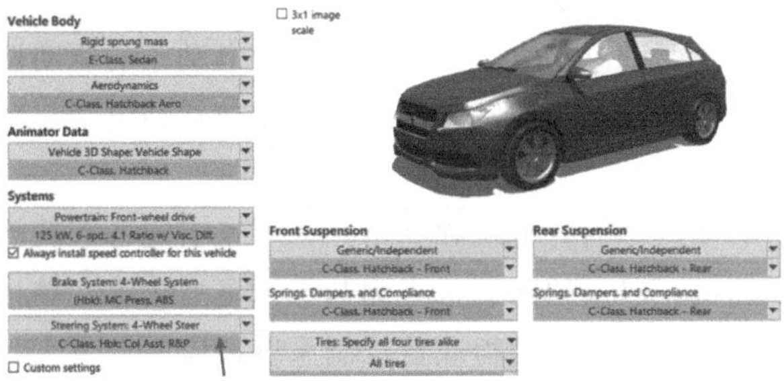

图 6-17　点击进入转向系统设置界面

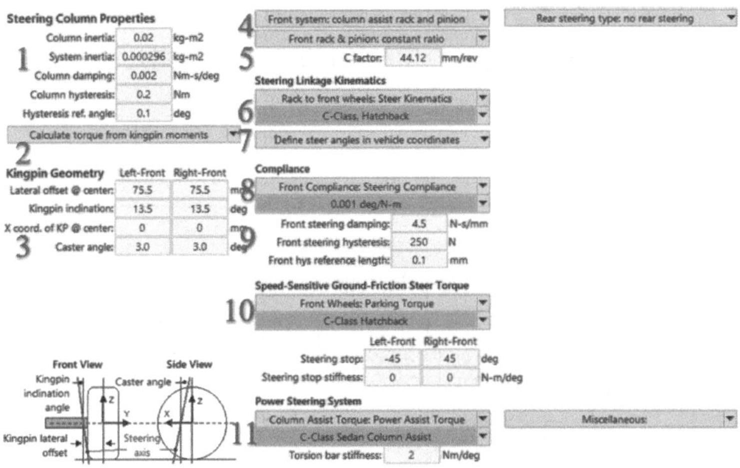

图 6-18　转向系统设置界面

6.2　分布式驱动汽车控制策略仿真模型的建立

分布式驱动汽车的传动系统结构与传统发动机汽车的结构有本质上的不同，整车尺寸的选择参考 C-Class 模型，在参考模型的基础上对动力传动系统和制动系统等进行修改，参考模型中的车体模型、转向系统模型、悬架模型及轮胎模型保持不变，汽车动力学模型总体构架如图 6-19 所示。

模型按照功能划分在不同的区域，具体方法为：除去传统汽车结构中的内燃机，使用轮毂电机驱动，断开传动系统与车轮的连接，CarSim 区域包含基本的汽车系统模型，如车体模型、悬架模型、轮胎模型等；Simulink 区域包含驾驶员模型、电池及电机模型等。

分布式驱动汽车是指将电动汽车的电动机分布在整车的多个部位，依靠各个电机分别驱动车轮，从而实现动力分配的一种车型。与传统的集中驱动式电动汽车相比，分布式驱动电动汽车极大地提高了电动车的驱动性能和能源利用效率。目前，市场上的分布式驱动电动汽车主要包括纯电动车和混合动力车两大类。

分布式驱动电动汽车的各电机独立可控，可以实现各车轮转矩的独立精确控制；电机转矩测量、汽车的状态量观测与辨识更易实施；并且电机既可以产生制动力也可以产生驱动力，使得底盘控制系统适应区域更大，为汽车动力学控制创造了理想条件。

轮边驱动和轮毂驱动是分布式驱动的两条重要技术路线。顾名思义，轮边驱动主要是将驱动电机置于轮胎附近，然后通过半轴（驱动电机位于簧上）或减速箱（驱动电机位于簧下）与轮胎相连；而轮毂驱动则是将驱动电机直接嵌入车轮内，通过直驱或行星减速箱的方式驱动车轮。

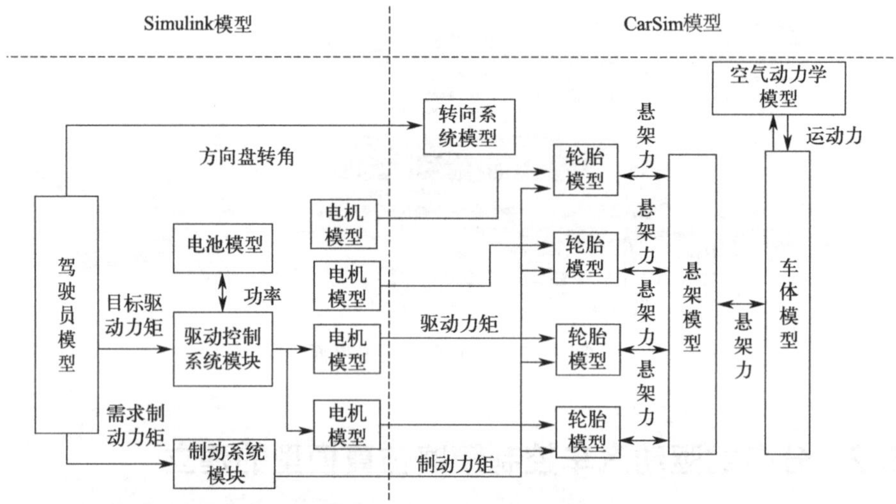

图 6-19 整车动力学模型框架图

对轮毂电机、轮边电机及传统的驱动结构进行有机组合，可实现多种布置方案，如图 6-20 所示。

6.2.1 驾驶员模型

如图 6-21 所示，对于汽车来说，控制策略仿真平台的核心组成部分主要包括驾驶员模型、控制策略以及汽车模型三大块。驾驶员模型，顾名思义，即对驾驶员操作行为的数学化模拟。驾驶员在驾驶过程中对油门、刹车以及挡位的操作均属于汽车的纵向控制，用于调控汽车的前进与后退；而方向盘的操作

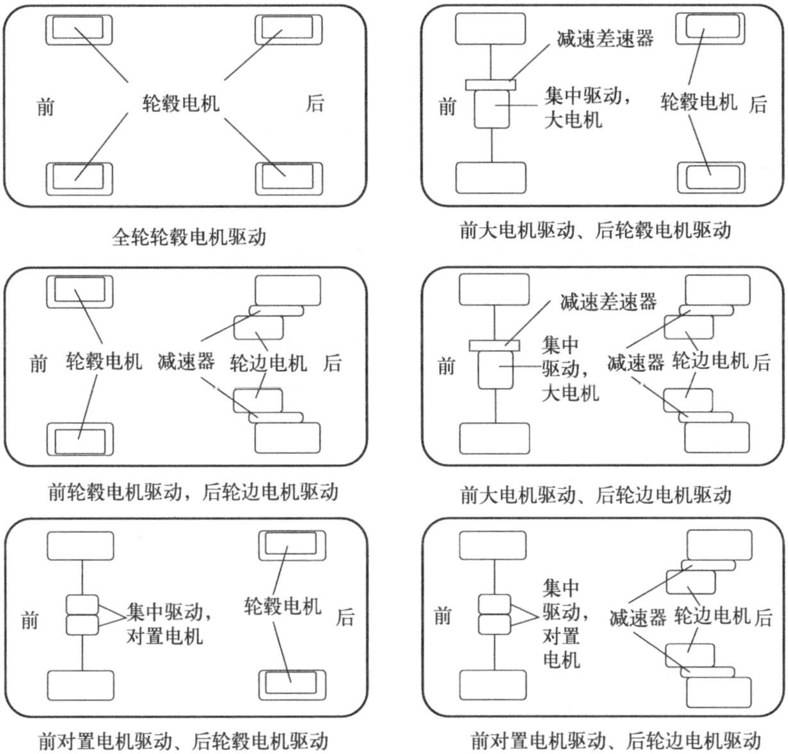

图 6-20 典型分布式驱动汽车底盘驱动构型

则属于横向控制，负责调控汽车的转弯角度。因此，驾驶员模型的核心任务便是模拟驾驶员的行为，实现对汽车纵向和横向运动的精准控制。

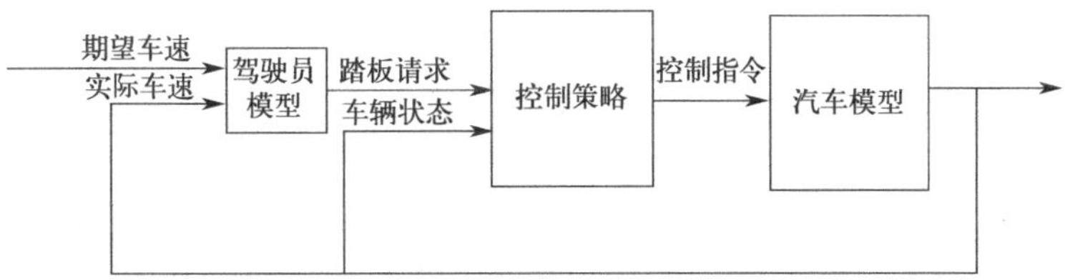

图 6-21 控制策略仿真平台组成部分

根据功能复杂程度，驾驶员模型可以分为控制型和智能型两种。

控制型驾驶员模型包含横向控制和纵向控制模块，可以根据用户指定的速度和路径，实现速度跟随和路径跟踪功能。这种模型适用于需要精确控制汽车运动的情况，如自动驾驶汽车的路径跟踪和速度控制。智能型驾驶员模型包括决策规划和控制模块，具备避让汽车和行人、识别交通信号灯等功能，可以根据用户指定的驾驶任务，安全地从起点行驶到终点[30]。

智能型驾驶员模型还具备协作开发能力，用户可以将“决策规划”、“横向控制”和“纵向控制”中的任意模块切换为用户的算法，而不会影响其他模块的运行。

在汽车仿真中，驾驶员模型的作用还包括模拟人类驾驶员的行为和决策过程。驾驶功能可以分解为导航、轨迹规划和控制三个部分。轨迹规划与识别涉及根据驾驶环境进行选择。而控制层面则是执行转向、加速和制动等操作以保证在预期轨迹内。驾驶员行为被认为是一种闭环控制，且非常灵活，能够在不同驾驶环境下做出适应性的反应。

对于整车自适应巡航控制仿真而言，首先需要关注的是汽车的动力性，该部分考察汽车纵向运动，所以该平台的驾驶员模型首先需要考虑纵向控制，即油门踏板开度和刹车踏板开度控制。因此，我们对驾驶员模型的实际需求就是基于驾驶员的期望车速和当前的实际车速，进行油门踏板或刹车踏板的控制。

以纵向控制为例，首先建立驾驶员模型，如图 6-22 所示。驾驶员模型的输入为通过传感器采集的实际车速与驾驶员期望的车速之差。通过差值计算补偿力矩 ΔT，补偿力矩与需求力矩之和即为整车实际需求力矩 T_{reg}。

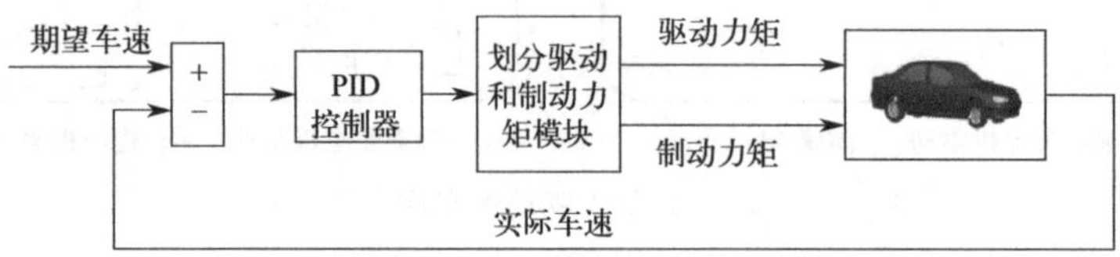

图 6-22　驾驶员模型

传感器采集的期望车速和实际车速之差为：

$$V_{err}=V_r-V_a \tag{6-2}$$

式中，V_r 为期望车速；V_a 为实际车速；V_{err} 为期望车速与实际车速之差。

汽车必要的驱动力矩和制动力矩输入力矩控制模块，通过调节控制器比例参数，可获得补偿力矩 ΔT，使实际车速尽量接近目标车速，从而产生符合需求的方向盘转角及制动踏板位移，并控制汽车需求的驱动力矩和制动力矩。

$$\Delta T=k_p V_{err}(t)+k_i\int V_{err}\mathrm{d}t+k_d\frac{\mathrm{d}V_{err}}{\mathrm{d}t} \tag{6-3}$$

式中，k_p、k_i、k_d 分别表示控制器比例、积分、微分系数。

需求力矩（驱动力矩和制动力矩）T_0 计算表达式为：

$$T_0=m\frac{\mathrm{d}u}{\mathrm{d}t}R \tag{6-4}$$

对于横向控制模块来说，可以采用模糊 PID 控制，对驾驶员实际操作的方向盘转角进行补偿。也就是说可以搭建一种基于模糊 PID 控制的补偿式驾驶员模型，以汽车横向位移偏差和理想与实际横摆角速度之差为输入，建立输出为方向盘转角的补偿式模糊 PID 控制模型。

如图 6-23 所示，只需要建立方向盘补偿角模型和方向盘转角模型，二者相加，便可得到总的方向盘转角。方向盘补偿角模型如图 6-24 所示，方向盘转角模型如图 6-25 所示。

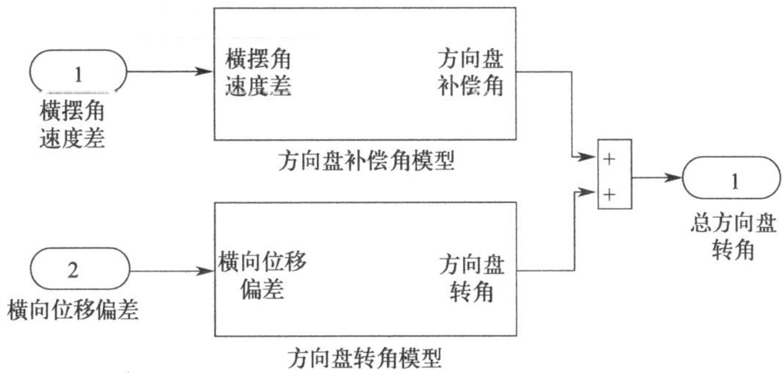

图 6-23　模糊 PID 控制模型

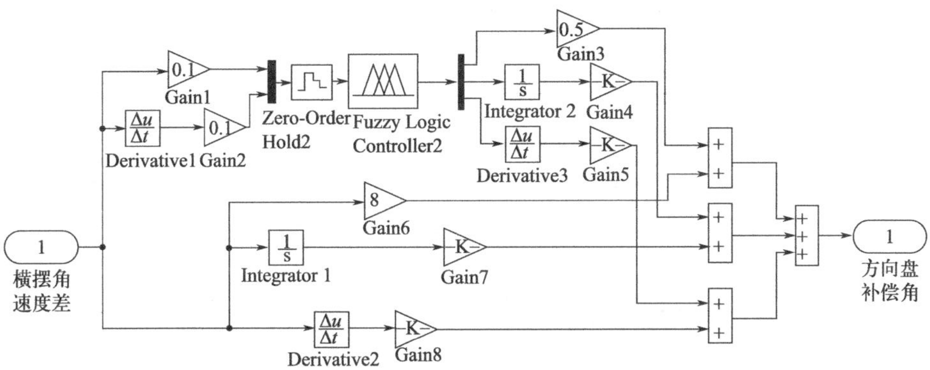

图 6-24　方向盘补偿角模型

建立模型后，在 CarSim 中设定汽车参数、道路参数，即可完成对驾驶员模型横向控制的仿真。

6.2.2 电池模型

动力电池作为分布式驱动汽车的重要部件之一，为电动汽车驱动和车身电气设备提供能源，并起存储能量作用，SOC 值是表征电池特性的重要参数，

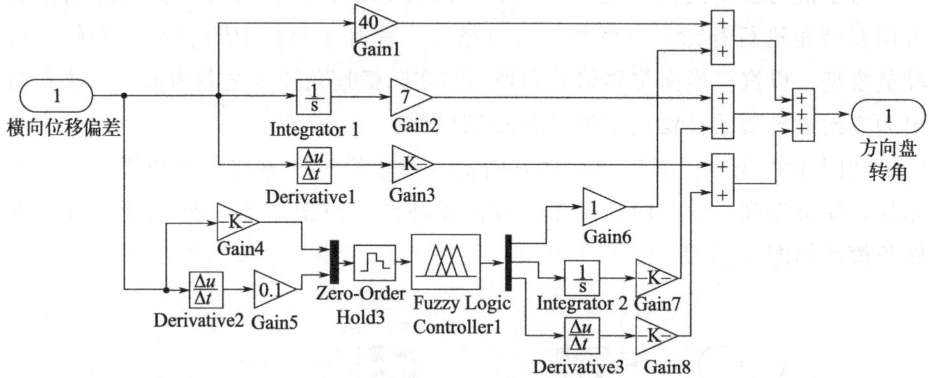

图 6-25　方向盘转角模型

是衡量再生制动系统性能的重要指标，汽车在整个再生制动过程的能量回收率可以真实地体现出来，是制动系统回收能量效果的重要评价指标[31]。本书采用锂电池模型作为目标车型的动力电池，参考高级汽车仿真软件 ADVISOR 中的电池模型，建立的电池模型结构如图 6-26 所示。内阻模型可用来建模，其功能主要是根据需要计算充放电电流、消耗能量、回收能量以及 SOC 值。

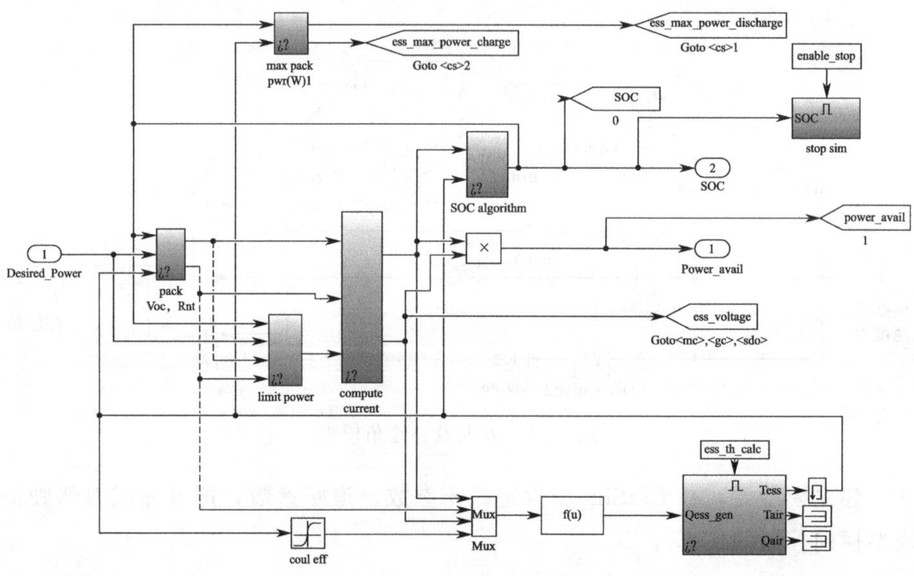

图 6-26　Simulink 锂电池模型

该模型主要由两个子模块构成，分别为开路电压和内阻子模块和 SOC 估算子模块。

对于开路电压和内阻子模块来说，电池开路电压和内阻是根据当前 SOC

值和温度 T 的函数计算得来的。单节电池的参数值通过查表确定，开路电压和总内阻即为单个电池参数值乘以电池数量。根据基尔霍夫电压定律，锂电池组充放电过程的电压为：

$$\begin{cases}\text{充电过程:}U_{\mathrm{a}}=E+i_{\mathrm{a}}R_{\mathrm{i}}\\\text{放电过程:}U_{\mathrm{a}}=E-i_{\mathrm{a}}R_{\mathrm{i}}\end{cases} \tag{6-5}$$

式中，U_{a} 表示电池的开路电压；E 表示电池电动势；i_{a} 表示电池回路电流；R_{i} 表示电池内阻。

则开路电压、内阻为：

$$\begin{cases}U_{\mathrm{a}}=f(\mathrm{SOC},T)\\R_{\mathrm{i}}=f(\mathrm{SOC},T)\end{cases} \tag{6-6}$$

对于 SOC 估算子模块来说，该模块主要用于确定锂电池组的剩余电量。电池的剩余容量与总容量之比也可称为电池的 SOC 值。在锂电池的充电过程中，电池容量的变化是库仑效率加以校正的充电电流的积分，在一段时间内充入的总电量为：

$$C_{\mathrm{C}}=\int_0^t \frac{I_t}{3600}\mathrm{d}t \tag{6-7}$$

$$C_{\mathrm{u}}=(1-\mathrm{SOC}_{\mathrm{init}})C+\int_0^t \frac{I_t}{3600}\mathrm{d}t \tag{6-8}$$

式中，I_t 表示瞬时电流，A；$\mathrm{SOC}_{\mathrm{init}}$ 表示电池未充放电时的初始值；C 为电池总电量；C_{u} 表示目前可用电量值；C_{C} 表示充电过程中消耗的电量。充电时电池 SOC 为：

$$\mathrm{SOC}=(C-C_{\mathrm{u}})/C \tag{6-9}$$

6.2.3 电机模型

电机对于分布式驱动汽车的作用是至关重要的，它是分布式驱动汽车获得前进动力的核心部件，决定了汽车的负载能力、加速能力、爬坡能力和最高车速，同时也影响着分布式驱动汽车的整车能耗和续航里程。

分布式驱动汽车所使用的电机主要分为两类：交流异步电机和永磁同步电机。永磁同步电机因其结构紧凑、功率密度高、高效节能、广域高效、轻盈便携以及安全可靠、舒适稳定等特点，在新能源汽车中得到了广泛应用。这些特点不仅满足了分布式驱动汽车对性能的需求，还有助于增加续航里程，通过提高电机效率和拓宽高效工况范围，以及减轻电机重量来间接降低整车能耗，延长续航里程[32]。

本章以永磁直流电机为例，介绍通过 Simulink 对电机建模的各种方法。首先，根据永磁直流电机的物理模型建立数学模型，然后根据数学模型及其各种变形，利用 Simulink 自带的功能模块建立永磁直流电机的多种仿真模型。

永磁直流电机物理模型接线原理图及其等效电路图如图 6-27 所示。永磁直流电机的定子上安装永磁体，主磁场由永磁体产生，主磁极轴线与电励磁直流电机主极轴线相同，电枢绕组在转子上。

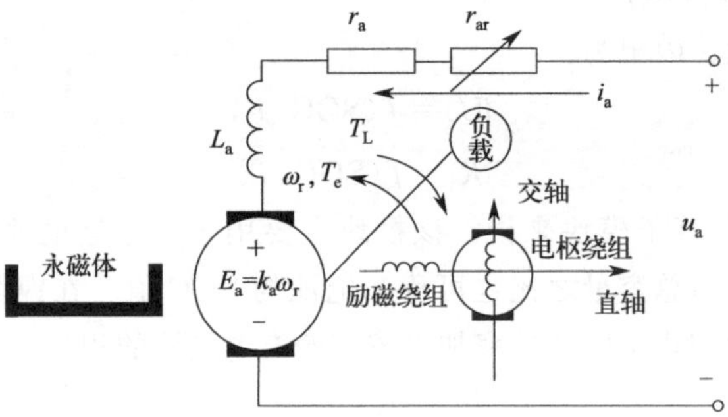

图 6-27　永磁直流电机的物理模型

为简化分析，假设电机磁路不饱和，不计电枢反应的影响，不计磁滞、涡流效应，气隙磁场均匀分布，各绕组的自感系数均为常数。

图 6-27 中按照电动机惯例标明了各物理量的正方向，根据基尔霍夫电压定律和牛顿第二定律可得如下微分方程。

$$\begin{cases} \dfrac{\mathrm{d}i_a}{\mathrm{d}t}=-\dfrac{r_a}{L_a}i_a-\dfrac{k_a}{L_a}\omega_r-\dfrac{1}{L_a}\mu_a \\ \dfrac{\mathrm{d}\omega_r}{\mathrm{d}t}=-\dfrac{k_a}{J}i_a-\dfrac{B_m}{J}\omega_r-\dfrac{1}{J}T_L \end{cases} \tag{6-10}$$

将方程写成标准形式：

$$\begin{bmatrix} \dfrac{\mathrm{d}i_a}{\mathrm{d}t} \\ \dfrac{\mathrm{d}\omega_r}{\mathrm{d}t} \end{bmatrix}=\begin{bmatrix} -\dfrac{r_a}{L_a} & -\dfrac{k_a}{L_a} \\ -\dfrac{k_a}{J} & -\dfrac{B_m}{J} \end{bmatrix}\begin{bmatrix} i_a \\ \omega_r \end{bmatrix}+\begin{bmatrix} \dfrac{1}{L_a} & 0 \\ 0 & -\dfrac{1}{J} \end{bmatrix}\begin{bmatrix} \mu_a \\ T_L \end{bmatrix} \tag{6-11}$$

式中，i_a 表示电枢电流；ω_r 为转子角速度；r_a、L_a 分别为电枢绕组的等效电阻和等效电感；T_L 为负载转矩；J 为电机转子和负载的总转动惯量；B_m 为机械旋转系统的摩擦阻力系数；k_a 表示反电动势常数；μ_a 表示电枢端电压。

了解到永磁直流电机的数学模型之后，也就知道了它的物理模型。对于 Simulink 来说，建立仿真模型有多种方法，分别为：

① 使用 Simscape 工具箱，基于电极系统不同组件之间的物理连接来建立仿真模型；

② 根据数学模型用 Simulink 的功能模块，通过描述电机系统中不同模块的信号联系来建立仿真模型；

③ 根据电机的等效电路和机械运动方程，用 PowerSystem 工具箱中的电气量元件或模块结合 Simulink 中的功能模块来建立电机的仿真模型；

④ 将物理模型中的机械动力学部分类比成电路模型，根据全电气等效电路模型，用 SimPowerSystem 工具箱建立仿真模型或者用 Simscape 工具箱建立电机的仿真模型。

本书以②为例，即根据式(6-10) 建立仿真模型（图 6-28)，这也是最常用的方法。对于电机系统建模来说，本方法较为实用，既适用于线性也适用于非线性工况，对于实际开发来说有很大的优越性。

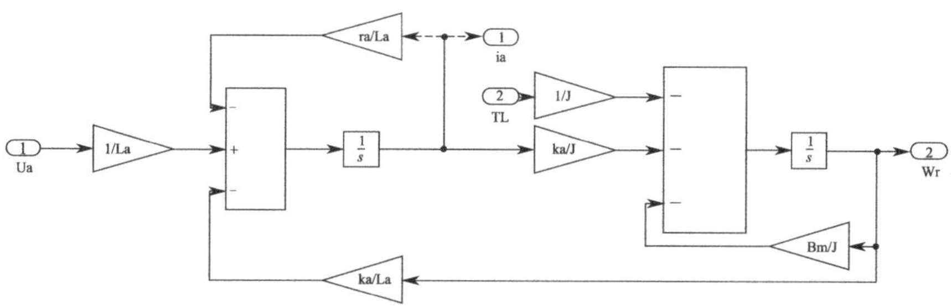

图 6-28　永磁直流电机的仿真模型

6.2.4　雷达模型

对于分布式驱动汽车来说，雷达模型扮演着至关重要的角色。其主要作用是提供驾驶辅助功能，增强驾驶安全性。雷达模型根据作用来区分可分为防撞雷达、自适应巡航控制雷达、其他汽车监督和控制雷达；按照特点来区分又可分为激光雷达传感器、红外雷达传感器、超声波雷达传感器、电磁波雷达传感器等[33]。

以自适应巡航控制雷达为例，汽车自适应巡航使用的是毫米波雷达，工作波长 1～10mm，属于电磁波谱中微波段的一部分。它具有频段宽、容易实现窄波束、高分辨率、不易受干扰等特点，工作原理是利用高频电路产生特定调制频率的电磁波，并通过天线发送和接收从目标反射回来的电磁波，进而计算目标的各个参数。这使得毫米波雷达在多种应用中表现出色。

在 CarSim 中点击雷达设置界面，设定雷达参数。如图 6-29 所示。

图 6-29　点击雷达设置界面

在图 6-30 中，X、Y、Z 表示雷达的坐标，50m 表示雷达探测的最大距离，Sensor Elevation Sensitivity 表示传感器仰角灵敏度，可以调节，以实现不同角度下的测量。Optional Animation Settings 表示动画设置，不予改变，保留原始状态。

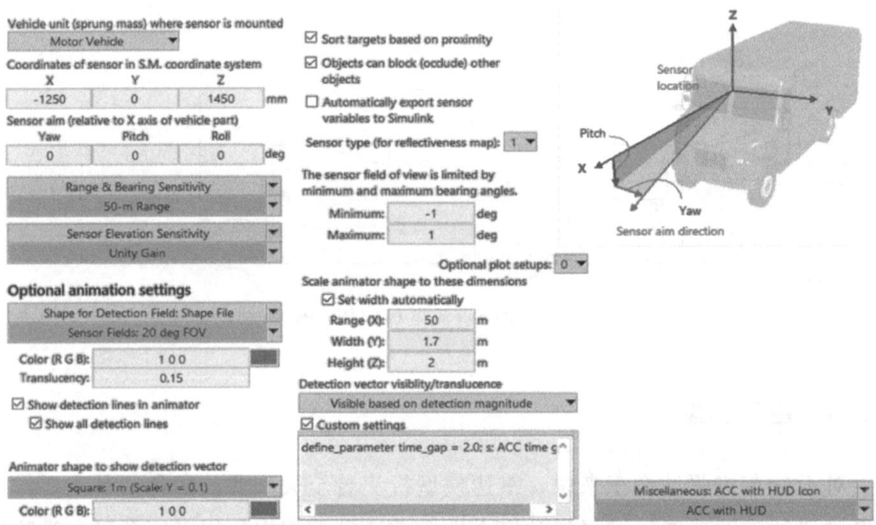

图 6-30　设置雷达参数

6.3　分布式驱动汽车自适应巡航仿真

实例选择分布式驱动汽车的自适应巡航控制系统（ACC），ACC 系统作为一种高级驾驶辅助系统，其利用车载信息传感器获取道路目标信息并对汽车的行驶做出部分自动控制，以此减轻驾驶员的驾驶负担。此外，在主车即将发生碰撞或有失稳危险而驾驶员未及时采取有效措施时，该系统可对主车进行自动安全控制，从而避免交通事故的发生或减小交通事故带来的伤害程度。

选用 CarSim 作为汽车动力学仿真软件，版本为 2020.0。需要注意的是，选用的控制仿真软件 MATLAB/Simulink 版本不宜过高，否则 CarSim 模块无法与 Simulink 的模块库正常连接。

① 运行 CarSim。

② 出现“Select Recent Database”（选择数据库）对话框，选择“E：\ CARSIM \ CarSim2020 \ CarSim 2020（1）”数据库文件（此处位置为自己安装时选择的），点击“Continue with the selected database”，如图 6-31 所示。

图 6-31　选择数据库对话框

③ 出现“License Settings”（许可设置）对话框，点击“Select”，即可打开软件的主页面，如图 6-32 所示。

④ CarSim 主页面主要由三大部分组成。分别为最左侧的汽车参数与仿真工况的设置、中间的运行中心、最右侧的后处理设置。使用者可以自行改变参数，来应对不同的工作场景。

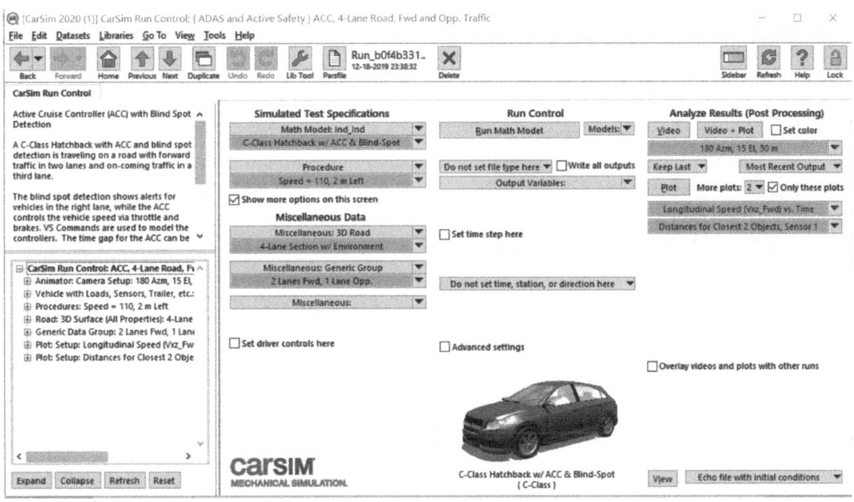

图 6-32　CarSim 主页面

⑤ 点击“Datasets”，选择“ADAS and Active Safety”并选择第一项“ACC 4-lane Rode，Fwd and Opp. Traffic”，此时进入 CarSim 自带的 ACC 控

制系统模型。在此模型基础上，改变模型参数更为简单。操作如图 6-33 所示。

⑥ 点击“Run Math Model”后，再点击“Video+Plot”即可观察软件自带模型的运行视频，包括右侧的数据曲线。如图 6-34 所示。其中，右侧上图表示的是汽车的速度，下图表示的是汽车间的距离。

⑦ 点击“Duplicate”（复制），目的是不随意更改模型库的模型数据，可以备份到新的存储路径，自行更改，如图 6-35 所示。

复制数据模型，选择复制模型类别为 ACC，命名为“test1”，如图 6-36 所示。

接下来对汽车参数进行复制，选择“C-Class Hatchback w/ACC &Blind-Spot”处下拉菜单，点击“Copy and Link Dataset”进行命名，如图 6-37 所示。

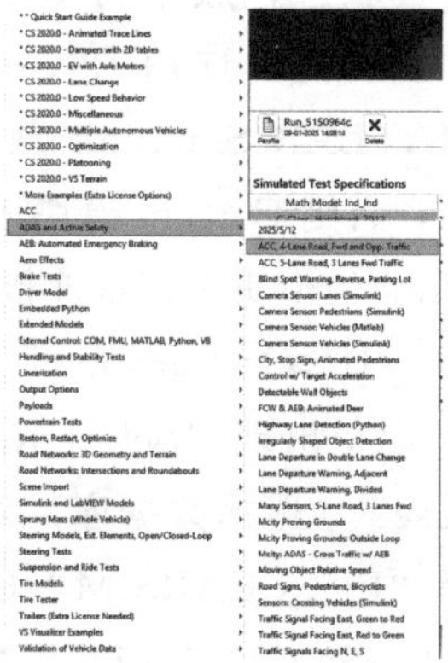

图 6-33　选择模型

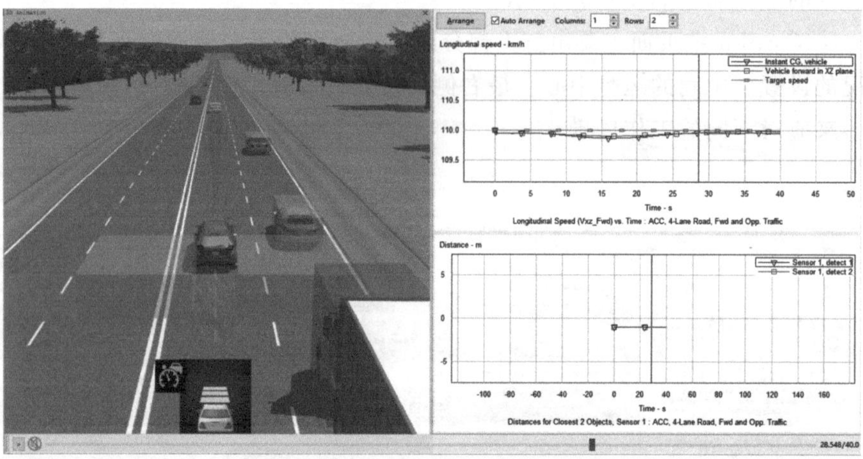

图 6-34　运行视频及曲线

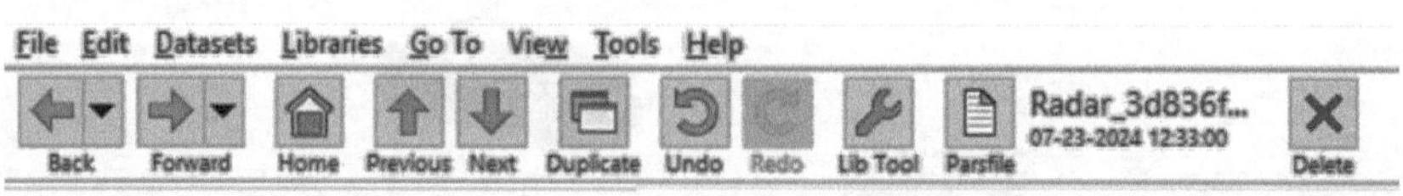

图 6-35　点击复制按键

设置结果如图 6-38 所示。在观看原始模型（如图 6-32 所示）时，发现汽车两边也安装了雷达传感器，一般的 ACC 系统只在前方安装传感器，同时在左右两侧安装传感器会显著增加计算负荷，所以我们取消两侧的传感器布置。

点击图 6-38 中的“test1”，进入汽车参数设置界面。点击两处“Miscellaneous：ADAS Sensor”下拉菜单均选择“No linked library”。选择完毕后，点击右上方“Lock”进行锁定。完成后，界面如图 6-39 所示。

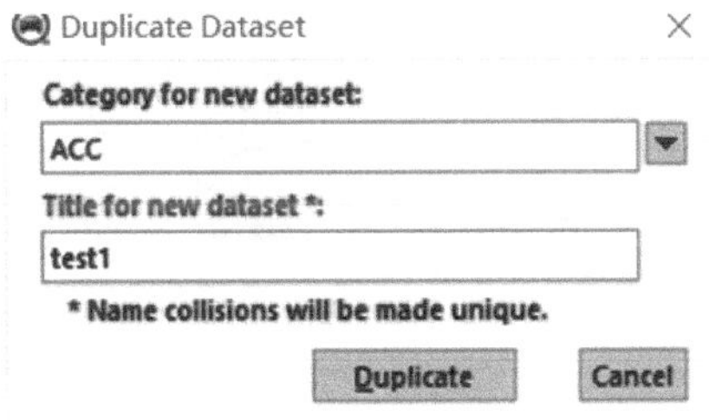

图 6-36　新建 Dataset

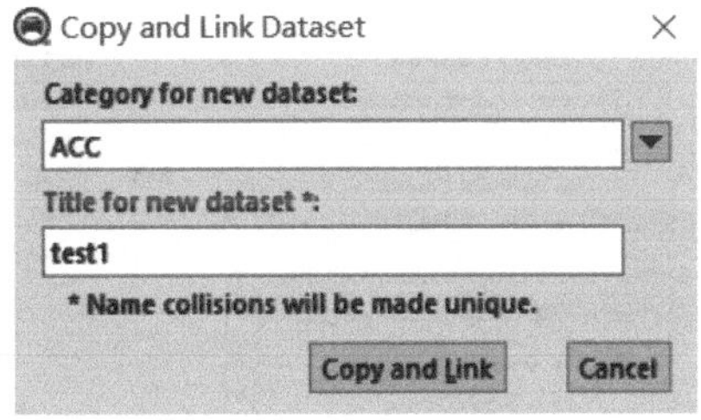

图 6-37　复制汽车数据

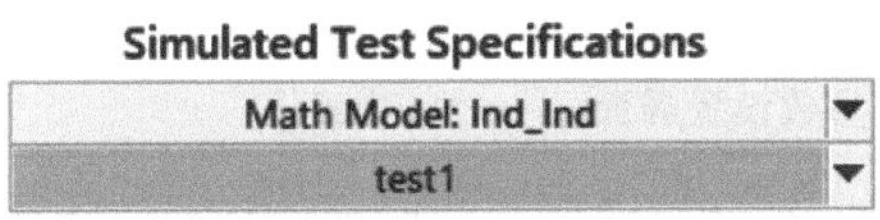

图 6-38　点击进入汽车参数设置界面

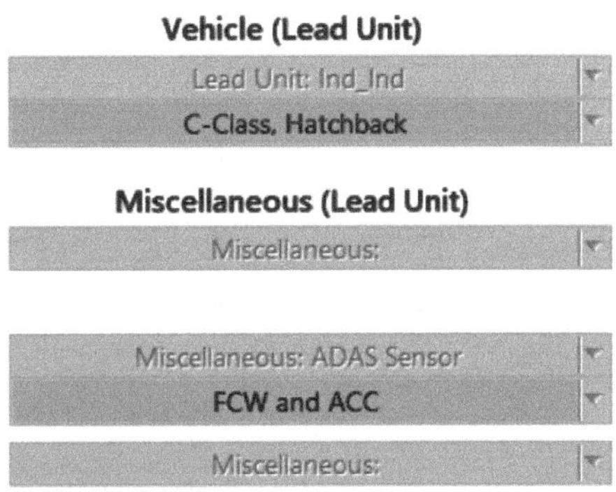

图 6-39　汽车参数设置

⑧ 接下来对工况进行复制，点击“Speed＝110，2 m Left”右侧下拉菜单后点击“Copy and Link Dataset”，如图 6-40、图 6-41 所示。

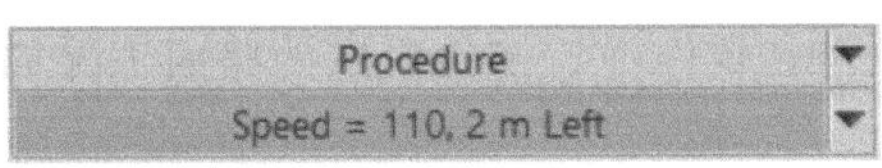

图 6-40　行驶工况设定

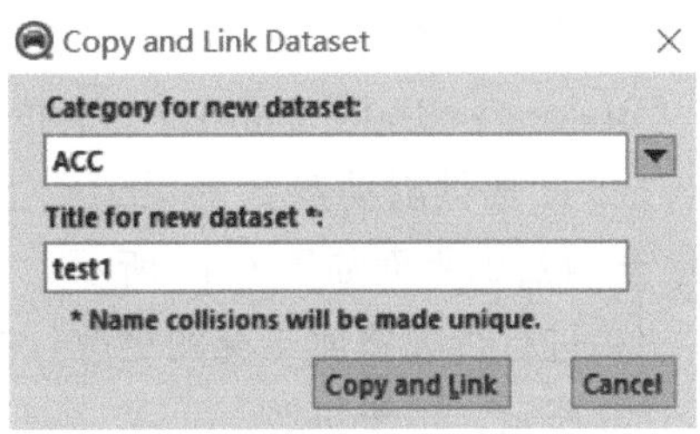

图 6-41　复制工况设置

完成后，界面如图 6-42 所示，点击图 6-42 所示的“test1”进入详细的参数设置界面，如图 6-43 所示。

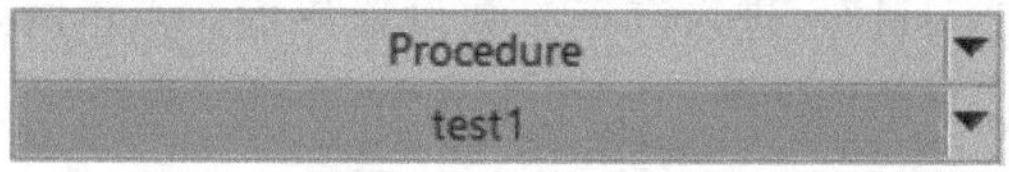

图 6-42　点击进入行驶工况设定界面

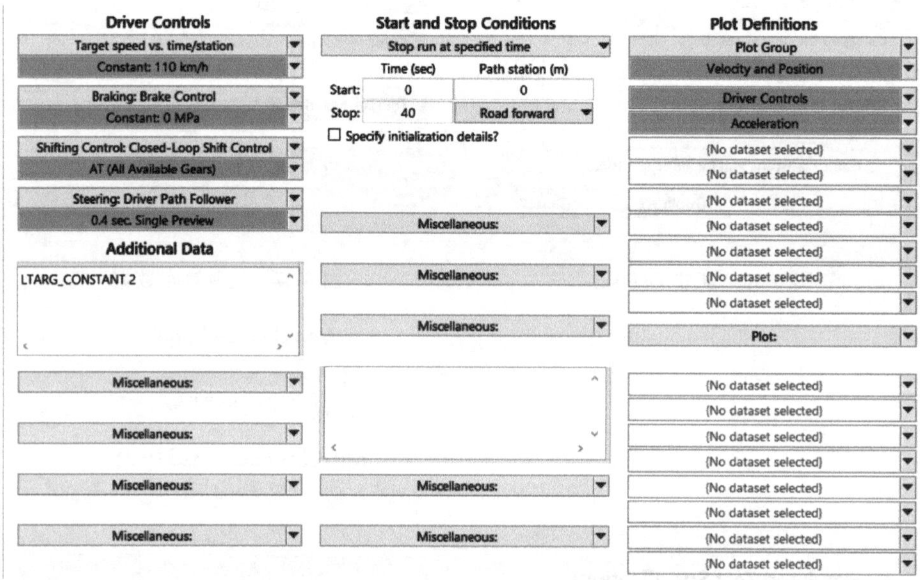

图 6-43　行驶工况参数设置界面

在此界面中，左侧为驾驶员控制部分，包括速度控制、制动器控制、变速器控制等；中间部分为启停条件；右侧部分负责绘图定义。

由于在此实例中，Simulink 作为主控制器，因此，CarSim 在该部分不可设置速度、制动等参数，均由主控制器进行输入。点击图 6-43 所示的“Target speed vs. time/station”下拉菜单，选择“Do not specify speed control here”。这样就关闭了 CarSim 提供速度参数的渠道。同理，点击图 6-43 所示的“Braking：Brake Control”下拉菜单，选择“No linked library”，即可关闭 CarSim 提供制动参数的渠道。下面的变速器以及转向路径的参数不用更改。更改后的界面如图 6-44 所示。

⑨ 进行行驶路面工况的更改，在 CarSim 软件中，初始设定的路面工况如图 6-45 所示，不予更改。

除此之外，行驶工况还包括其他车的行驶情况，如图 6-46 所示。

点击“2 Lanes Fwd，1 Lane Opp.”进入旁车参数设置界面，调整参数，如图 6-47 所示。

点击“2 Vehicles，Variable Speed for ACC”，界面设置如图 6-48 所示。

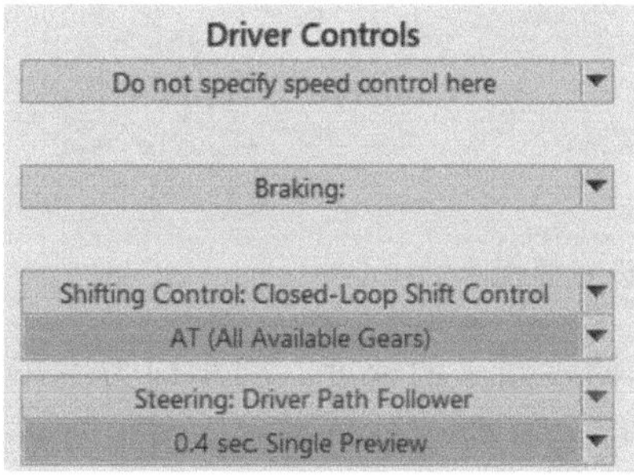

图 6-44　更改参数后的界面

图 6-45　路面工况

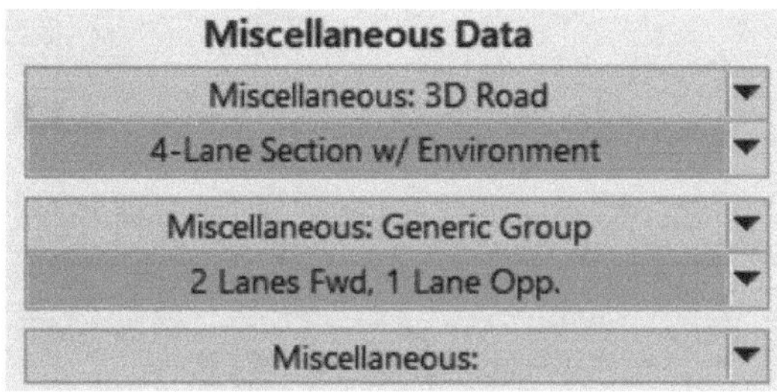

图 6-46　行驶工况设置

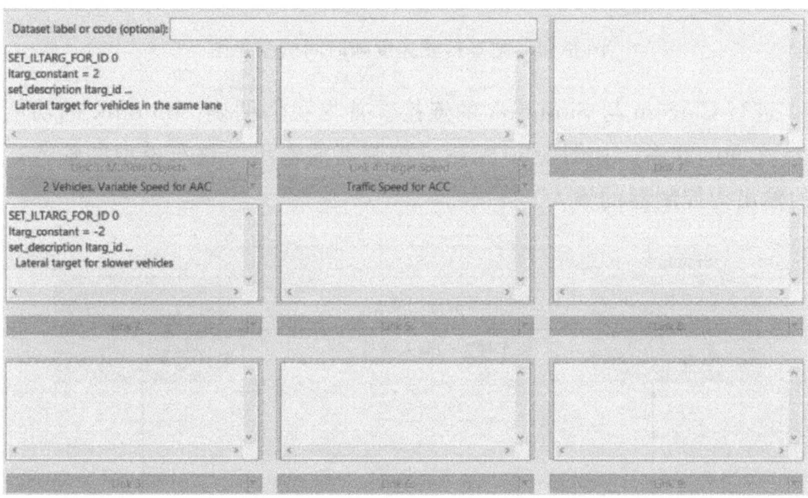

图 6-47　旁车参数设置界面 1

在此参数设定中，并不是绝对的，读者可自行设定汽车的速度、汽车的尺寸，本数据仅供参考。

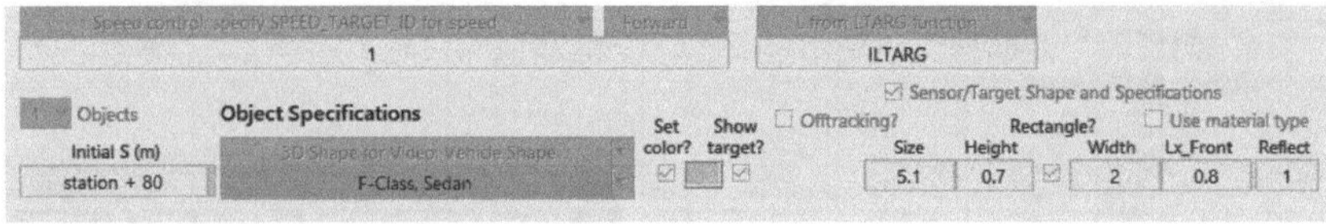

图 6-48　旁车参数设置界面 2

点击“Traffic Speed for ACC”界面，调整副车的速度，副车即为主车跟踪行驶的汽车。图 6-49 表明了副车行驶速度与时间变化的关系，图中，X 轴代表着时间，Y 轴代表着目标前进的速度。该数据也可自行更改。

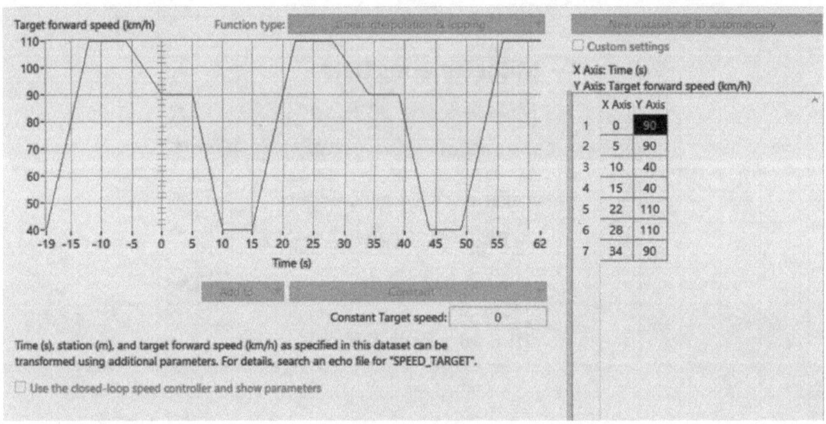

图 6-49　副车行驶速度随时间的变化图

⑩ 进行 CarSim 与 Simulink 的连接。首先我们明确 Simulink 的功能和与 CarSim 之间的联系。如图 6-50 所示，控制器的输出为整车模型的输入，整车模型的输出为控制器的输入。

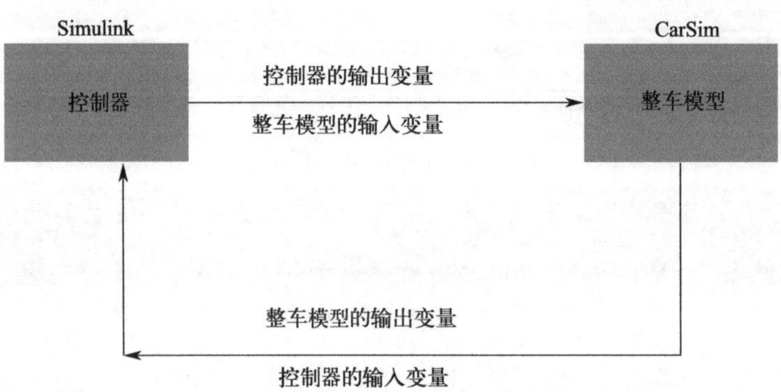

图 6-50　控制器与整车模型的关系

确定了关系之后，需要明确 ACC 的功能，常见的 ACC 的功能有三个：当主车和前车的距离大于设定的安全距离时，主车以一个设定的速度匀速行驶；当主车和前车的距离小于设定的安全距离时，刹车减速；当主车和前车之间的距离属于危险距离时，紧急制动。

基于上述功能分析，确定控制器和整车模型的输入、输出变量。以整车模型为例，整车模型输入变量为：节气门开度、制动缸压力。整车模型输出变量为：距离、主车速度、主车与前车的相对速度。明确功能后，进行 CarSim 与 Simulink 的连接。如图 6-51 所示，点击“Models:”选择“Simulink”，建立新文件。

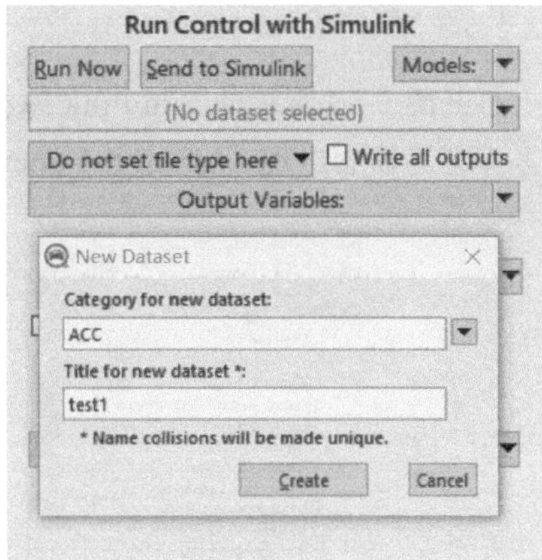

图 6-51　建立新文件

点击“test1”，进入图 6-52 所示的界面，在此界面可设定输入、输出变量（图 6-53、图 6-54），并与 Simulink 模型进行连接。值得注意的是，需要建立一个 Simulink 文件与之匹配。在 Import/Export Channels 设定中，选择 ADAS and Active Safety 中的“ACC，4 Lane Road，Fwd and Opp. Traffic”。全部设定完后，便可将模型发送至 Simulink。

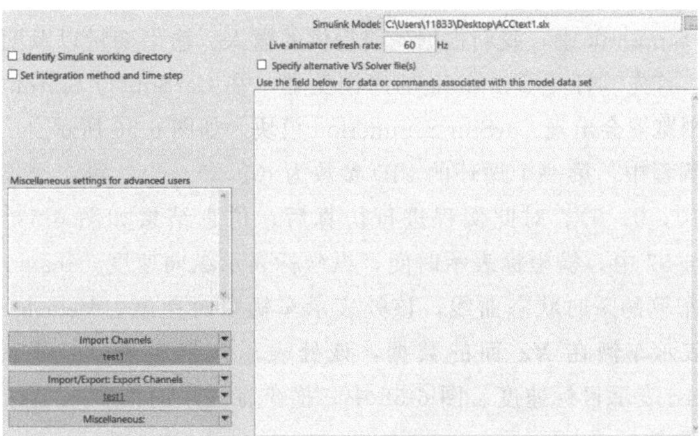

图 6-52　设置界面

图 6-53　输入变量

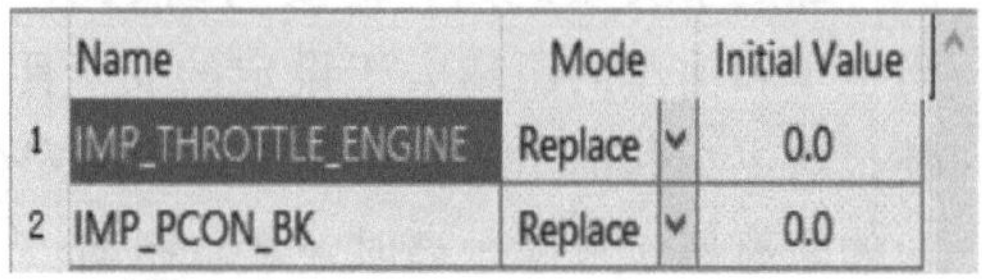

图 6-54　输出变量

打开图 6-55 所示的 Simulink 库浏览器，在 CarSim 与 Simulink 成功连接后，库浏览器会出现 CarSim S-Function 模块。

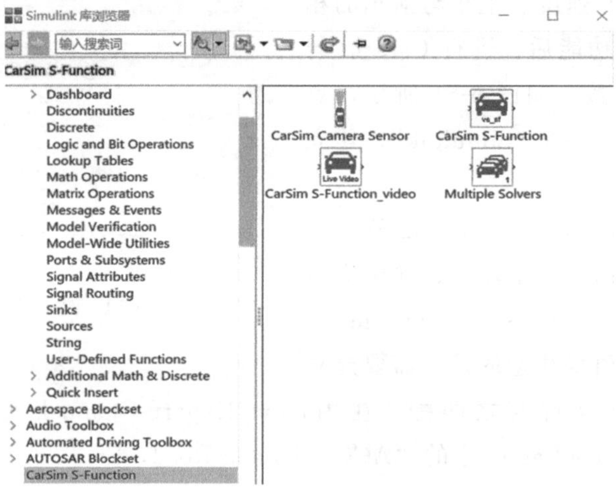

图 6-55　库浏览器

⑪ 在 Simulink 中，我们根据先前提供的输入、输出变量以及明确的功能进行建模。首先，打开 Simulink 的库浏览器，在 CarSim 与 Simulink 成功连接后，库浏览器会出现 CarSim S-Function 模块。如图 6-56 所示。

在此例程中，第一个循环的 PID 参数为（1，0，0），第二个循环的 PID 参数为（10，0，0）。对此例程进行仿真后，仿真结果如图 6-57 和图 6-58 所示。图 6-57 中，横坐标表示时间，纵坐标表示纵向速度，Instant CG，vehicle 表示车辆的瞬时状态曲线，该处表示车辆瞬时速度，Vehicle forward in XZ plane 表示车辆在 *XZ* 面的数据，该处表示车辆沿着 *XZ* 平面的速度，Target speed 表示目标速度。图 6-58 中，横坐标表示时间，纵坐标表示与前车之间的距离。

在图 6-57 中可以清晰地看到，主车一开始在加速行驶，行驶到设定速度后，进行匀速行驶，在雷达模块检测到前车后进行明显的减速，后随前车加速，很好地实现了 ACC 系统设定的功能。

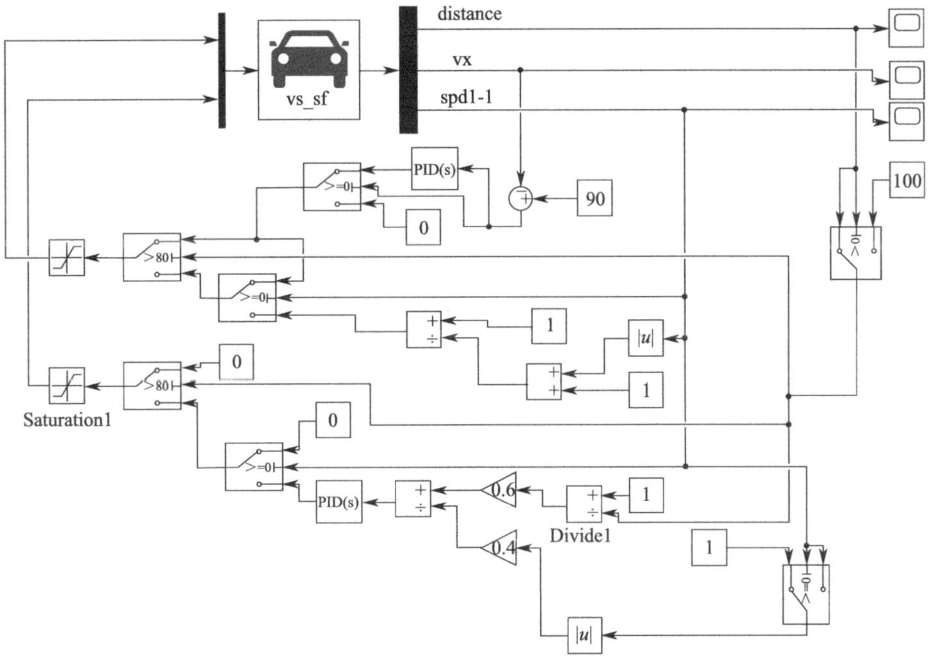

图 6-56　Simulink/CarSim 联合仿真平台

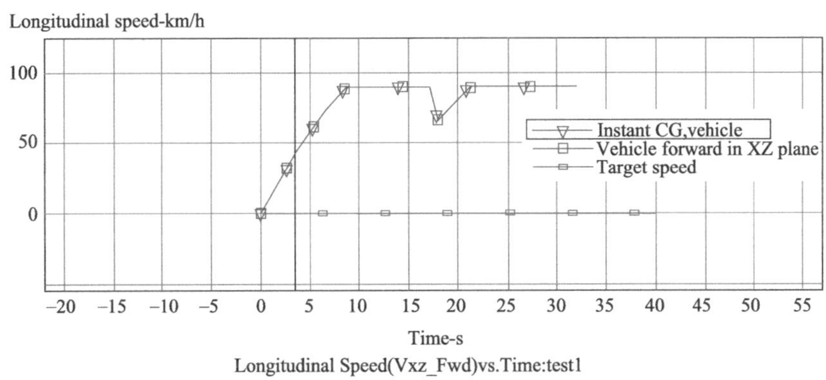

图 6-57　速度变化曲线

在图 6-58 中，可以看到两车距离的变化。在距离较远时，由于雷达检测不到，所以距离为 0，在检测到前车后，由于刹车制动需要一定的时间，所以距离减少，制动后，随着前车的加速，距离逐渐增大，直至雷达检测不到，显示距离为 0。

本章主要介绍了 CarSim 和 Simulink 的各个模块以及详细的使用说明，并对 ACC 系统进行了仿真实操，相信对于初学者会有很大的帮助。

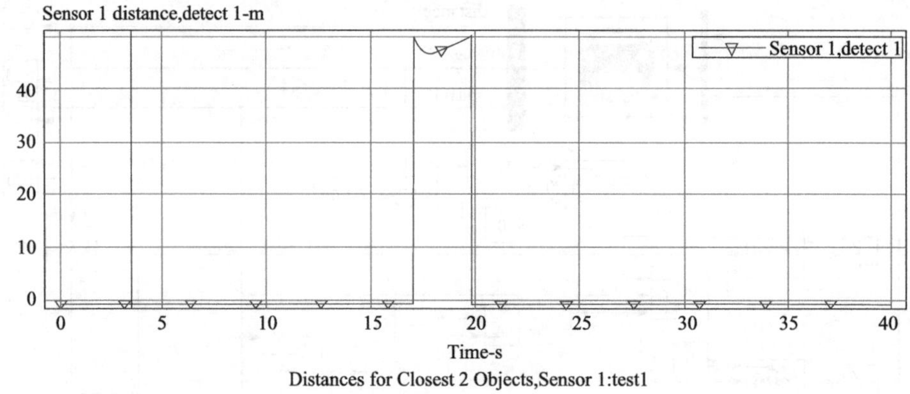

图 6-58　距离变化曲线

思考题

1. 使用 CarSim 软件建立汽车模型分为哪几部分？
2. CarSim 和 TruckSim 软件的区别是什么？
3. 简述驾驶员模型的作用和搭建过程。
4. 简述 PID 控制的原理及功能。

第7章

电动汽车驱动系统建模与仿真

本章对电动汽车驱动系统进行建模与仿真，通过构建高效的上位机系统，以确保在电动轮试验过程中测试系统测量数据的稳定性和可靠性得到充分保障。同时完成对下位机电动轮控制器的设计，对电动轮与负载电机的控制策略进行分析，以保证测试平台的稳定性。

7.1 测试平台 LabVIEW 虚拟测试系统设计

7.1.1 测试平台上位机设计

(1) 测试平台上位机功能需求

控制系统中数据反馈与采集分析系统的任务是针对电动轮测试任务需求，把测试数据反馈给上位机，以此为基础实现控制系统中的参数输入，同时对有关参数进行采集和分析。电动轮主要测试项目包括空载试验、负载试验、温升试验和温度下降曲线确定、电动轮效率测量、电动轮空载内电势测量、转速-功率曲线检测、超速试验等[34]。

当完成对测试平台用来测试参数的传感器的选型后，需要通过传感器采集试验数据，结束后，在软件上自动进行分析，判断试验数据合格与否，并能输出有关试验报告。

(2) 测试平台上位机系统的组成

电量参数采集系统由电压传感器、电流互感器和功率分析仪构成，数据通过局域网传输至上位机采集分析软件，以供后续数据处理和分析用。Meacon螺纹式温度传感器安装于电机内部，与位于外部的数据采集器连接，构成完整的实时温度监测系统，实现了对电机内部温度的高效采集。本书介绍了一种基于单片机的数据采集系统。数据采集器主要包括有线数据采集器和无线数据采集器两种类型，有线数据采集器通过网线进行数据传输，无线数据采集器则通过蓝牙进行数据传输，为了获得电机旋转部分的温度数据，采用无线数据采集器。硬件电路设计采用模块化设计思想。电机转动部分与采集器相连并共同旋转，而采集器的另一端则作为无线接收端置于控制室内[35]。随后，数据采集器将数据通过有线以太网传输至上位机的数据采集分析软件。电动轮测试平台的数据采集流程结构如图 7-1 所示。

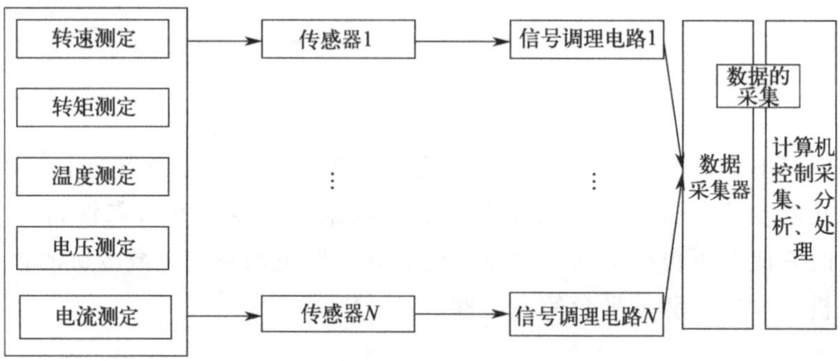

图 7-1　电动轮测试平台数据采集流程

上位机数据反馈与采集分析软件的设计核心工作是与功率分析仪、温度采集器等设备进行数据通信，并且把采集的数据自动实时地记录到采集系统上，是整个系统的关键环节。通过此设计可以使实验人员快速了解所需测量的物理量并进行相关处理。采集的数据可以通过两种方式进行处理：一是通过软件自动分析，二是通过人工分析，最终生成实验报告。通过本设计，可以实现电动轮运行状态下各种参数的监测和控制功能。确保电动轮性能符合标准的关键在于自动化的数据采集和分析程序，这要求通信的可靠性和数据更新速度必须达到较高水平。

7.1.2 测试系统总体设计

与 MW100 数据采集器和 WT1800 功率分析仪等仪器仪表建立通信以后，就能够编写程序来实现上位机的试验数据采集和分析功能，而这个程序的编程采用 LabVIEW 软件。

软件部分包括数据采集器驱动程序、上位机与下位机通信程序以及数据报表处理程序三个模块[36]。该测试系统既满足数据采集、数据分析处理、数据存储与回放的系统功能，以此得以实现系统功能。

通过软件系统及硬件平台的研究，能够实现被测信号实时采集、显示等操作，取得了预期效果。上述测试系统以虚拟仪器为中心，软件环境以 LabVIEW 为开发平台。

LabVIEW 开发软件包既能提供图形化编程控件，又有图形化界面设计功能，测试系统主界面及各个测试模块界面均可使用 LabVIEW 前面板及程序框图进行设计，测试时可由设计界面完成数据采集显示及曲线显示[37]。

本测试系统软件设计以各测试模块写入 LabVIEW 软件为中心。完成参数设置、选测模块的设计、资料收集与分析。

7.1.3　测试系统主界面模块化设计

在测试系统全部硬件设备均已配置完成，测试系统接线完整无误后，测试系统中每一个测试工作均会被划分为 3 大测试模块，也就是温升试验模块、空载试验模块、负载试验模块，如图 7-2 所示。

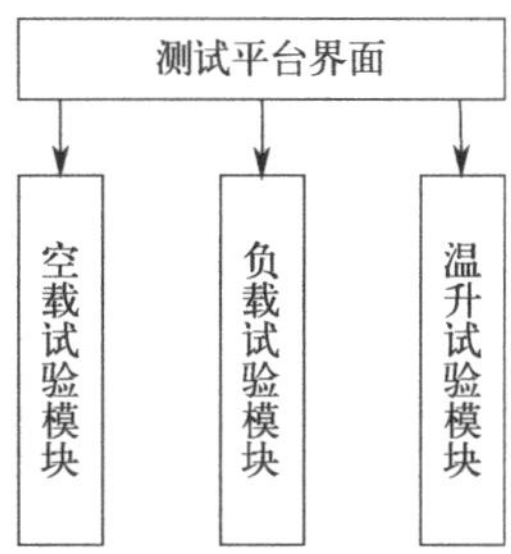

图 7-2　测试系统模块设计

7.1.4　测试系统的试验流程

测试系统采用 LabVIEW 开发的软件作为界面进行设计，实现了对数据的采集、显示、分析和存储等功能。试验主要包括：试验模块选型、输入电机数据、启动检测的数据存储路径[38]。测试系统主要测试流程如图 7-3 所示。

① 选择试验模块：测试系统完成第一阶段的测试，试验模块的选择需要从设计的主界面进行：空载试验模块、负载试验模块、堵转试验模块、温升试验模块、振动试验模块、噪声试验模块。

② 输入电机数据：在测试前，输入模块用于输入电机和测功机的基本参数，如额定功率、额定电压、额定电流等。电机的输入电压通过变频器进行设置。

③ 设置每次采集信号时的采样率及点数。

④ 资料储存选定道路：软件将数据存储在选定的存储路径上。

⑤ 开始试验：在对全部设备参数设置之后，所选测试模块启动，进行数据收集显示和数据回放，并对数据进行分析和处理。

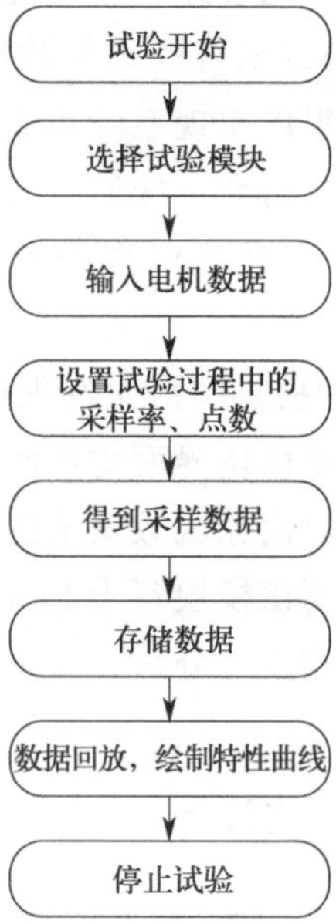

图 7-3　测试系统的试验流程

7.1.5　LabVIEW 的测试系统模块设计

测试系统的主界面设计主要是完成温升试验、空载试验、负载试验、堵转试验、振动试验、噪声试验、电机参数设置等 7 个功能键操作。在本文的测试平台设计中主要针对电动轮的空载与负载试验，主界面的前面板如图 7-4 所示。

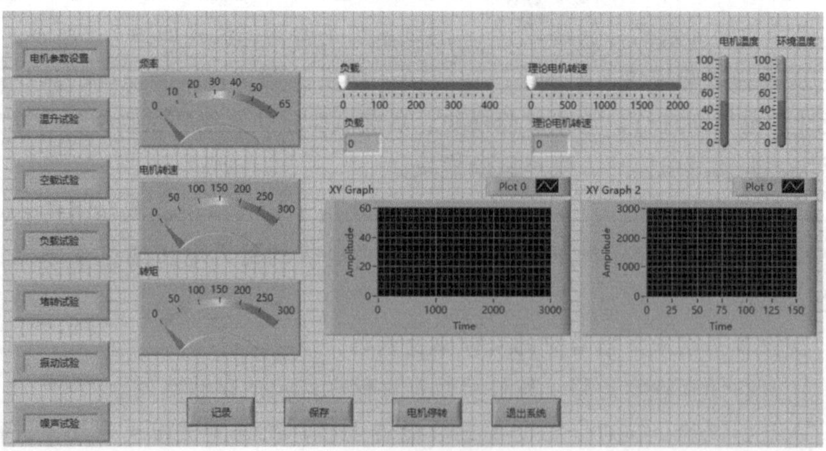

图 7-4　主界面的前面板

要想完成此面板的编辑，需要了解图 7-5 所示的 LabVIEW 前面板中几个常用的控件：布尔控件中的控制按钮，数值控件中的仪表，水平滑动杆，垂直刻度条，图形控件中的 XY 图。

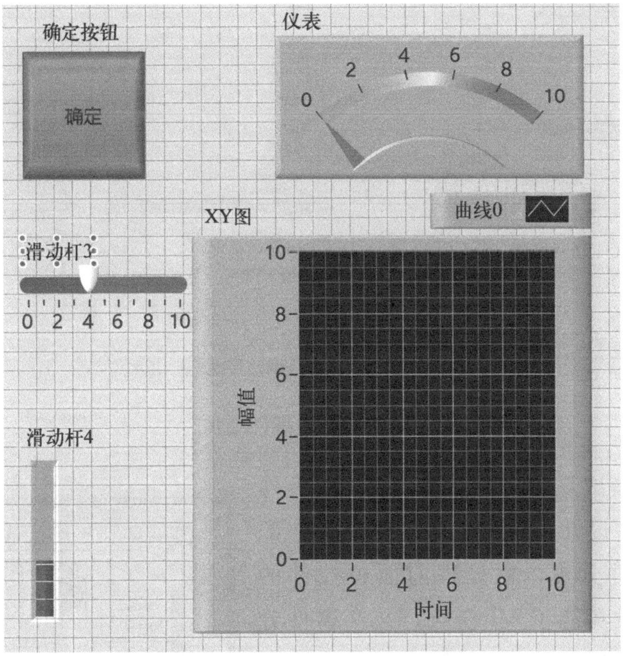

图 7-5　部分常用的 LabVIEW 控件

首先是布尔控件中的控制按钮：用于处理用户在单选按钮控件中选中的项。程序框图上的单选按钮控件的数据类型为枚举型。如未选中任何项，则单选按钮控件的数值为 0，其字符串值为未选择。也可使用允许不选属性，通过编程允许用户在单选按钮中不选择任何内容。可以通过修改属性来改变其值改变方式：单击时改变、释放时改变、单击时触发、释放时触发等。数值控件中的仪表、水平滑动杆、垂直刻度条：颜色梯度用颜色来表示数值，颜色标尺由至少两个刻度组成，每个标记对应一个值和相应的显示颜色。当输入值改变时，显示颜色将变成与该值对应的颜色。颜色梯度适于以可视化的形式表示数据范围，在其属性界面可以更改颜色、文本标签以及最重要的取值范围。图形控件中的 XY 图：XY 图是多用途的笛卡儿绘图对象，用于绘制多值函数，如圆形或具有可变时基的波形。XY 图可显示任何均匀采样或非均匀采样的点的集合。XY 图中可显示 Nyquist 平面、Nichols 平面、S 平面和 Z 平面。上述平面的线和标签的颜色与笛卡儿线相同，且平面的标签字体无法修改。

由主界面至各测试模块子界面，需动态调用子 VI。原理是在程序框图页面中创建事件结构并加入确定按钮，添加事件分支为“确定按钮”中的“值改变”，如图 7-6 所示，即可实现在前面板中点击相应的操作按钮跳转到相应的子 VI 中。

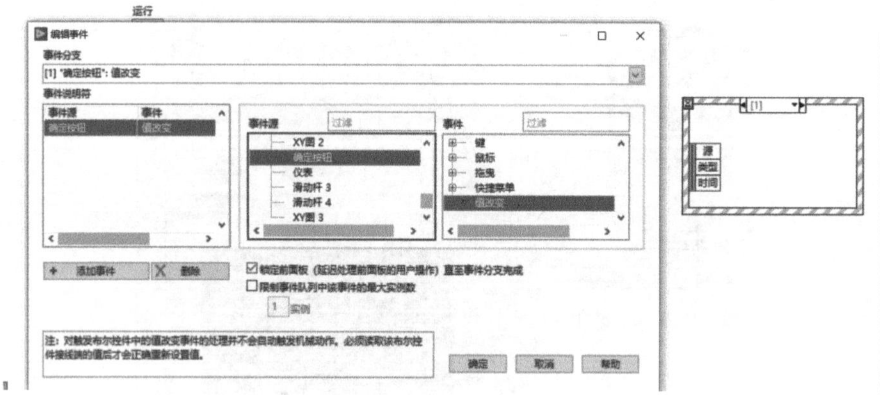

图 7-6 创建事件结构

针对该测试系统，采用 LabView 事件构造进行程序设计，首先创建事件结构并配置相应的事件分支，以处理前面板控件的值，同时开发功能子 VI 模块，并在事件分支或流程中调用这些子 VI 节点，最终将所有事件处理逻辑集成到主程序框架中，形成一个完整且模块化的应用系统，调用子 VI 的程序框图如图 7-7 所示。

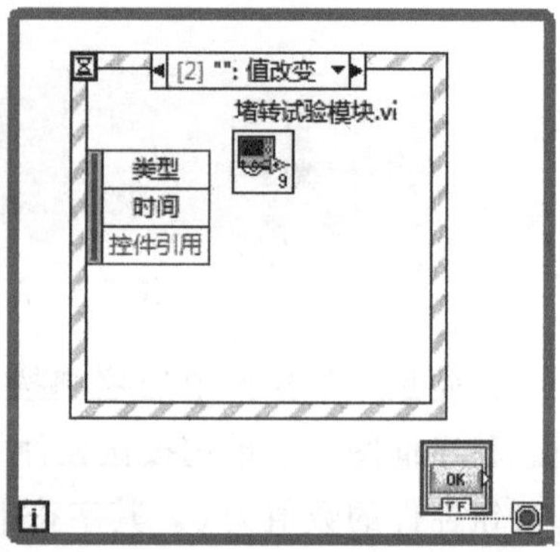

图 7-7 调用子 VI 的程序框图

（1）数据存储路径

文件的操作和管理是测试系统软件开发的重要组成部分，针对数据的要求，本测试系统采用了文本文件存储方法和波形文件存储方法。

（2）文本文件写入与读出

所用函数介绍：写入文本文件的接口分别是提示、文件、文本、错误输入、引用句柄输出、取消、错误输出。对其进行参数配置后可以使字符串或字符串数组按行写入文件。然后是读取文本文件，该接口多了计数端口，可以控制函数读取的字符数或者行数的最大值。文本的读取是从文件中读取文本，默认状态下，该字符串中包含从文件第一行读取的字符。

文本文件形式可用于生成转矩、转速、温度等测试系统的信号，以满足测试需求。通过对这些信号进行处理得到所需量测结果，并保存在文本文件中。在进行录入之前，需要对数组进行转换，将其转换为电子表格字符串数组。由于信号数据量大，因此要对这些变量进行存储和处理，需要使用 Array to Spreadsheet String（数组至电子表格字符转换）函数将信号数据转换为字符串。写入文本文件程序框图如图 7-8 所示。

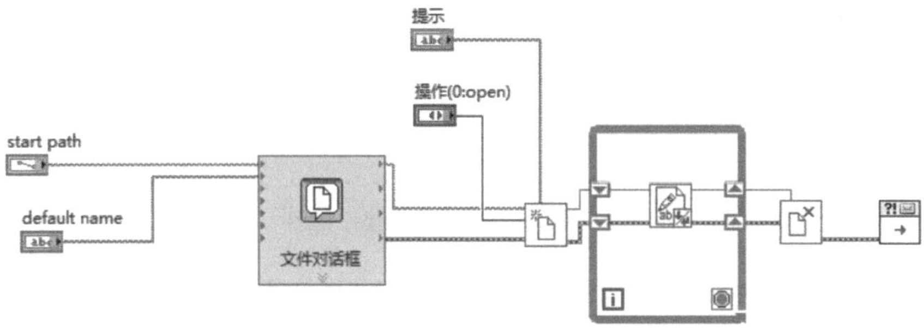

图 7-8　写入文本文件程序框图

读取文本文件的程序框图如图 7-9 所示。

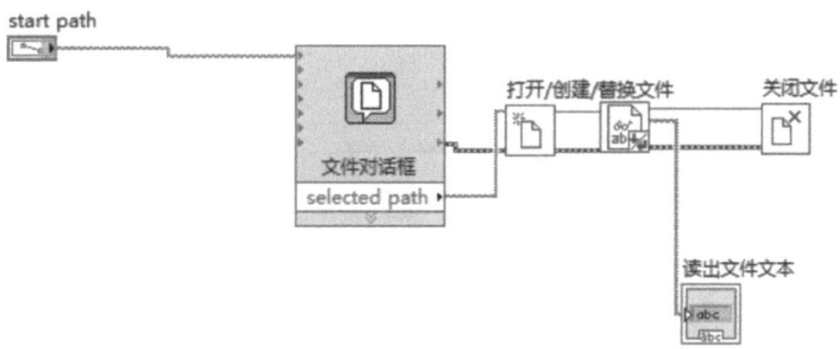

图 7-9　读取文本文件程序框图

（3）波形文件写入与读出

测试系统的输出电流、电压信号，应采用波形文件的形式书写。波形文件可保存为电子表格文件或资料记载文件。波形文件 I/O 函数子模板如图 7-10 所示。

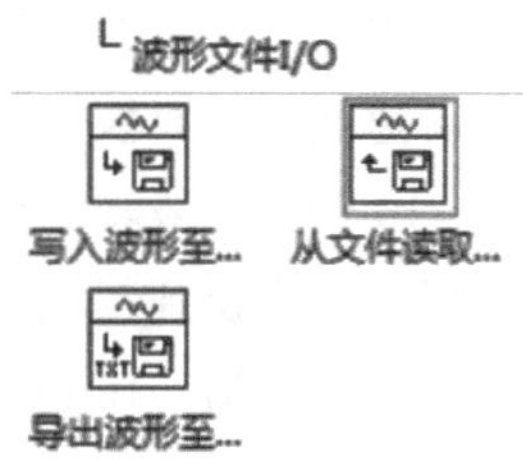

图 7-10　波形文件 I/O 函数子模板

将函数波形文件写到多态 VI 中，其中，波形参数可为单个波形、一维波形阵列或二维波形阵列。将波形阵列的文档路径添加到波形文件端口中，从而写入波形文件。图 7-11 为写入波形文件的程序框图。

Reading 波形文件的作用是通过索引阵列的方

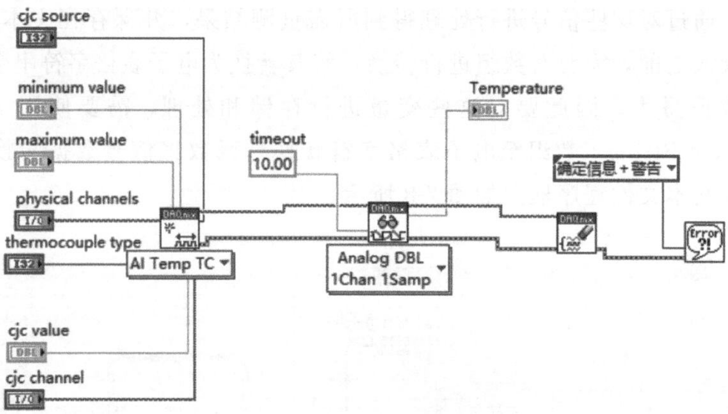

图 7-11　写入波形文件程序框图

式，将显示在前面板中的波形图的采样时间和宽度同步显示在前面板上，从而生成新的波形图文件。图 7-12 为读取波形文件程序框图。

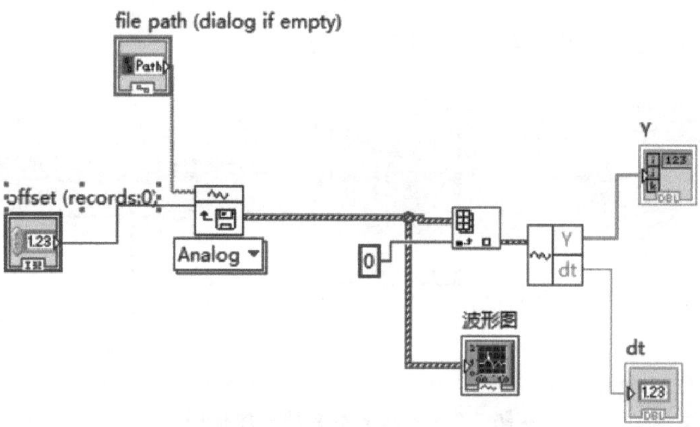

图 7-12　读取波形文件程序框图

（4）电机转速、转矩信号采集与分析

根据电机发出的转速信号，可得到信号在时域上的表示，基于奈奎斯特定理，转速波形需要恢复，实际频率值高于理论频率值，所以取样率比最高频率高 5～10 倍。一般转速信号可能存在异常信号，恢复波形要经过数字滤波，再将时域信号变换到频域。在此过程中采用 ToneMeasurements 函数、4 阶 Butterworth 滤波器、Build Waveform。

其中，Build Waveform（图 7-13）是一个将波形数据的相关信息包括时间戳、数据值等信息组合成一个完整波形的函数。其功能主要是将输入的时间戳、时间间隔、数据值、属性等生成一个波形，以便用于进一步的处理、显示或者储存。在其属性界面进行配置，并连接至输入、输出端口，主要运行方式是点击运行按钮后观察波形图显示结果，确保是否符合自己的预期，如果有需要则返回并调整函数的输入数据以及参数，并显示已优化波形图。

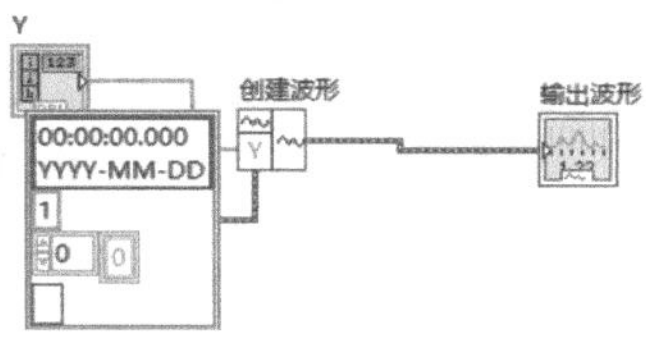

图 7-13　Build Waveform 函数主要元素及流程

4 阶 Butterworth 滤波器（巴特沃斯滤波器）是波形信号处理模块，LabVIEW 中的位置在“程序框图”→“信号处理”→“波形调理”→“滤波器”（见图 7-14），双击打开其属性可以进入配置界面设置滤波器的类型（如低通、高通、带通或带阻），设置滤波器的阶数为 4，如图 7-15 所示。输入截止频率和其他必要的参数，如通带频率范围（对于带通滤波器，需要指定下限和上限频率）。

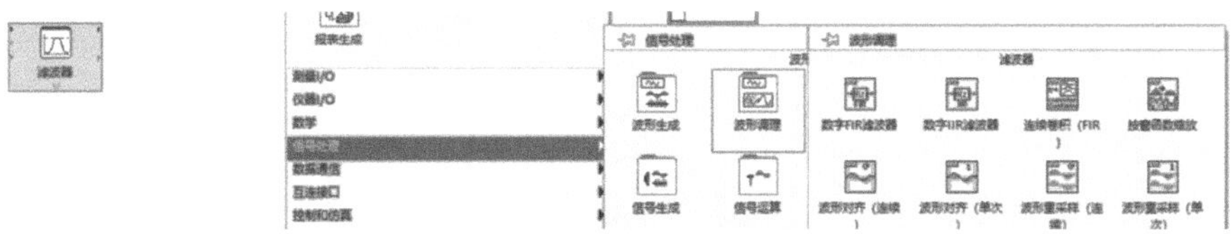

图 7-14　滤波器控件选板

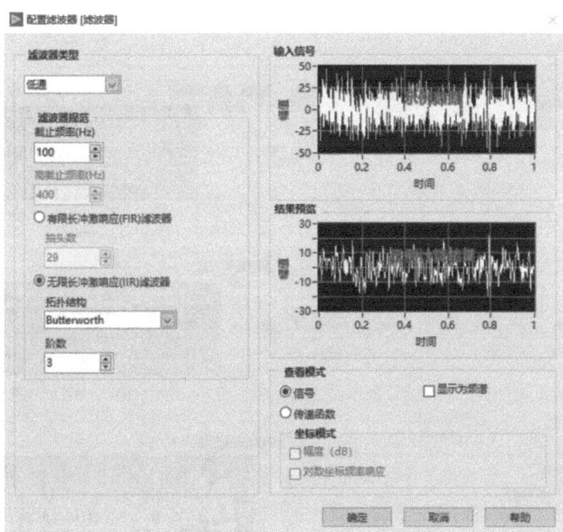

图 7-15　4 阶 Butterworth 滤波器的属性配置对话框

拓扑结构按需选择“Butterworth”，同时根据需要设置采样率等其他参数。其输入信号是待滤波的信号，通常是一个数据序列或者波形，输出一般接到频谱测量模块，以便观察其结果。

频谱测量是一个涉及信号处理和频谱分析的过程，集成了丰富的函数和工具，适用于数据采集、仪器控制和实时系统设计。可以将信号从时域转换到频域，以便分析波形信号在不同频率上的能量分布，有利于分析信号的频率成分和频谱特性。其在 LabVIEW 中的位置是“程序框图”→“信号处理”→“波形测量”→“频谱测量”（见图 7-16）。该部件的输入信号来自外部采集，即通过数据采集设备将模拟信号转换后形成的数字信号，或者是经过滤波器预处理的波形信号，以提高频谱分析的有效性和准确性，因为一般的信号中通常包含噪声成分。过程是使用 FFT 等算法将信号从时域转换到频域，得到信号的频谱图。结果是将其分析的结果以图形化的方式展现，一般会在其后连接波形图，可以通过观察频谱图来了解信号的频率成分和频谱特性。图 7-17 为频谱测量控件的属性配置对话框。

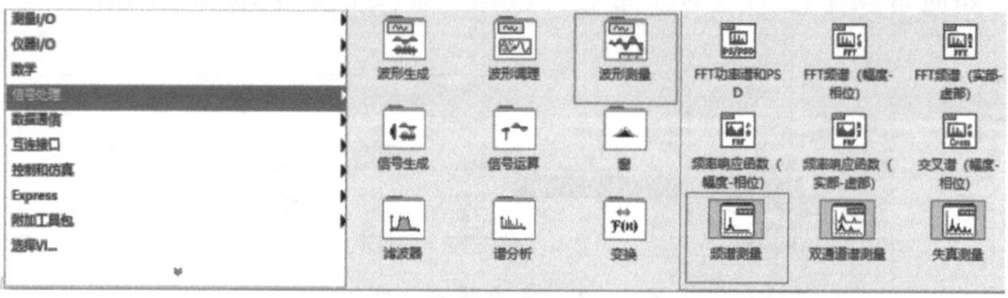

图 7-16 “频谱测量”控件选板

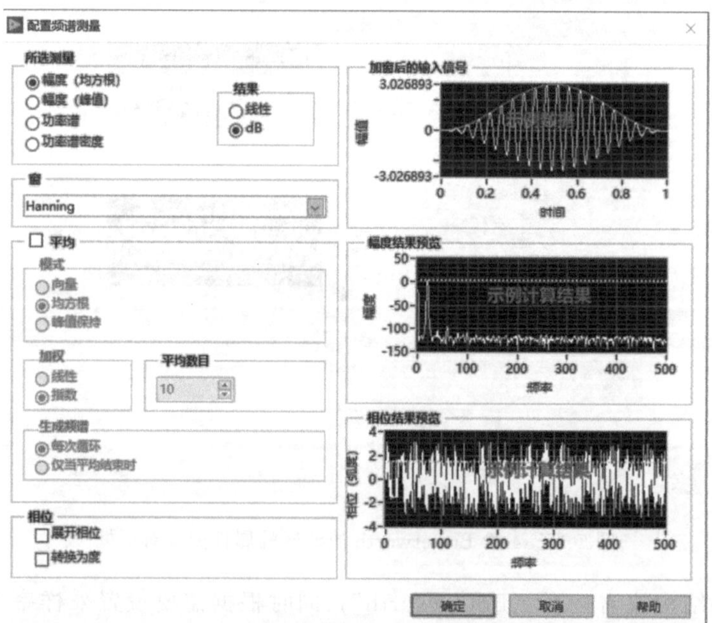

图 7-17 频谱测量控件的属性配置对话框

图 7-18 为电机转速采集程序框图。

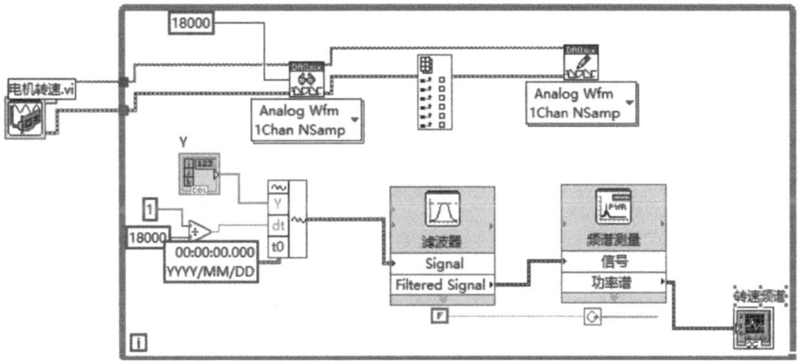

图 7-18　电机转速采集的程序框图

对电机转矩信号而言，转矩传感器的输出为频率信号，经信号调理电路，可根据信号范围 0～5V，判断转矩和频率之间存在的线性关系。该测试系统下，使用 NI 公司的 Ctrl1 通道 USB-6221，设定转矩采集工作为计数输入频率。图 7-19 是电机转矩信号的采集程序框图。

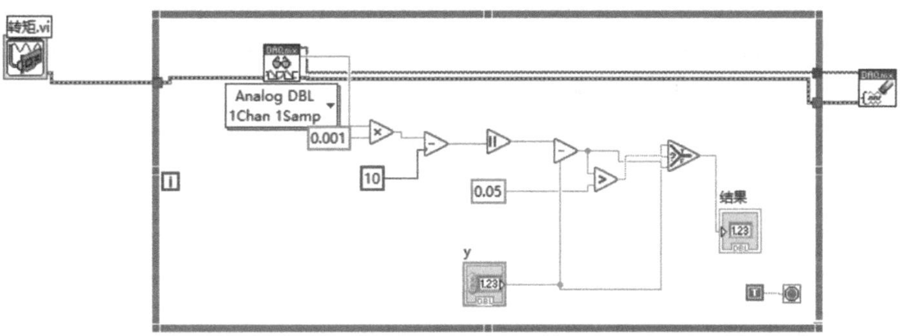

图 7-19　电机转矩信号的采集程序框图

（5）温度信号采集与分析

本系统采用 Meacon 螺纹式温度传感器。热电偶输出信号是毫伏级电压，因此，在温度信号被获取时，信号会被放大，在传输信号的过程中，信号需消噪。

实现这一功能时需要 DAQmx 模块，即数据采集 MX（多线程数据采集驱动），数据采集 MX 是 NI 公司提供的用于数据采集、生成和控制的强大工具集。它提供了一套丰富的应用程序接口（API），支持多种编程环境，广泛应用于各种需要数据采集、生成和控制的领域，如工业自动化、科学研究、教育实验等，DAQmx 驱动的安装如图 7-20 所示。

图 7-20　安装 DAQmx 驱动

通过 DAQmx，用户可以快速地构建出功能强大、易于维护的数据采集系统。需要注意的是，所有数据采集和生成的操作都是围绕“任务”展开的，每个任务都包含了一个或多个通道，这些通道定义了数据采集或生成的源和目标，这些通道是 DAQmx 中用于与外部信号交互的基本单元。一个通道可以代表一个模拟输入、模拟输出、数字输入或数字输出。

在 DAQmx 中还设置有触发器和时钟等功能，其中，触发器是控制数据采集或生成开始的信号，它可以来自软件（如 LabVIEW 中的某个操作）或硬件（如外部设备的信号）；时钟信号用于对数据采集进行计时。DAQmx 支持多种时钟源，包括内部时钟和外部时钟。

使用 DAQmx 进行温度信号采集与分析的主要步骤如下：

① 创建任务：如图 7-21 所示，在 LabVIEW 中创建 DAQmx 任务，并配置任务参数，如采样率、采样模式等，图 7-22 为 DAQmx 模块配置参数界面。

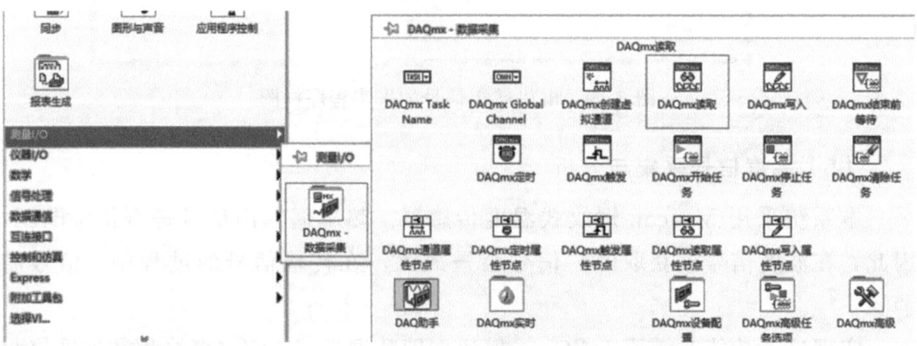

图 7-21　DAQmx 控件选板

② 开始数据采集：调用 DAQmx 的“开始任务”函数来启动数据采集。

③ 读取数据：使用 DAQmx 的读取函数从数据缓冲区中读取数据。

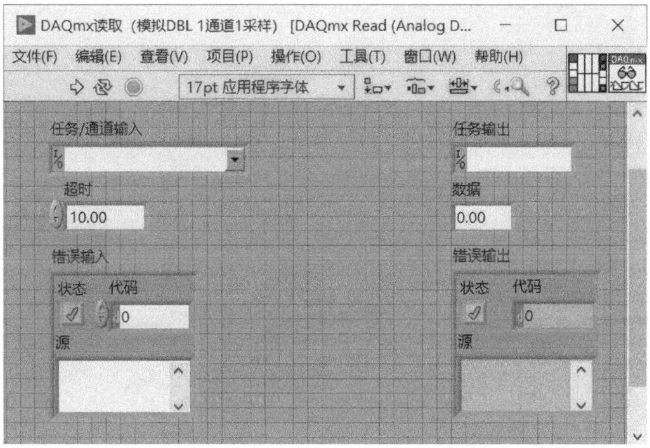

图 7-22　DAQmx 模块配置参数界面

④ 停止数据采集：完成数据采集后，调用 DAQmx 的“停止任务”函数来停止数据采集。

需要注意的是在使用 DAQmx 时首先要确定是否下载了 DAQmx 驱动，且注意软件之间的版本兼容性问题，若版本不兼容将导致设备工作不正常，LabVIEW 与 DAQmx 的兼容关系如图 7-23 所示，同时需要进入 NI 手册查看当前板卡最低兼容的驱动软件，再去确认 LabVIEW 的版本。

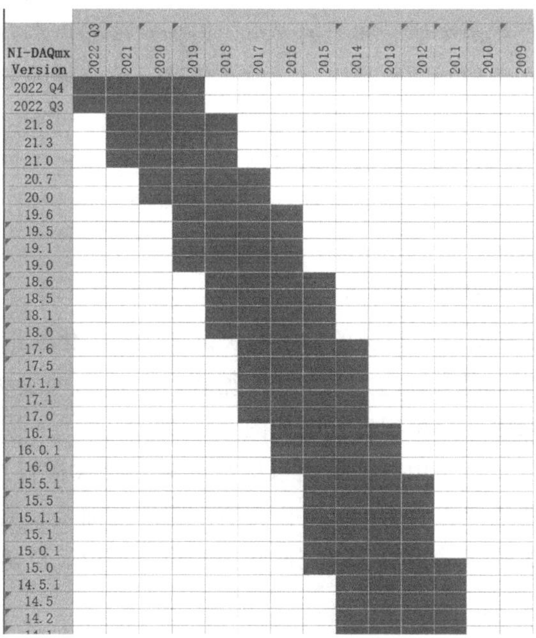

图 7-23　LabVIEW 与 DAQmx 兼容关系图

温度信号采集程序框图如图 7-24 所示。

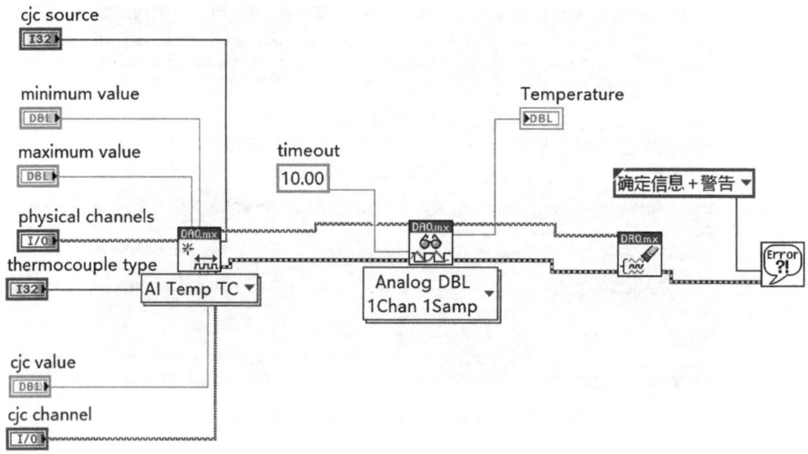

图 7-24　温度信号采集的程序框图

（6）电机电压、电流信号采集与分析

由于电机电压信号采集时须具备抗共模干扰性强的特点，所以对电机的电压信号采用差分输入方式。差分输入法能够减少共模干扰产生的影响，提高信号测量的精度。差分输入是指同时测量两个信号线（通常是正负极）之间的电压差，而不是单独测量每个信号线对地的电压。这种方法能够有效地抑制共模干扰，即同时出现在两个信号线上的噪声，因为这些噪声在差分测量中会被相互抵消。其优势在于抑制共模噪声，如前文所述，差分输入能够有效地抑制共模噪声，提高信号的信噪比；提高测量精度，由于减少了噪声和干扰的影响，差分输入法通常能够获得更精确的测量结果；增强系统稳定性，差分输入能有效抑制信号源和设备之间的接地电势差（接地回路产生的干扰），增强了系统的稳定性。

前面板单独布置信号采集的物理通道，主要包括 DEV1/AI0、取样速率 RATE、采样数量和对其他情况的描述模块设置。初始化数组用于在连续迭代中缓存数据，移位寄存器被追加到 while 循环，以追踪触发状态及数据样本。电机电压信号的采集、分析程序框图如图 7-25 所示。

对电机电流信号，采用数据采集卡的差分输入模式进行接入；将采样率、采样数量及信号通道等参数的配置界面集成于程序前面板；通过硬件时钟控制采样时序，设定为连续采集模式以完成数据的稳定获取。电机电流信号的采集程序框图如图 7-26 所示。

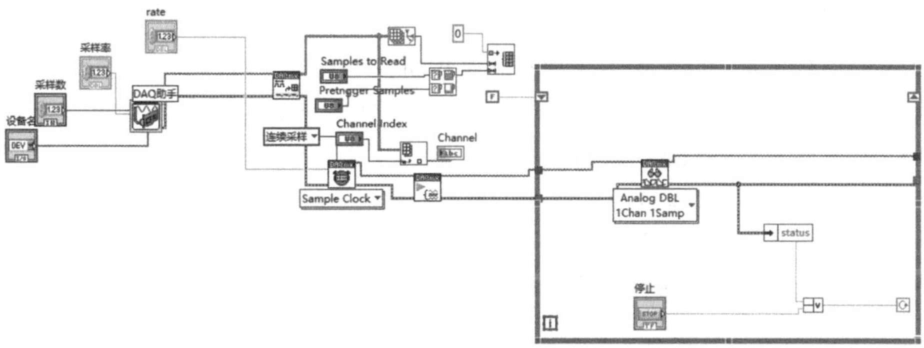

图 7-25　电机电压信号的采集、分析程序框图

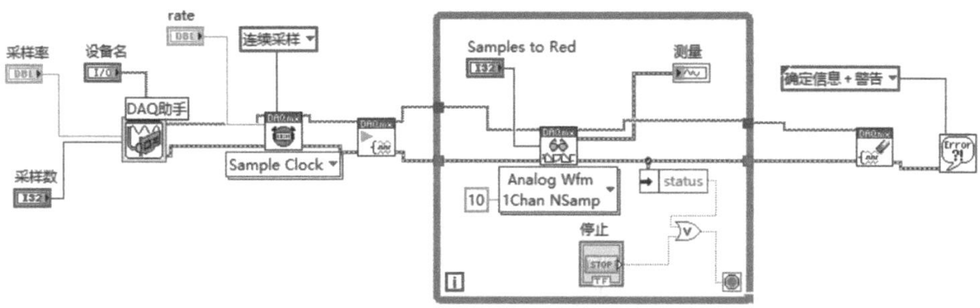

图 7-26　电机电流信号的采集程序框图

7.2　测试平台驱动控制器仿真模型建模

7.2.1　测试平台控制系统的建模仿真

（1）系统总体架构设计

该特种汽车电动轮测试平台通过对 2 台电机和 2 台绕组进行对拖测试，2 台变频器的工作情况和控制状态均具有一致性。一台逆变器和控制器连接到被测电机，另一台逆变器和控制器连接至负载电机。因此，矢量控制分为两大部分：被测电机侧和负载电机侧[39]。

电动轮的驱动电机（被测电机）与负载电机采用对拖方式进行测试，负载电机侧调节功率或转矩产生制动所需的力矩，被测电机侧使转速保持稳定，此系统中，被测电机转速的稳定性极为重要，直接决定了系统能否长时间稳定工作。整台电机对组拖动系统的速度是否平稳依赖于负载电机侧转矩输出是否平稳，所以最主要的还是要通过控制调节使负载电机侧输出的转矩与电流尽量平稳，使加载转矩的步适中，以降低扰动对系统工作稳定性的影响。

被测电动轮一侧采用矢量控制方式，矢量控制是以直流电机为参考的控制模式，实现了定子电流解耦来模拟直流电机控制模式。本部分将利用 MATLAB/Simlink 软件具体分析测试平台矢量控制方式、搭建永磁电机、搭建 SVPWM 信号产生模块、分析被测电机侧及负载电机侧控制过程。该软件不仅可以进行仿真，验证本文中控制策略的可行性和测试平台的稳定性，还可以将搭建的仿真模型转换为源代码，嵌入控制器中完成控制器的控制。下面将具体分析负载电机与被测电机的控制策略[40]。

（2）负载电机侧转矩闭环控制

调整电机功率即调整转矩，从前文分析来看，控制定子电流的交轴电流 i_q，可对电机转矩进行调整，因此，调节 i_q 能够调整负载电机功率大小。转矩调节阶段应较少，以减小对电动轮一侧的影响，从而使系统整体保持稳定，电动轮一侧转速随负载电机侧负载的增大而减小，经过转矩调节，电机转速降低。下一个阶段是加载和循环。控制系统框图如图 7-27 所示。

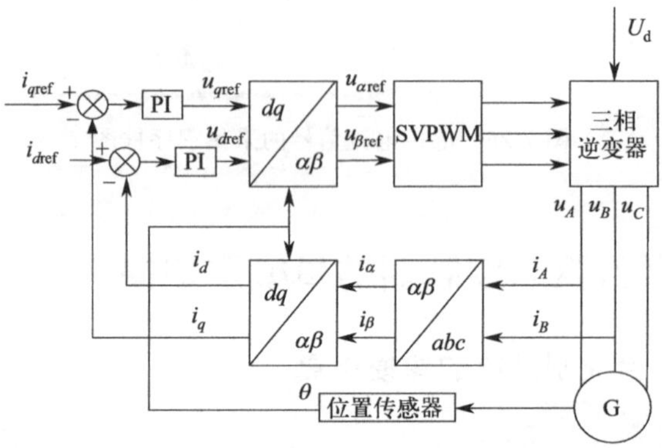

图 7-27　负载电机侧逆变器转矩闭环控制系统框图

本章充分融合传统控制算法与模糊控制系统各自的优势，设计了一种更适用于参数化且具有较强容量的模糊控制器。人工组态参数模糊 PI 调节器就是运用模糊推理的方法[41]，按照实时优化控制对应模糊规则、比例系数与积分系数的关系，建立了两系数间对应的模糊逻辑关系。跟踪偏差以及偏差的变化，针对不同偏差及偏差变化，对参数进行在线调节，实现系统的理想控制。模糊 PID 调节器的原理图如图 7-28 所示。

PID 调节器从实际输出值中减去设定值 r 和 y，获取控制偏差 e，偏差值 e 通过线性组合形成控制量 u，经比例、积分及微分运算后再使用 u 来控制物体。一般在对模型精度有很高要求时，可以利用自动控制理论中的典型系统（如典型Ⅱ型系统）整定 PI 参数。在使用单一参数计算便捷控制策略设计参数

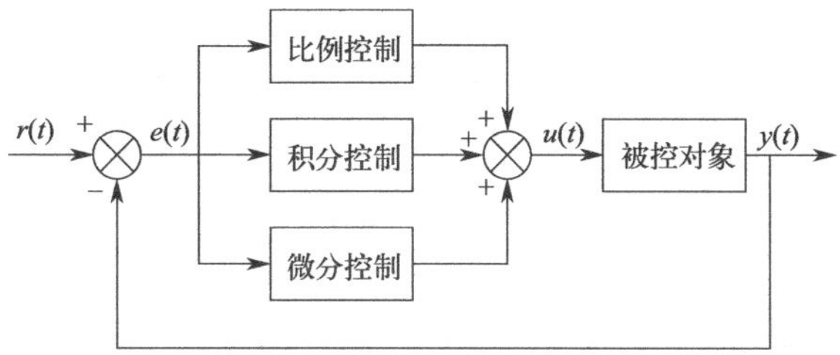

图 7-28　模糊 PID 调节器原理图

时，要求使用模型精度低、参数变化不灵敏的控制策略。计算中使用了线性关系和电机 d 轴与 q 轴的电感、电阻。

电流环 PI 参数计算为：

$$\begin{cases} K_{\mathrm{p}d}=\alpha L_d \\ K_{\mathrm{i}d}=\alpha R \\ K_{\mathrm{p}q}=\alpha L_q \\ K_{\mathrm{i}q}=\alpha R \end{cases} \tag{7-1}$$

式中，$K_{\mathrm{p}d}$、$K_{\mathrm{i}d}$、$K_{\mathrm{p}q}$、$K_{\mathrm{i}q}$ 分别表示 d 轴的 q 轴的比例和积分系数；α 表示带宽参数，$\alpha=2\pi f$，f 表示电流环的闭环带宽；L_d 和 L_q 分别表示 d 轴和 q 轴的电感；R 表示定子电阻。

（3）电动轮转速闭环控制

电动轮侧以调整转速为主，控制电动轮速度平稳，进而控制整个测试系统转速平稳。利用 PI 调节方法，将给定转速之后输出的 i_{q} 同反馈的 i_{q} 进行比对，比对后再进行 PI 调节、计算，获取所述 U_{q} 参考信号，经过坐标变换，输出至 SVPWM 模块，由 SVPWM 模块输出开关信号对三相逆变器进行控制，然后调整被测电机转速、转矩幅值、频率等，使逆变器的输出电压实现调节系统功能。测试平台电动轮的矢量控制模型以 PI 调节器为核心，以被测电机侧逆变器为控制对象，电动轮侧逆变器速度闭环矢量控制框图如图 7-29 所示。

（4）基于 PI 调节器的被测电机侧控制、负载电机侧控制仿真建模

完成整体仿真建模需要了解 Simulink 中的 Universal Bridge 和 Permanent Magnet Synchronous Machine 模块、SVPWM 技术。

Universal Bridge（多功能桥式电路）模块是一个电子集成电路芯片模块，它能够实现数字信号和模拟信号之间的转换，使得不同种类的设备或者系统之间能够传递和共享信号和数据。可以连接不同的模型，比如连续时间模型和离

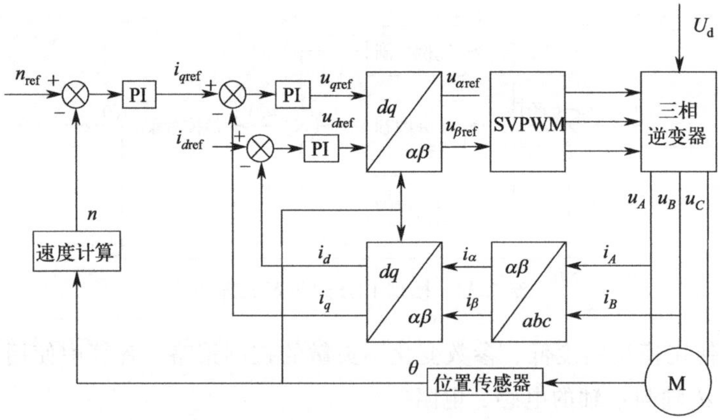

图 7-29　电动轮侧逆变器转速闭环矢量控制

散时间模型，以及来自不同仿真环境的模型[42]。它允许用户在多个不同的电路模型之间传递信号，并将来自一个模型的信号传递到另一个模型中，以实现仿真的连续性。如图 7-30～图 7-32 所示，可以在库中或者在面板上直接调用该模块，然后准备进行连接，可选择需要连接的电路模型并将它们连线至多功能桥式电路模块，并选择需要传递的信号进行输出。同时，根据需要配置模型所需的仿真选项，如仿真时间、仿真算法等。该模块的优势有：灵活性高，可以连接不同种类的模型和仿真工具，使得用户可以根据实际需求灵活选择和使用；数据一致性好，在数据传递和共享过程中，能够保持数据的一致性，确保仿真结果的准确性；支持多种通信协议和数据格式，如 TCP/IP、UDP、COM、CAN、XML、MATLAB 等，用户可以根据特定需求选择不同的协议和格式；提供可编程接口，用户可以通过编写自己的驱动程序来实现与其他软件的数据交换，进一步扩展功能。

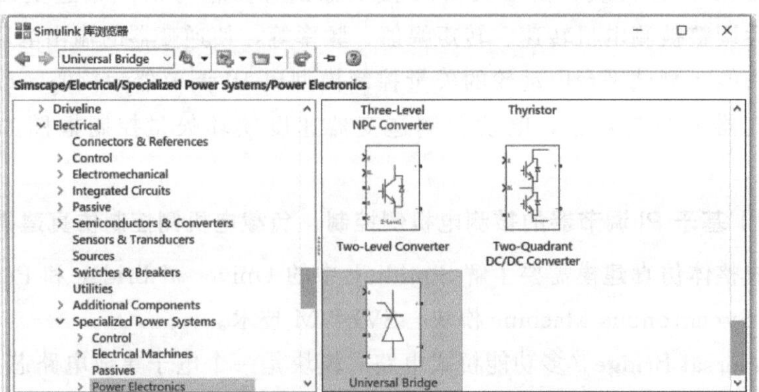

图 7-30　在库浏览器调用 Universal Bridge

图 7-31　在工作界面直接调用 Universal Bridge

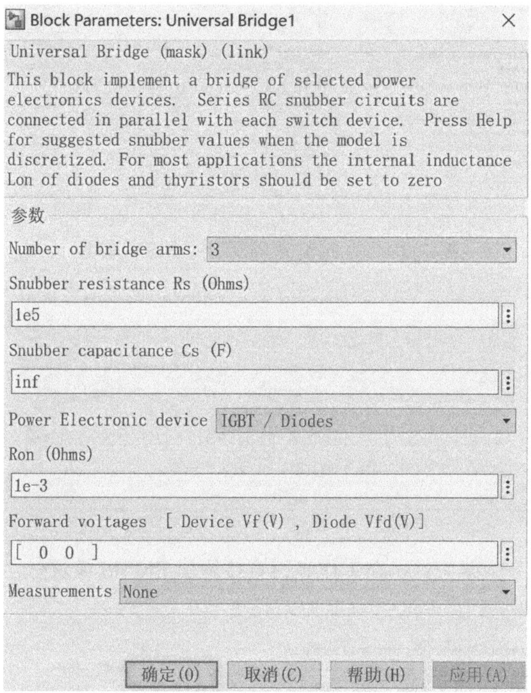

图 7-32　Universal Bridge 的配置界面

PMSM（permanent magnet synchronous machine，永磁同步电机）模块是一个专门用于电力系统仿真的模块，特别是在电机的动态建模和控制方面。PMSM 模块支持 3 相或 5 相永磁同步电机的模拟，电机绕组通常采用星形连接。在这种连接方式中，电机绕组的一端连接在一起形成一个公共点（中性点），而另一端则分别连接到 3 相或 5 相电源。如图 7-33 和图 7-34 所示，可以在库中或者在面板上直接调用该模块，在其属性界面可以进行参数配置，如图 7-35 和图 7-36 所示，其中，Number of phases（相数）里面包含“3”和“5”两个选项，分别对应 3 相 PMSM 和 5 相 PMSM。当 Back EMF waveform（反电动势波形）被设置成 Trapezoidal 方式，或者 Number of phases 被设置成 5

相时，将不能进行 Rotor type（转子类型）和 Preset model（电机的类型）的选择。Back EMF waveform（反电动势波形）包含 Sinusoidal（正弦波）和 Trapezoidal（梯形波）两个选项。

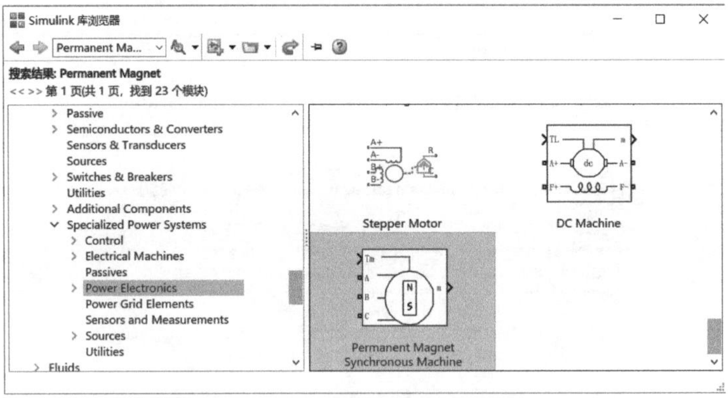

图 7-33 在库浏览器调用 PMSM 模块

图 7-34 在工作界面直接调用 PMSM 模块

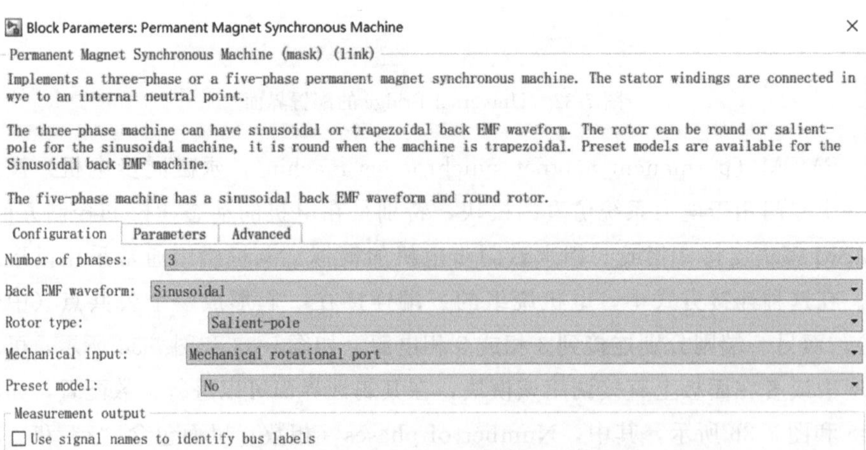

图 7-35 PMSM 模块配置界面 1

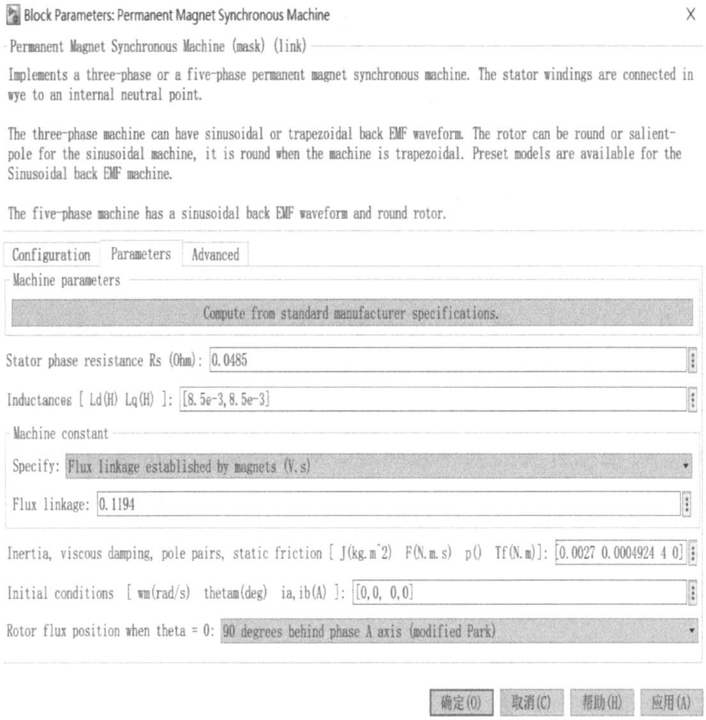

图 7-36　PMSM 模块配置界面 2

正弦波模型假定永磁同步电机产生的反电动势是正弦波形，而梯形波模型则假设永磁同步电机产生的反电动势是梯形波形。无论选择哪种激励方式，Number of phases 都不能设置为 5。Rotor type（转子类型）：包含 Round 和 Salient-pole 两个选项。选择 Salient-pole 表示电机转子为凸极型，选择 Round 表示电机转子为圆柱形。Mechanical input（机械输入方式）：里面包含 Torque Tm、Speed 和 Mechanical rotational port 三个选项。其中，较为常用的是前两个，Torque Tm 表示负载转矩，Speed 表示机械角速度。Preset model（电机的类型）：包含 No 和各种功率等级的电机选项。当选择 No 时，可以对电机的参数进行修改；当选择其他类型的电机时，电机参数已经确定，将不能对电机的参数进行设置。在参数设置页面可以设置电机定子电阻大小、电机电感大小、电机常量值、转动惯量、阻尼系数、极对数，以及包括机械角速度、转子位置、相电流等在内的初始数值。

SVPWM 技术即空间矢量脉宽调制技术，是一种高效的交流电机驱动控制策略，主要用于三相逆变器中，以控制交流电机的转矩和磁链。其核心思想就是让输出的脉宽调制逼近圆旋转磁动势，永磁同步电机测试系统中，电机、电动轮以不同的转速、不同的负载工作时，对于电机定子端子来说，其电压需求各不相同。三相电压逆变器处于方波模式时，输出基本幅值不发生改变。常用的 PWM 调制方式都有自己的特点，常用的 PWM 调节方式包括：正弦波 PWM 调节（SPWM 调节）、空间矢量调节（SVPWM 调节）和电流滞环 CH-BP 调节。

在实践中，有时需多种方法结合，例如使用异步调制、分段同步调制、特定次数谐波的消除及其他技术。接下来对 SVPWM 调节及仿真模型进行分析与构建。

由交流电机带动时，终极目标是输出恒定电磁转矩。关系到电机磁链的 SVPWM，能够使电机磁链形成的旋转磁场尽量靠近圆环，使得电机电磁转矩较为平稳。SVPWM 方法的作用是控制磁链轨迹，该轨迹可分为圆和近似圆弧的多边形，可根据开关的频率来确定，频率越高，点的数目越大。

实际应用中，可验证 SVPWM 消谐效果优于常规 SPWM 调制方式，且可进行改进。SVPWM 控制方式更适用于数字化方式，且能够适应目前以微控制器为主的数字化控制系统发展潮流。具体如图 7-37～图 7-41 所示。

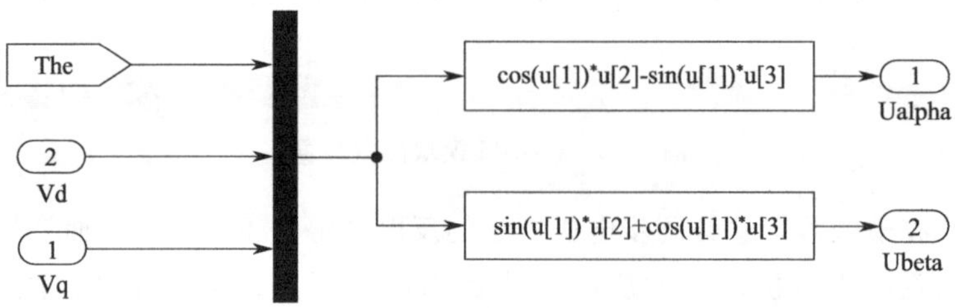

图 7-37　三相变两相

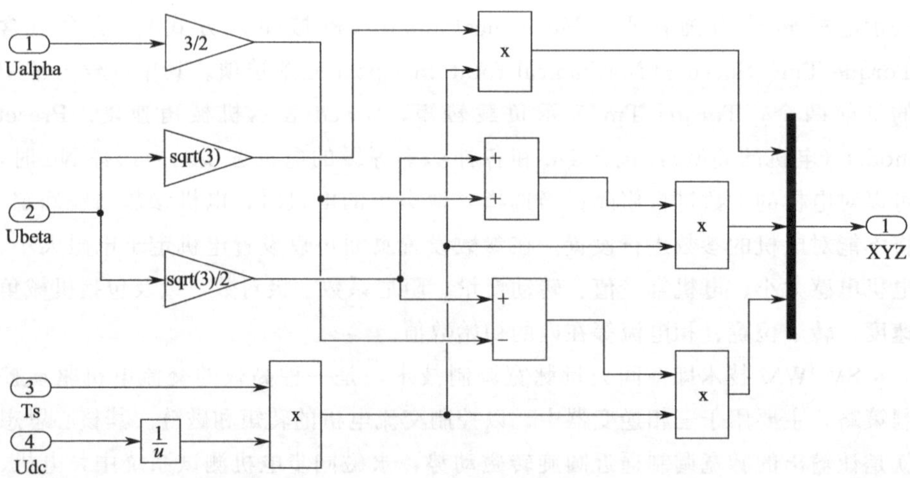

图 7-38　时间组成元 XYZ

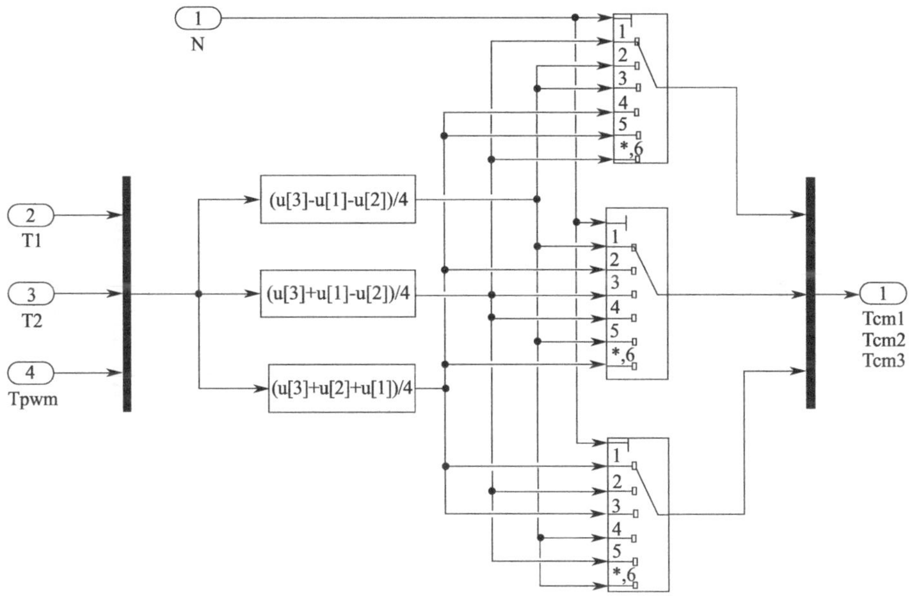

图 7-39　矢量作用时间计算

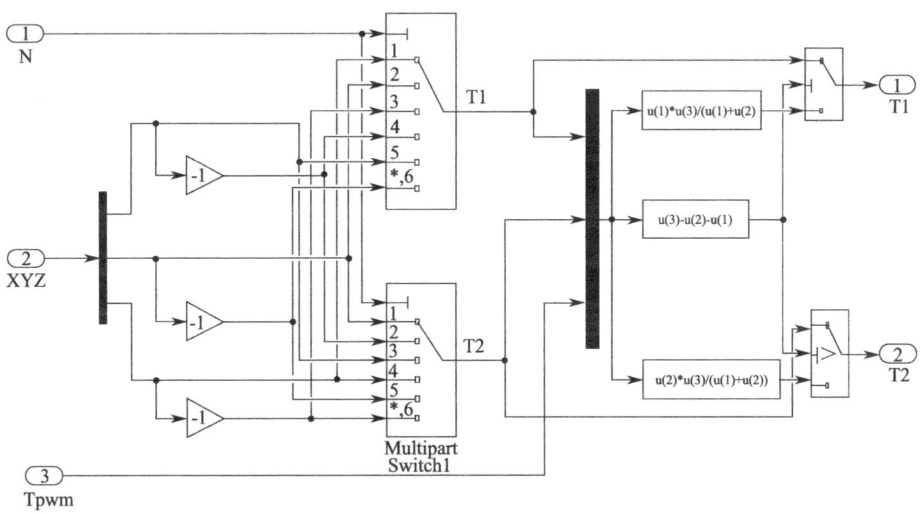

图 7-40　矢量切换点

在 MATLAB/Simulink 环境下，按照矢量控制的框图进行设计，在仿真平台上建立的对组拖动平台负载电机侧转矩控制仿真模型如图 7-42 所示，电动机侧速度控制仿真模型如图 7-43 所示。以一台额定功率 13kW 的电动轮作为控制目标，根据已知的参数设置，SVPWM 模块所采用的参考电压矢量输入方式为静止坐标系 α-β 分量模式，其开关频率为 600Hz，仿真时间为 4s。在

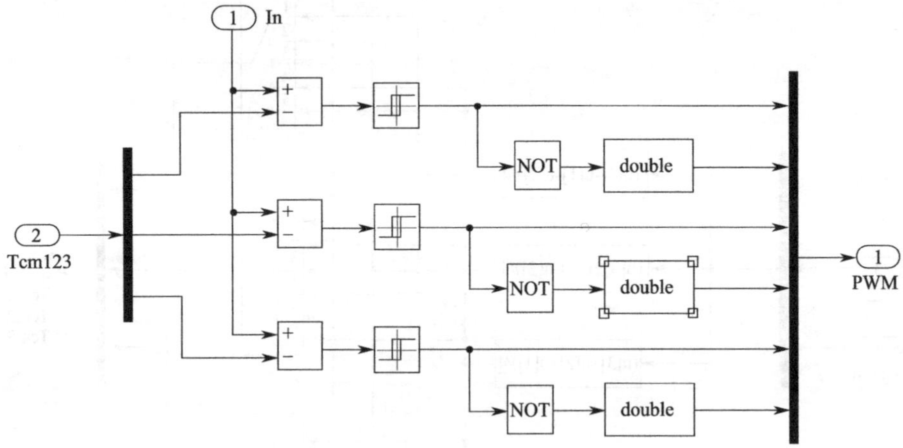

图 7-41　载波调制

此基础上进行试验，验证了所提方案的可行性。电机额定电压有效值 115V；在空载和负载下分别采用不同的方法计算出相应的电感量，并将计算结果代入三相异步电机数学模型中进行了仿真验证。由于 SVPWM 输出线电压达到了最高值，其有效值是直流电压的 0.707 倍，因此直流母线电压被设定为 163V。

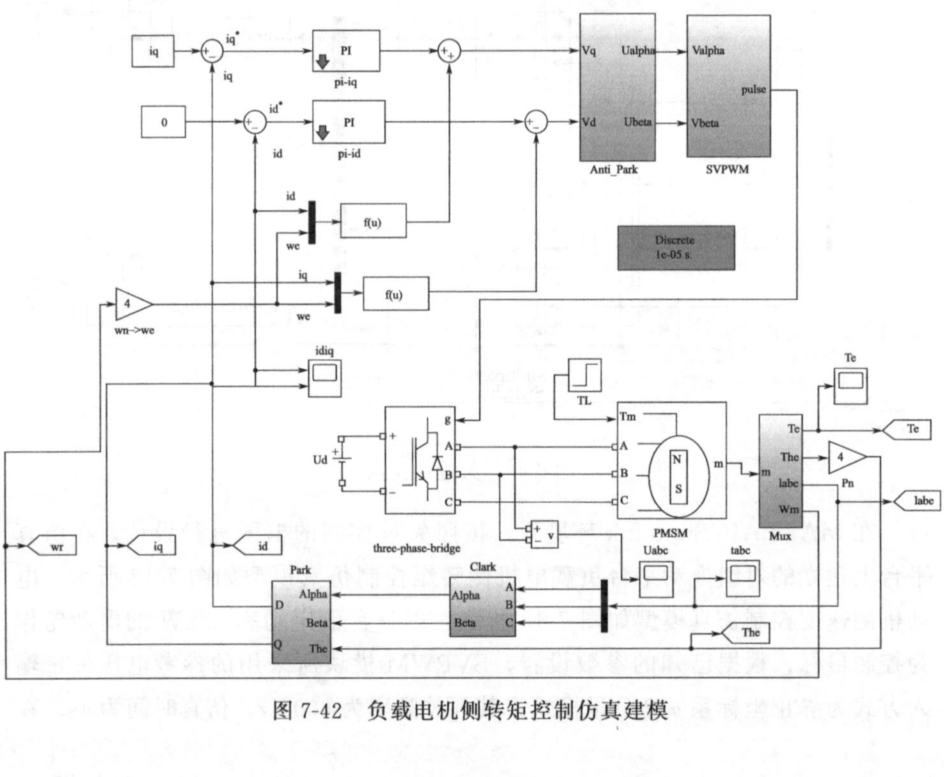

图 7-42　负载电机侧转矩控制仿真建模

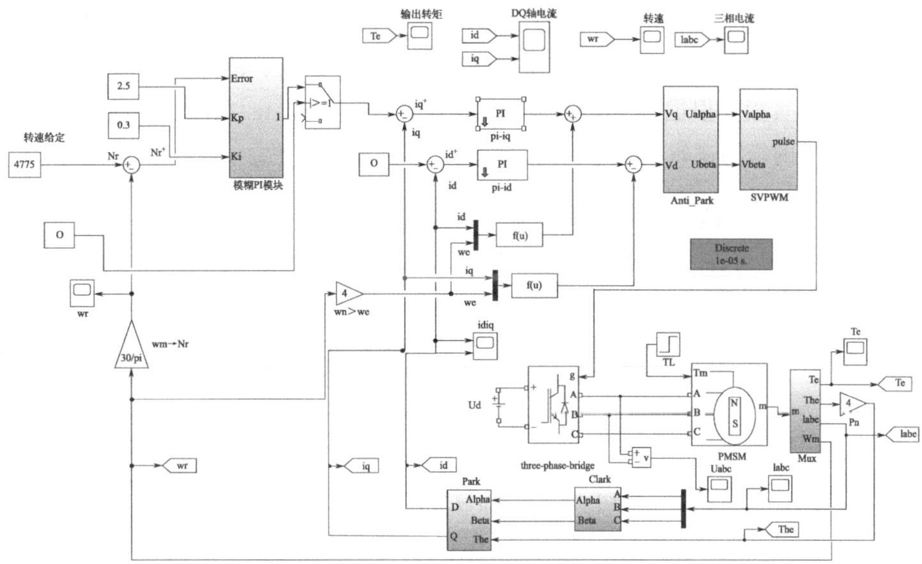

图 7-43　基于 PI 调节器的被测电机侧速度控制仿真建模

电机模块使用 MATLAB 中自带的模块，三个 PI 调节器模块使用离散型 PI 调节器仿真建模。其中，I_d 的 PI 调节器模块如图 7-44 所示。I_q 的 PI 调节器模块相似。

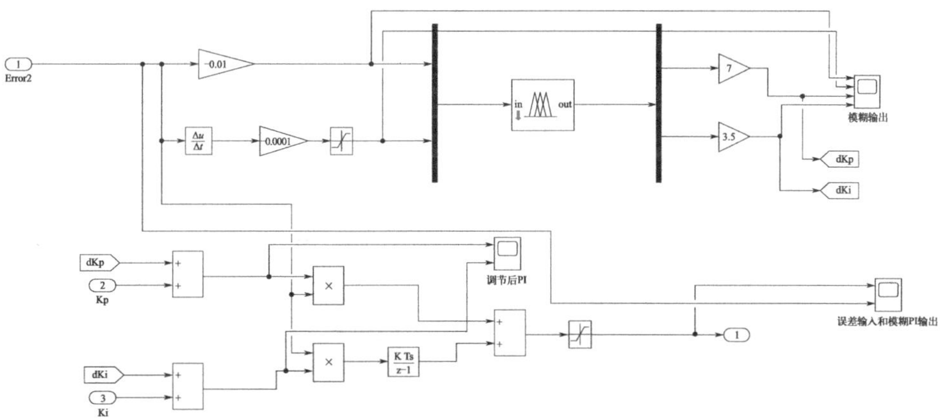

图 7-44　I_d 的 PI 调节器模块

Fuzzy Logic（模糊逻辑）是一种强大的工具，用于模拟和实现基于模糊逻辑的控制系统。在面板上输入 Fuzzy Logic Designer 就可将模糊控制模块拖拽到模型编辑器中。接着是编辑模糊规则，首先在 MATLAB 的命令行窗口输入“fuzzy”即可调出模糊控制编辑器，然后删除原有的选定变量再加入新的选定变量，即两个输入、两个输出，并命名为 e、ec、d_kp、d_ki，改变其 MFs 数目为 7。

然后双击每个选定变量进行进一步的编辑，对每条隶属度函数命名为 NB、NM、NS、ZO、PS、PM、PB，并根据需求改变其类型、参数、范围。再接着进入模糊规则编辑页面并根据需要添加规则，最后点击保存成 . fis 文件。接着就可以在 Simulink 中的模糊逻辑模块中调用该文件。具体操作如下。

（1）对模糊控制器添加输入、输出变量（见图 7-45）

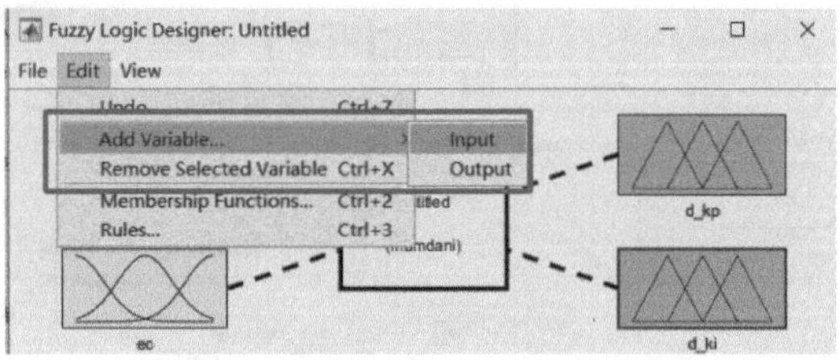

图 7-45 添加输入、输出变量

（2）移除原有的 MFs，然后定义 MFs 数目（见图 7-46、图 7-47）

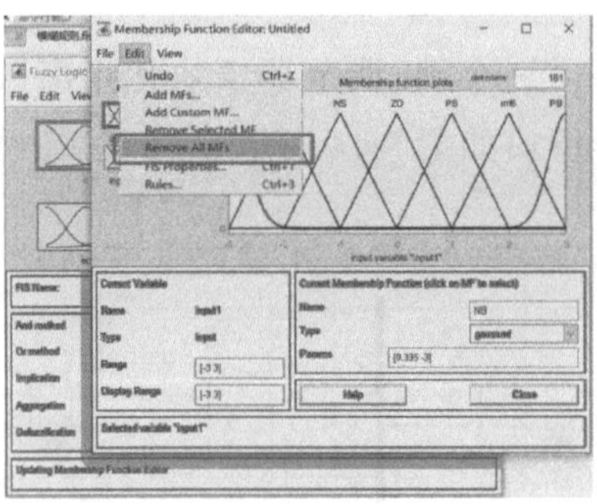

图 7-46 移除原有的 MFs

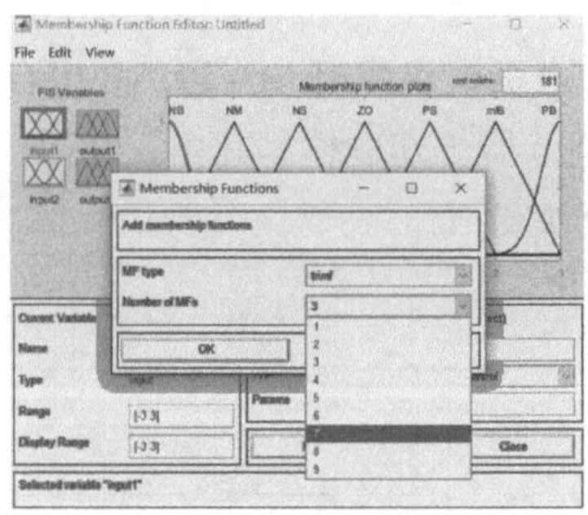

图 7-47 定义 MFs 数目

（3）对各输入变量进行属性配置（见图 7-48、图 7-49）

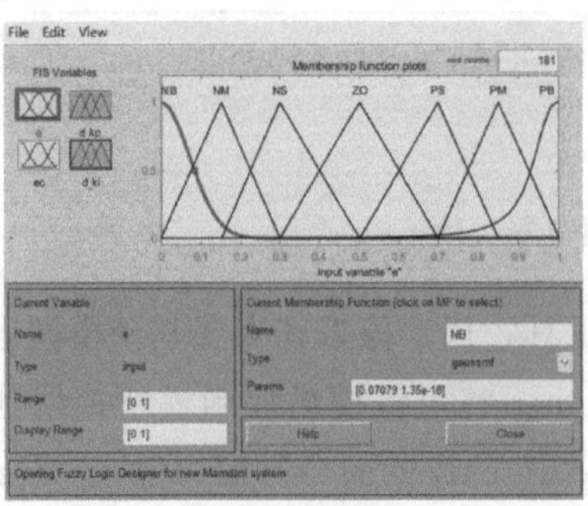

图 7-48 对输入变量 e 进行属性配置

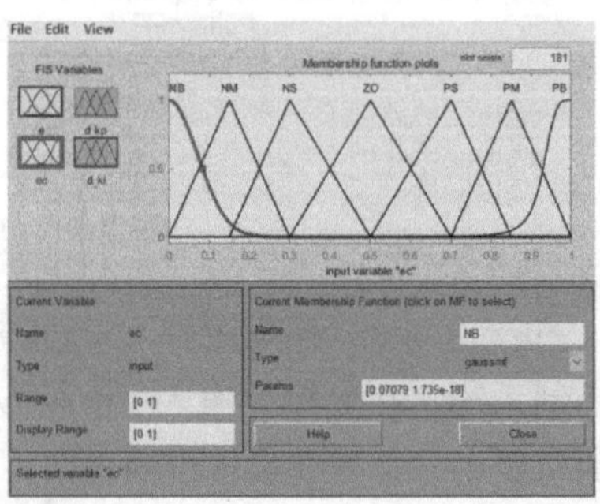

图 7-49 对输入变量 ec 进行属性配置

（4）对各输出变量进行属性配置（见图 7-50、图 7-51）

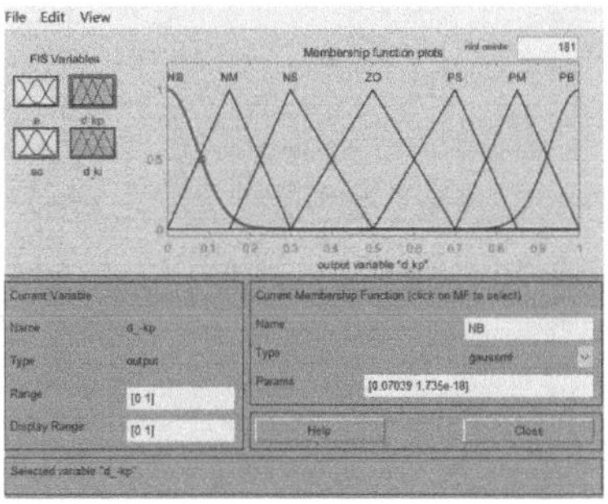

图 7-50　对输出变量 d_kp 进行属性配置

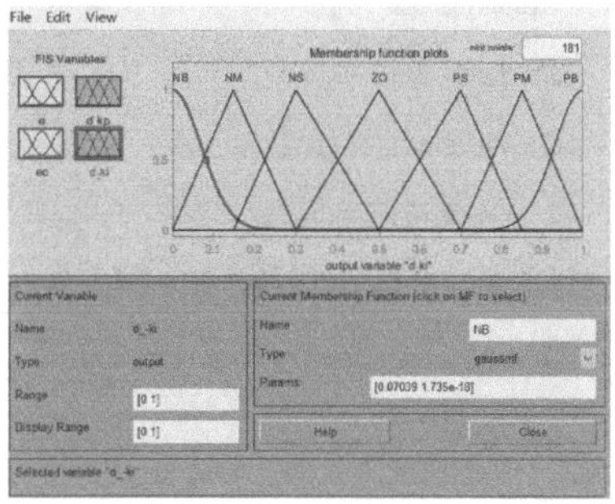

图 7-51　对输出变量 d_ki 进行属性配置

（5）对隶属度函数编辑规则并保存文件

如图 7-52 所示，其规则程序如下：

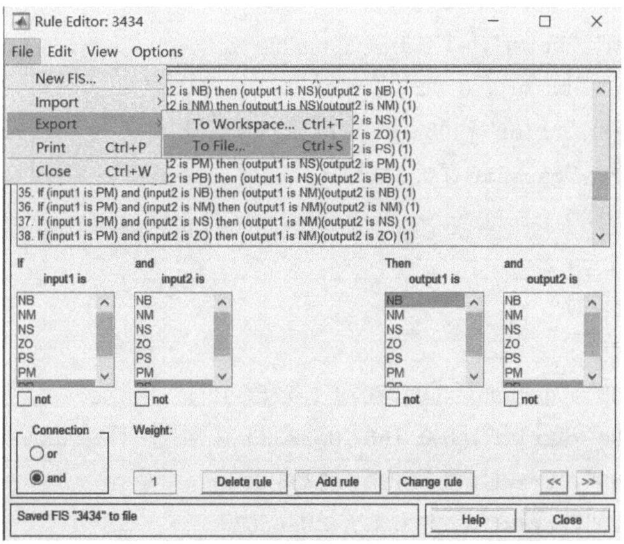

图 7-52　对隶属度函数编辑规则并保存文件

```
[System]
Name='3434'
Type='mamdani'
Version=2.0
NumInputs=2
```

```
NumOutputs-2
NumRules=48
AndMethod='min'
OrMethod="max'
ImpMethod='min'
AggMethod='max
DefuzzMethod='centroid
[Input1]
Name 'input1'
Range=[-3 3]
NumMFs=7
MF1="NB':"gaussmf',[0.335 -3]
MF2-"NM':"trimf',[-3 -2 -1]
MF3="NS':"trimf',[-2 -1 @]
MF4='ZO":"trimf',[-1 0 1]
MF5='PS':"trimf',[0 1 2]
MF6="PM':"trimf',[1 2 3]
MF7="PB':' gaussmf',[0.3 3]
[Input2]
Name='input2
Range=[e 1]
NumMFs=7
MF1="NB":"gaussmf',[0.07079 1.735e-18]
MF2="NM":"trimf',[0 0.1667 0.3333]
MF3="NS":"trimf",[0.1667 0.3333 0.5]
MF4="ZO":"trimf',[0.3333 0.5 0.6667]
MF5="PS":"trimf',[0.5 0.6667 0.8333]
MF6="PM":"trimf',[0.6667 0.8333 1]
MF7-"PB":"gaussmf,[0.05091 1]
```

速度环 PI 参数计算为：

$$K_i = \beta K_p \tag{7-2}$$

$$K_p = \frac{\beta J}{1.5 P_n \psi_f} \tag{7-3}$$

式中，J 是电机的转动惯量；P_n 是电机极对数；ψ_f 是电机磁链。速度环 PI 调节器的参数设置：β 表示转速环的带宽，为 50rad/s，则 $K_p=31250$，$K_i=31250\times50$，阻尼系数 $B_a=0$，输出初始值 0。

电流环 PI 参数计算为：

$$\begin{cases}K_{pd}=\alpha L_d\\K_{id}=\alpha R\\K_{pq}=\alpha L_q\\K_{iq}=\alpha R\end{cases}\tag{7-4}$$

电流环带宽根据电机的时间常数来计算，时间常数为 $\tau=\min\{L_d/R,L_q/R\}$，带宽 $\alpha=2\pi/\tau$，根据电机参数计算后 $L_d=1\Omega$，取 $\alpha=2400$rad/s。

（6）仿真分析

在设置电机、SVPWM 等模块参数和 PI 调节器参数后，再调整其他仿真参数，将电动轮侧的参考转速设置为 4775r/min，负载电机侧参数设置如下：$\psi_s^*=0.6$Wb、$\psi_{fs}=80\mu$s、$J=0.005$kg・m^2、$U_{dc}=300$V、$P_n=1$、$L_q=7.695$mH、$L_d=12.765$mH。负载电机的转速设定与被测电动轮的一致，为 $\omega_m^*=4775$r/min，同时将负载电机侧的初始负载转矩设为 0，并在 $t=2$s 时将负载电机侧的负载转矩设置为 12N・m（即从负载电机侧开始加载发电）。

① 负载电机侧仿真结果。从图 7-53、图 7-54 可以看出：负载电机侧采用转矩闭环控制，考虑到转矩误差、磁链误差及磁链位置角的变化范围，将误差分级并以此作为电压矢量的依据，定子磁通幅值响应较快，转矩脉动较小，从转矩为 0 升至 12N・m 可以快速响应。因此，本书提出的负载电机转矩闭环矢量控制，不仅改善了系统的动态特性，而且保证了系统的稳态特性。

② 被测电机侧仿真结果。由图 7-55、图 7-56、图 7-57 可以看出，电机在启动及负载增大后，转速有一定超调量，但是最后又恢复到平稳转速状态，说明该系统有一定的动态响应能力，且电机进入稳态后电流逐渐趋于平缓。电流随负载增大表现为逐渐增大，最后趋于平缓，这种变化趋势从电流变化曲线上明显反映出来。每一次加载完成时电流将逐渐降低至 0。为缓解对系统的影响，提高实验系统运行的稳定性，每次加负载时步长要适当减小，可明显提高系统运行的稳定性与可靠性，并验证本书中控制策略的可行性。

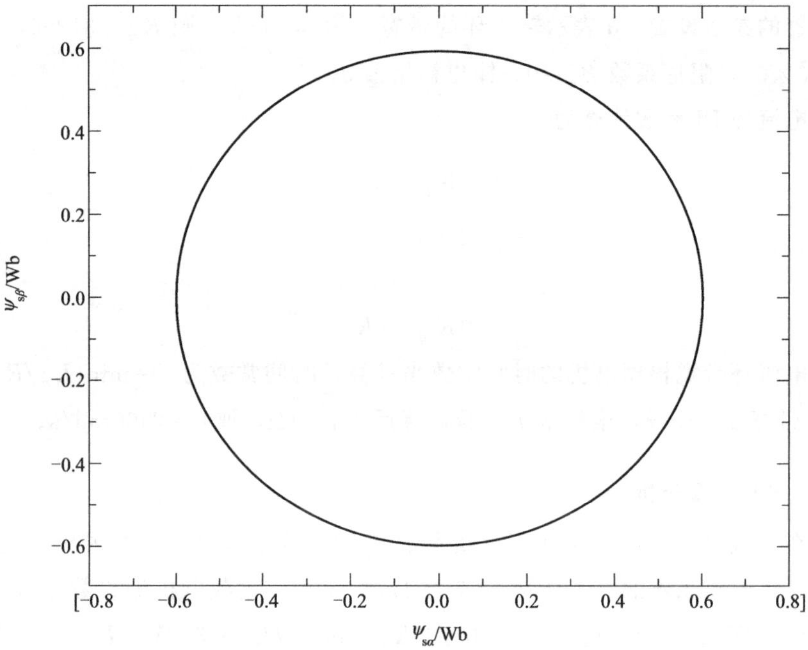

图 7-53　定子磁链在坐标系中的轨迹

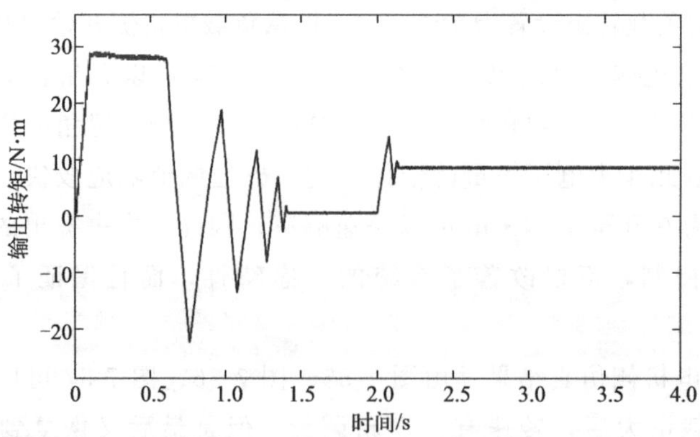

图 7-54　负载电机输出电磁转矩响应曲线

7.2.2　控制器软件系统建模

根据以上分析，控制器软件设计以实现矢量控制策略为主要目标，依据上述分析对电动轮和负载电机 2 种控制策略进行可行性验证，在 MATLAB/Simulink 中为完成 2 种控制策略构建算法模型，依据 2 种控制策略算法模型能

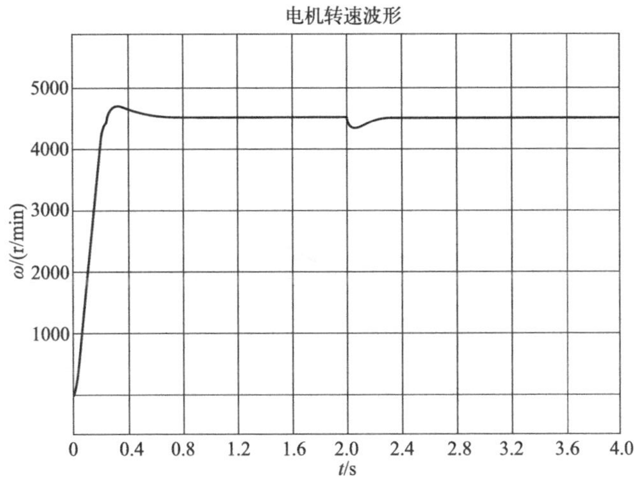

图 7-55　被测电机转速响应曲线

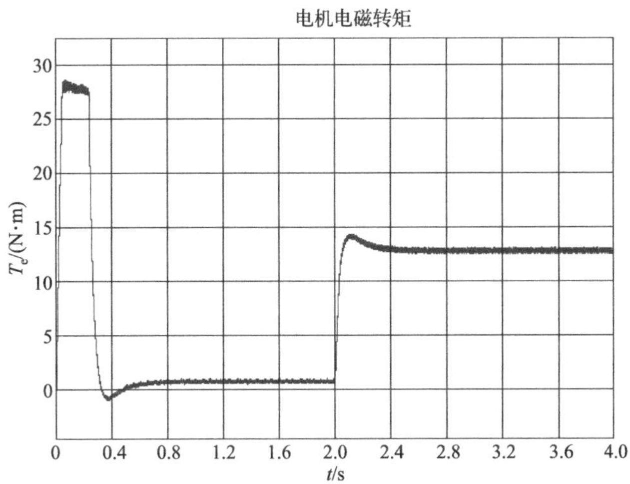

图 7-56　被测电机侧电磁转矩响应

够自动生成 C 代码并通过 CCS 编译形成执行代码，通过 DSP（数字信号处理器）串口下载可执行代码至 DSP 储存器进行操作，包括获取检测电机定子电流并调整解耦之后的电流、检测和调整电机转速、实时读取转子角度和位置、实现坐标变换相关运算、使用逆变器控制驱动波形调制和 SVPWM 驱动信号等。该过程流程图如图 7-58 所示。

在设计时软件系统时主要用到的 DPS 资源有：SVPWM 发生器和比较单元、ADC 转换单元、通用定时器、正交计数器、CAP 捕获单元等。在分析 DSP 控制器所实现的功能基础上，对电机控制系统进行了结构分解，采用矢

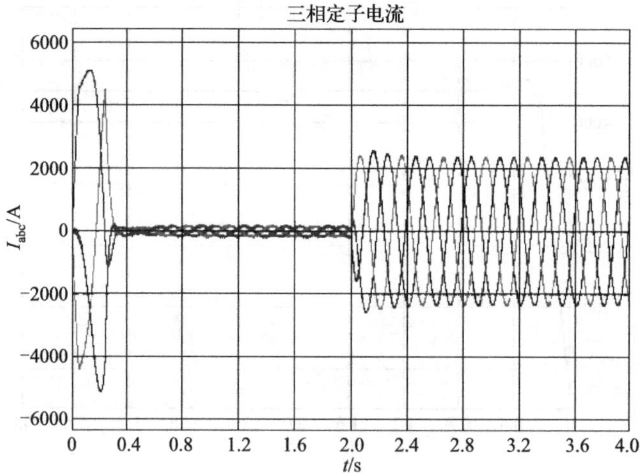

图 7-57　三相定子电流变化曲线

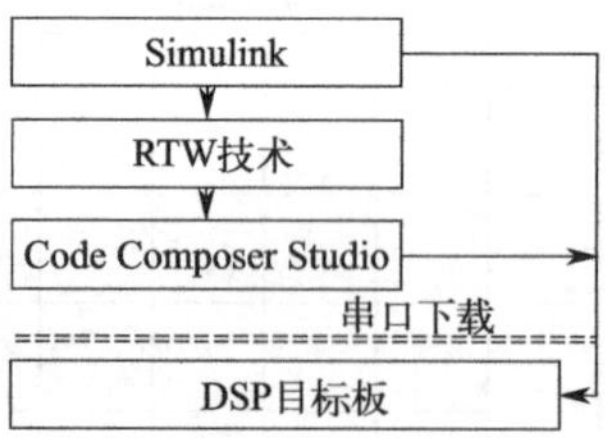

图 7-58　控制策略实现流程图

（RTW—Simulink 提供的代码生成器）

量控制算法可搭建电动轮与负载电机之间的软件构架。它主要由采集、计算和输出模块组成。主要控制流程被划分为各独立模块并加以控制，控制算法的主要模块如表 7-1 所示。

表 7-1　控制算法主要模块

模块	输入	输出
PI 控制	Ref Fdb	Out
Park 逆变换	Ds Qs Angle	Alpha、Beta
SVPWM	Ualpha、Ubeta	Ta、Tb、Tc
EVA 配置	MfuncC1、MfuncC2、MfuncC3、MfuncPeriod	CMPR1、CMPR2、CMPR3、T1PER(EV 寄存器值)
电流采集转	ADCINa/b/c(ADC 引脚)	Ia、Ib、Ic
Clark 变换	As Bs	Alpha、Beta
Park 变换	Alpha Beta Angle	Ds、Qs
电角度计算	QEPA/B/Z	ElecTheta、Direction
速度计算	ElecTheta Direction	Speed SpeedRpm

7.2.3　控制器硬件系统建模

在该小节中，重点介绍了控制芯片最小系统电路以及控制器重要环节的硬件设计。在控制器硬件设计中，为了实现数据处理及控制更迅速，本文使用了 TI 半导体公司的 TMS320F2812 芯片，从而实现更高速度、更高性能的控制算法，并且芯片集成外设可满足电机控制等系统需求。TMS320F2812 芯片如图 7-59 所示。

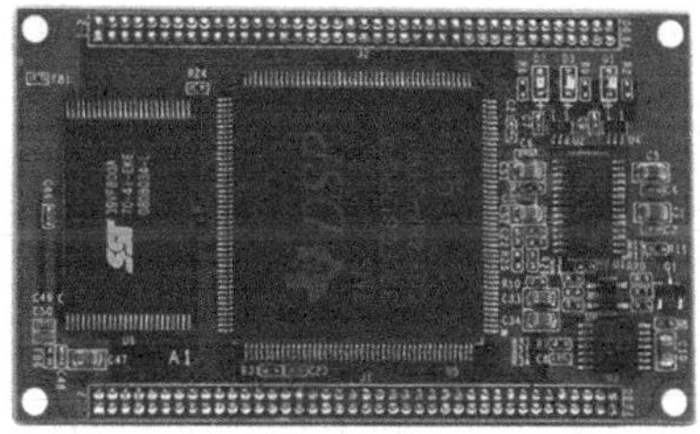

图 7-59　TMS320F2812 芯片

(1) 最小系统设计

利用 DSP 技术及硬件电路设计的相关知识，设计 DSP 最小系统。其中主要包括电源设计、复位电路设计、时钟电路设计、外扩式储存器设计、JTAG 接口设计，用于实现构建控制器测试硬件平台，并对后续控制器测试进行硬件支撑。TMS320F2812 芯片最小系统如图 7-60 所示。

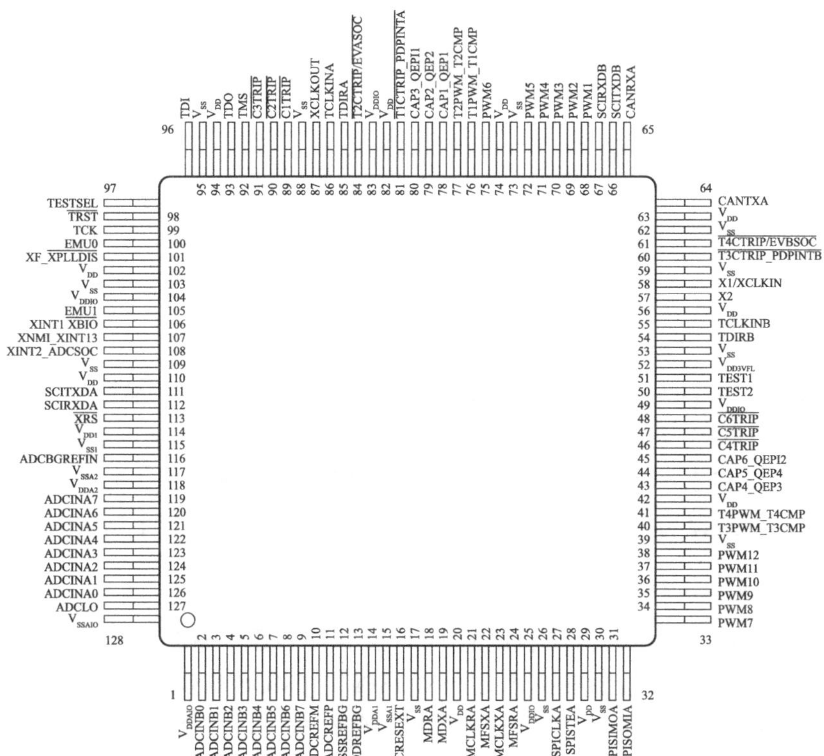

图 7-60　TMS320F2812 芯片最小系统

(2) RS-232 串口设计

串行通信接口（SCI）为异步串行通信接口，使用发送和接收双线制，俗称 UART 口，支持 16 级 FIFO 接收和发送，这样可以减少串口通信中 CPU 的开销。SCI 模块支持 CPU 与其他使用非归零制（NRZ）的外围设备之间的数字通信。当没有 FIFO 时，SCI 接收器与发送器均为双级缓冲方式，这时 SCI 接收器及发送器均具有独立使能与中断位，可设定为独立运行或同时全双工通信方式。F2812 中有两个串行通信接口（SCI 口），本文将 SCIRXDB 口设计为 RS-232 口，主要用于测试与上位机的通信，电平转换芯片采用美信公司的 MAX3232。和上位机进行通信的界面使用了通用串口 DB9。串口通信电路如图 7-61 所示。

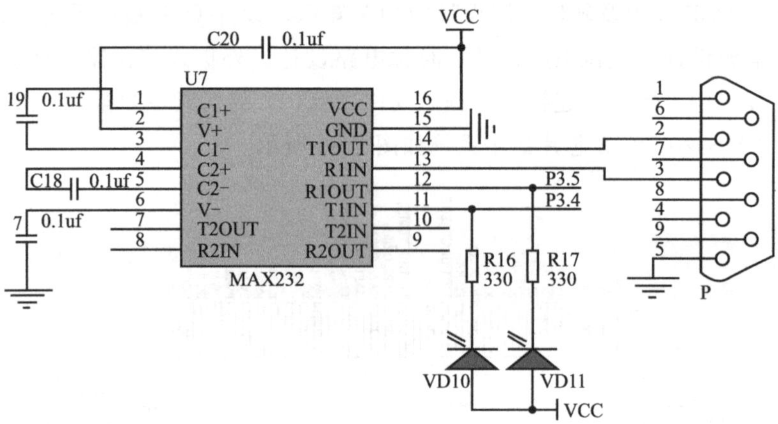

图 7-61　串口通信电路

(3) 系统电源设计

考虑到系统的用电需求，制作开关电源以 LM5085 为主要核心，利用它输出直流 75V 为功率驱动电路供电，并为后续产生核心电压做降压准备。LM5085 是 TI 公司生产的一款恒定导通时间 PFET 降压开关控制器，具有 4.5～75V 的宽范围输入电压，并可以根据需求，在设计过程中调节输出电流。

(4) 驱动电路设计

设计时，考虑到电机控制器的 DSP 控制核心需要输出六路两两互补的 PWM 驱动信号对逆变器各桥臂上的 MOSFET（MOS 场效应晶体管）进行驱动[43]，而 DSP 的通用 IO 口的输出电流只有约 4mA，完全不足以快速准确驱动 MOSFET。所以在逆变器驱动方案方面，选择将 DSP 的输出信号进行放大和电平转换并进行隔离，然后输出到专用 MOSFET 驱动芯片，由它进行功率器件的驱动，实现驱动芯片提供快速上升的栅极电流，降低损耗。

① SVPWM 驱动电路。设计采用 TXB0106 双向电平转芯片，它具有高达 100Mb/s 的传输速率，足够满足控制器 SVPWM 驱动信号的传输转换工作。控制器可利用该芯片，对 DSP 输出的 SVPWM 信号提高电流与电压的输出值，满足 MOSFET 驱动芯片的信号要求。由于是双向电平转换，该芯片也起到了保护 DSP 引脚的功能，防止 IO 口灌入过高的电压信号。

② 功率驱动电路。功率开关器件采用成本较为低廉的分立元件 MOSFET 作为功率器件，在保证耐压值的情况下，以逆变器每相桥臂都并联多个 MOSFET 的方式提高逆变器的可承受电流，使控制器能在更强的使用环境中工作。采用的是 Infineon 公司生产的汽车专用 MOSFET，型号为 IPB65R110，使用 D2PARK 封装。它的单管耐压值为 650V，足以应对一般电动轮 115V 的母线电压，可承受最大脉冲电流 150A。并且经过计算，选取的 MOSFET 驱动芯片为 IR2113。IR2113 驱动电路如图 7-62 所示。

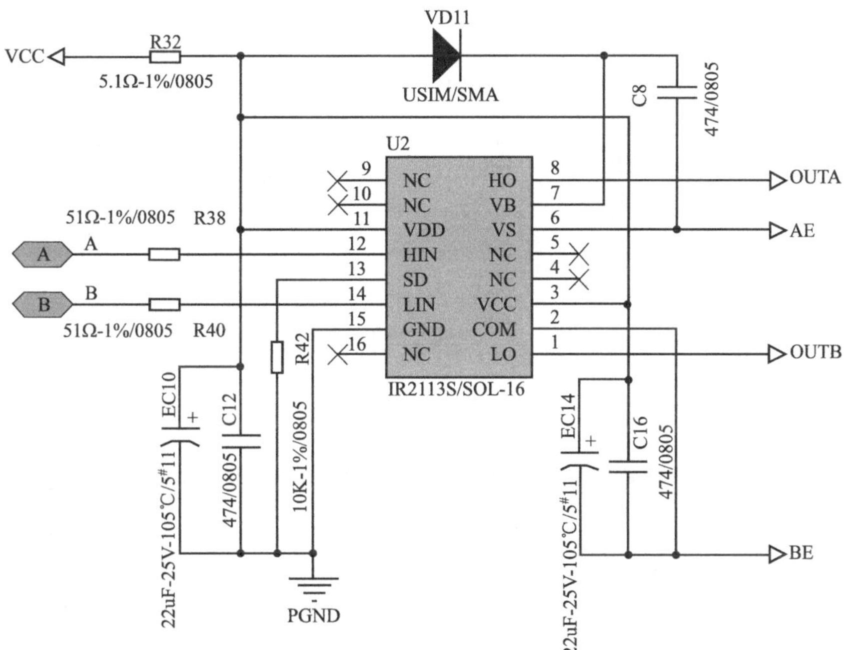

图 7-62　IR2113 驱动电路

(5) 检测电路设计

① 电流检测电路。电机控制器在电机运行时需时刻采集相电流用于实现电流闭环控制，并同时采集控制器母线电压与电流、控制器以及电机温度，实

现对电机与控制器的保护。嵌入式系统只能处理数字信号，因此，需要通过AD转换器将测量的模拟信号转为数字信号。TMS320F2812 内部集成 12 位 ADC 模块，采集模拟量范围 0～300V，但采样精度较低，因此，采用片外 AD 转换器实现采样。AD7606 为具有八通道输入的片外 AD 芯片，输出数据 16 位，输入范围可配置为±10V 或±5V，兼容串行、并行接口方式实现转换结果的读取，广泛应用于电机控制系统中，片外 AD 采样电路如图 7-63 所示。

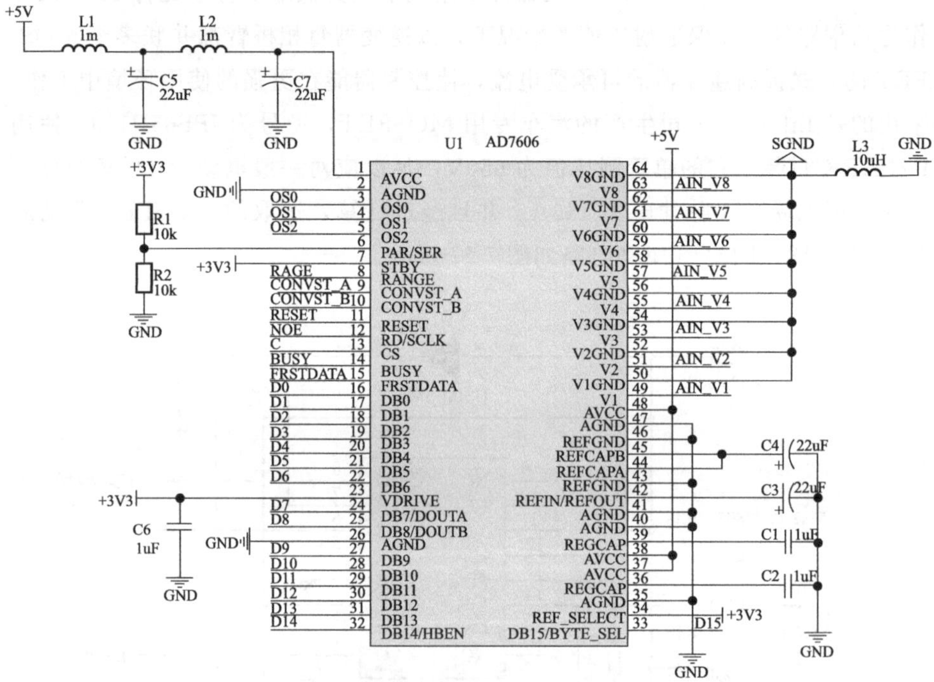

图 7-63　片外 AD 采样电路

控制器相电流传感器输出信号接至低通滤波电路后输出至电压跟随器，实现前后级阻抗匹配。再经低通滤波电路后输出至片外转换电路实现转换，*W* 相电流采样电路如图 7-64 所示。

② 速度检测电路。本设计采用正交编码器对速度进行测量，可实现准确采集电机的实际运行速度，以 TXB0104PWR 芯片为核心搭建调理电路。由于编码器的输出信号通常为开漏输出，在使用时必须为其添加上拉电阻 R45、R46、R47。它还设计有输出使能端，可配合系统的故障信号进行动作，OE 端输入低电平时，它的所有输出即可处于高阻态。为了确保 TXB0104PWR 在上电或掉电期间均处于高阻态，本电路添加了 R48 作为下拉电阻，只有在上电工作时通过将 Encorder_EN 端置高，才可启用编码器电路。编码器电路如

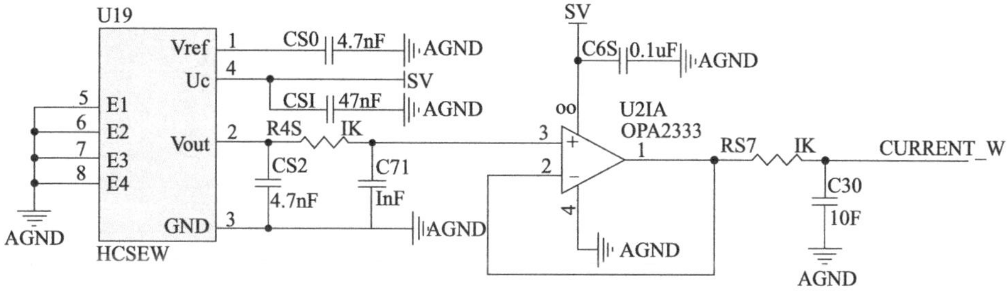

图 7-64　*W* 相电流采样电路

图 7-65 所示。

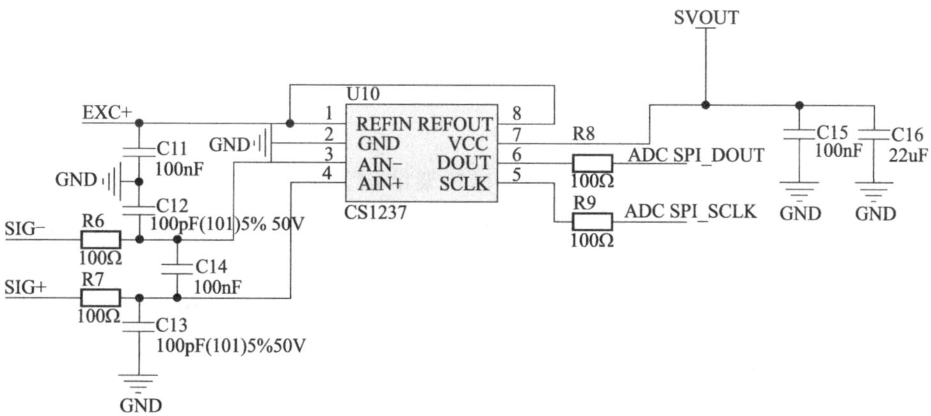

图 7-65　编码器电路

结合上述控制器的硬件和软件设计，完成负载电机与电动轮的控制器整体设计，满足测试平台控制器需求。

思考题

1. 说出几个常用的布尔控件。
2. 简述 SVPWM 基本原理。
3. 简述 Simulink 模糊控制器的生成方法。
4. 尝试利用 LabVIEW 生成模糊控制器。

第8章

特种车系统上装结构建模与仿真

本章将以某型特种车上装筒体支撑桁架结构为例，使用 CATIA 进行三维建模，并联合使用 ANSYS 对起竖工况下的筒体桁架结构进行静力学有限元仿真，通过仿真结果分析桁架结构是否达到强度要求。通过本章学习，可使读者掌握 CATIA 建模的基本思路与方法，了解 ANSYS 静力学有限元仿真的基本思路与步骤，主要包括模型导入、网格划分、条件设置、后处理等。

8.1 上装结构三维模型建立

8.1.1 上装结构尺寸基本要求

特种汽车上装通常指的是除了基本底盘之外，为了完成特定功能而附加的专门装置或设备。这些装置或设备通常是根据汽车将要执行的任务来特别设计和制造的[44]，比如消防车的水箱、压力泵、消防梯等，或者道路清扫车的清扫刷、喷水系统、垃圾压缩设备等清洁工具。本章将以某型导弹发射汽车筒体内部支撑桁架近似结构为例进行强度分析，该桁架结构如图 8-1 所示。

图 8-1 某型特种车筒体支撑桁架结构

该桁架结构总长度 16m，直径 2.3m，实际制造时主要使用焊接作为连接方式，使用三角形结构配合侧向斜撑来提升整体刚度。在实际使用中，该桁架结构会在液压缸的作用下从水平状态运动至竖直状态。桁架整体材料采用 Q550 钢材，具有高强度、高韧性、焊接性能良好等优点。Q550 钢材料属性表如表 8-1 所示。

表 8-1　Q550 钢材料属性表

材料名称	密度/(kg/m^3)	弹性模量/GPa	泊松比	屈服极限/MPa
Q550	7850	200	0.3	550

在进行静力学有限元分析中，判定结构是否满足强度要求的重要判据就是观察仿真结果的最大应力值是否超过材料的许用应力，许用应力可由式(8-1)进行计算。

$$[\delta]=\frac{\delta_S}{n} \tag{8-1}$$

式中　$[\delta]$ ——许用应力；

δ_S——屈服强度；

n——安全系数。

安全系数的选择会受到多种条件影响，如材料性能、载荷条件、设计寿命、经济成本等，一般选取安全系数在 1.5～2.5[45]，综合考虑桁架结构的工况与设计经验，本实例中安全系数取 2 较为合理。代入式(8-1) 可得出材料的许用应力为 275MPa，这是之后仿真结果分析的重要依据。

8.1.2　使用 CATIA 建立上装结构三维模型

本次实例中将使用 CATIA 进行建模，CATIA 是由法国达索系统公司推出的集 CAD、CAE 和 CAM 于一体的工业设计软件，现在广泛应用于汽车、船舶、航空航天、工业设计等诸多领域[46]。使用 CATIA 建立三维模型的一般思路是由平面草图出发，构建基本的几何形状；进而使用各种建模命令构建实体，并进一步细化修饰细节逐步完成零件构建；最后使用装配模块将零件组装成装配体。本实例使用软件版本为 CATIA V5-6R2019，具体操作步骤如下。

① 双击 CATIA 图标打开软件。

② 点击上方开始栏中“文件”→“新建”，在弹出的类型列表中选择“Part”，如图 8-2 所示，点击“确定”后将弹出“新建零件”界面，如图 8-3 所示，输入零件名称（不要含有中文字符），勾选“启用混合设计”，之后点击“确定”进入零件建模界面。

图 8-2　类型列表

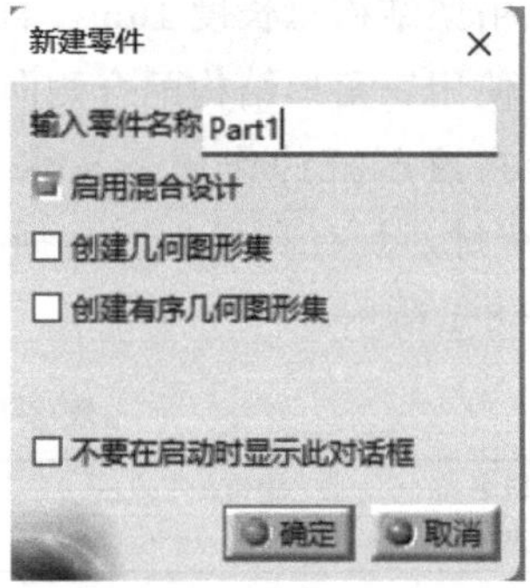

图 8-3　新建零件

③ 进入界面后，如图 8-4 所示，先点击左侧“yz 平面”，再点击右侧“草图”命令进入草图编辑界面。

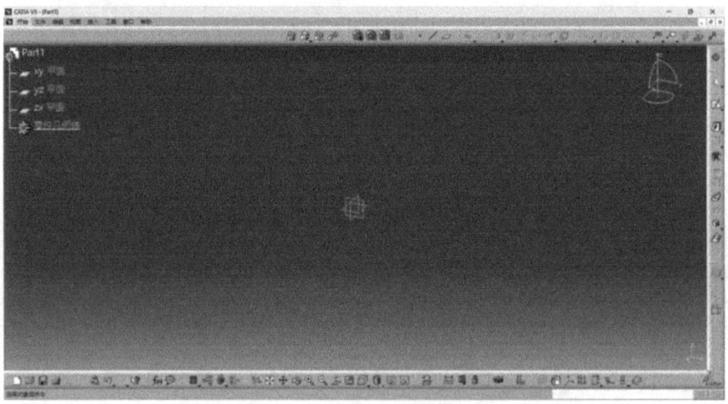

图 8-4　零件建模界面

④ 草图编辑界面如图 8-5 所示，初次进入时右侧命令栏可能显示不完全，可以按住左键操作拖动条将图 8-6 所示的拖动条将命令栏拖出，可将命令栏调整至方便操作的位置。

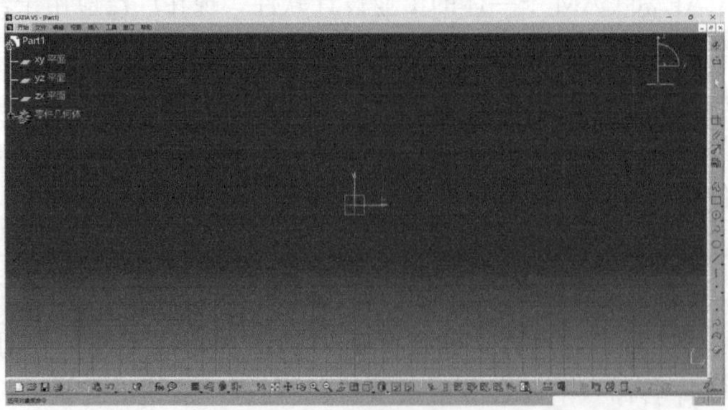

图 8-5　草图编辑界面

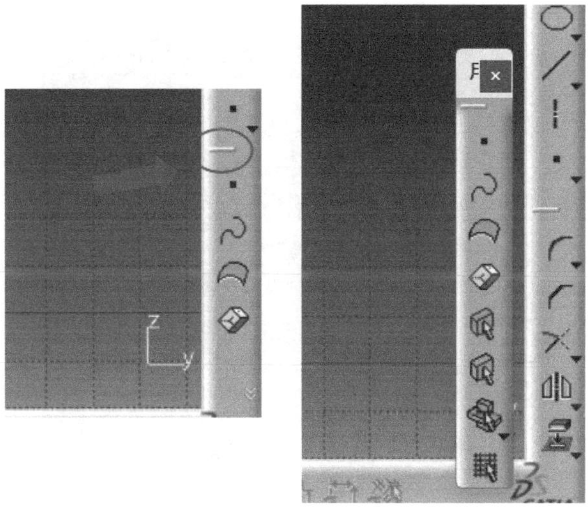

图 8-6　拖拽调整命令栏

⑤ 点击右侧“矩形”命令下拉菜单，选择居中矩形，第一次点击可确定居中矩形中心点位置，如图 8-7 所示，选择 V 轴确定中心点，之后拖动光标调整矩形形状，再次点击完成创建居中矩形。

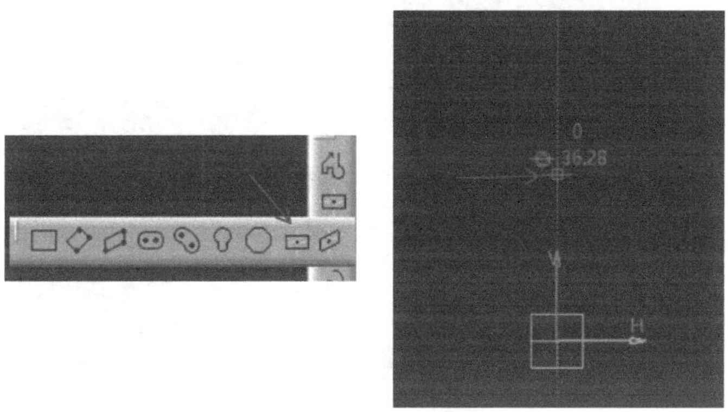

图 8-7　创建居中矩形

⑥ 点击左侧“约束”命令，之后分别点击居中矩形的两条边分别为其添加尺寸约束，再次点击可完成约束，如图 8-8 所示。双击约束后的尺寸值可能会弹出“约束定义”对话框，可修改尺寸值，将尺寸修改为 80mm（CATIA 默认单位为 mm），点击“确定”完成尺寸修改。

⑦ 点击“约束”命令，如图 8-9 所示，先点击居中矩形下边，再点击 V 轴，可创建两元素间的约束，创建完成后将尺寸值修改为 1478mm。此时草图中的线条变为绿色表示该草图已经被完全约束。

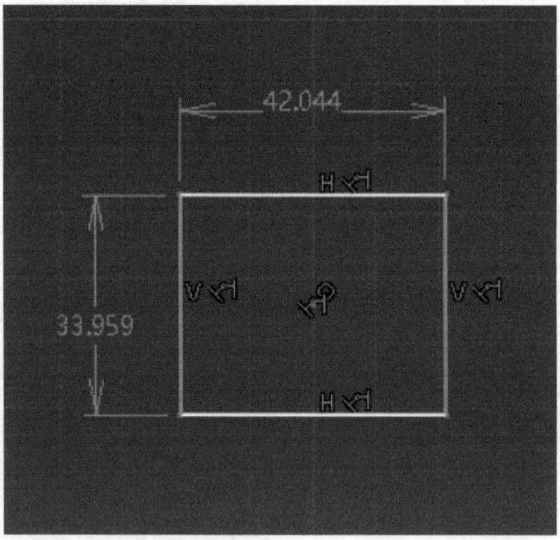

图 8-8　创建尺寸约束

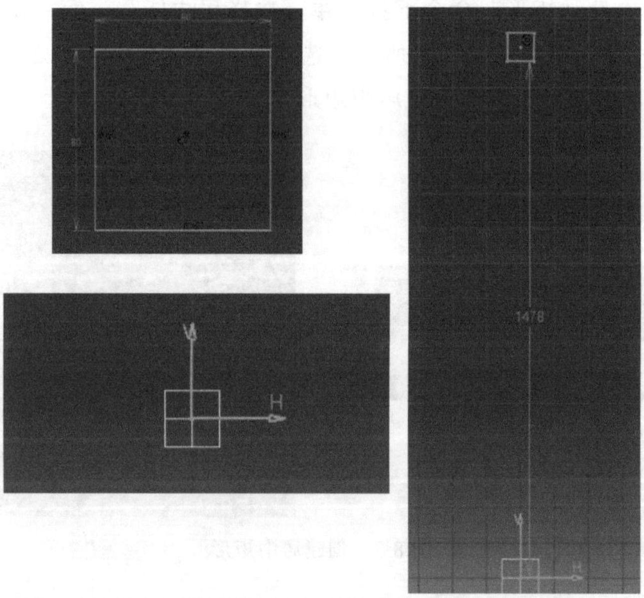

图 8-9　创建两线间约束

⑧ 点击左侧“矩形”命令并添加约束，绘制一个边长为 80mm 的正方形，之后如图 8-10 所示，按住 Ctrl 键，依次点击正方形的上边和 H 轴，此时两轴变为橙色表示被选中，之后点击左侧“对话框中定义的约束”命令，勾选“相合”选项，之后点击“确定”，完成相合约束操作。

⑨ 参照步骤⑤到⑧，完成图 8-11 所示草图，绘制完成后点击“退出草图”。

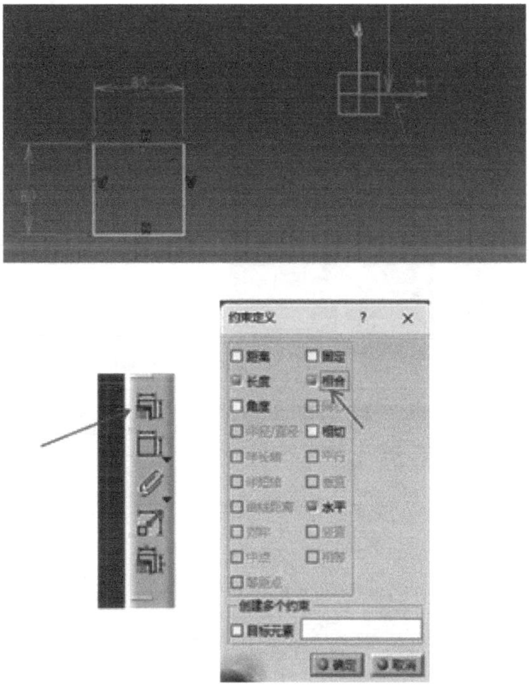

图 8-10　创建相合约束

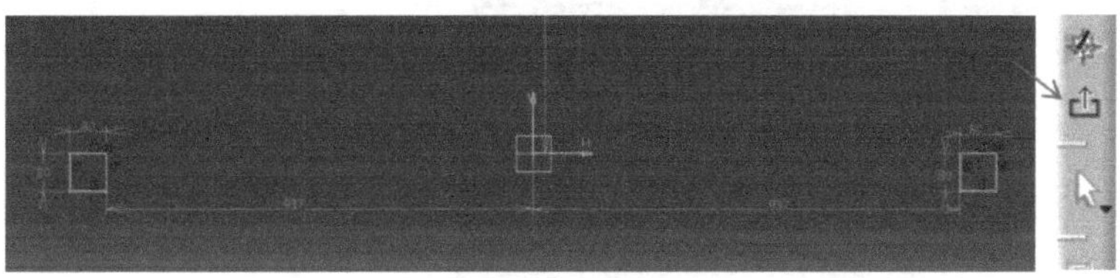

图 8-11　其余草图

⑩ 回到零件设计界面后，点击左侧“凸台”命令会弹出“定义凸台”对话框，在“长度”栏输入“16000”，“轮廓/曲面”栏选择左侧结构树“草图1”，之后点击“确定”创建凸台。如图 8-12 所示。

⑪ 点击“盒体”命令（若出现提示弹窗点击“确定”），弹出“定义盒体”对话框，选择图 8-13 所示凸台两侧 6 个方形面作为移除面，在“内侧厚度”栏输入“6mm”，点击“确定”创建盒体，完成方管绘制。

⑫ 之后点击上方开始栏中的“文件”→“保存”，选择文件夹后保存文件。

⑬ 新建一个 Part 文件，选择 yz 平面，绘制图 8-14 所示三角结构草图。绘制完成后退出草图。

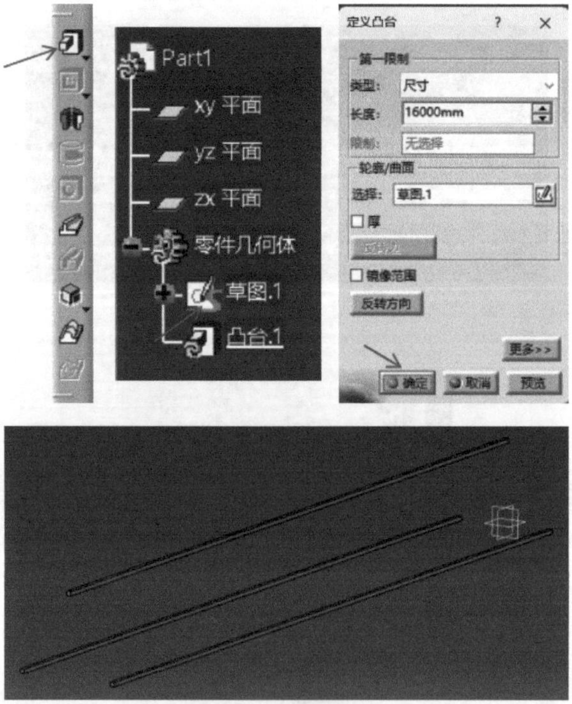

图 8-12　创建凸台

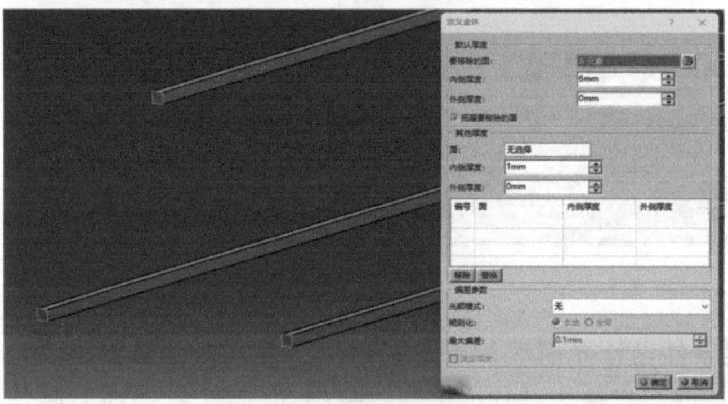

图 8-13　创建盒体

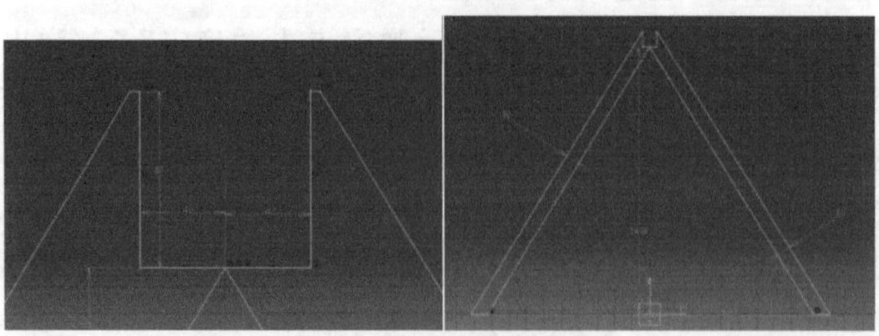

图 8-14　三角结构草图

⑭ 使用“凸台”命令创建凸台，如图 8-15 所示。

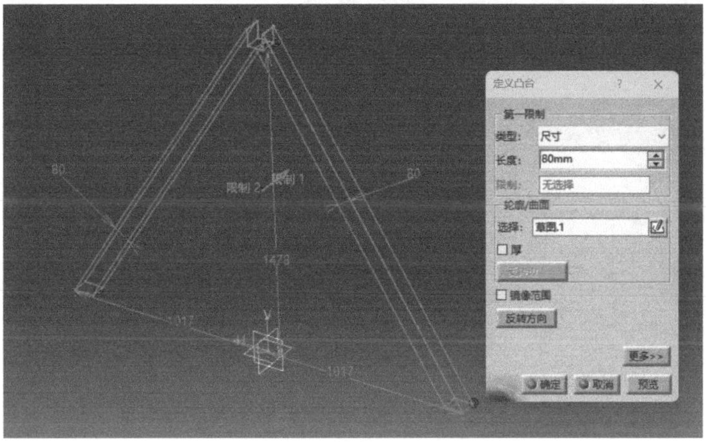

图 8-15　创建三角结构凸台

⑮ 点击“盒体”命令，选择图 8-16 所示 6 个面为移除面，“内侧厚度”输入值为“6mm”，创建盒体使三角结构变为管材。

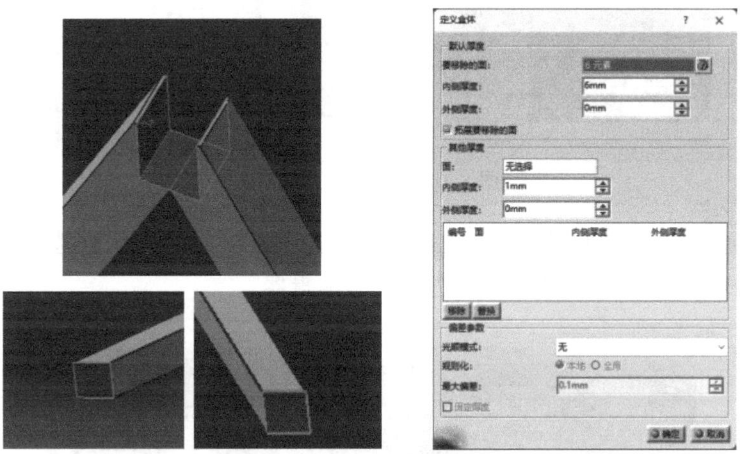

图 8-16　对三角结构创建盒体

⑯ 点击“矩形阵列”命令，弹出“定义矩形阵列”对话框，在“实例”栏输入数量为“9”，“间距”栏输入“1989.5mm”，右击“参考元素”栏选择“X 轴”，之后点击“确认”完成创建，如图 8-17 所示。

⑰ 点击上方开始栏的“插入”→“几何体”，如图 8-18 所示，左侧结构树中会生成一个新的“几何体 2”，右击“几何体 2”点击“定义工作对象”即可在新的几何体中进行建模。

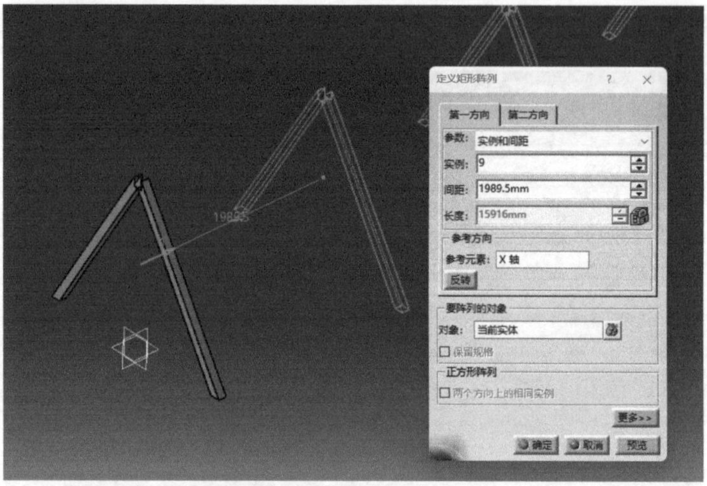

图 8-17　创建矩形阵列

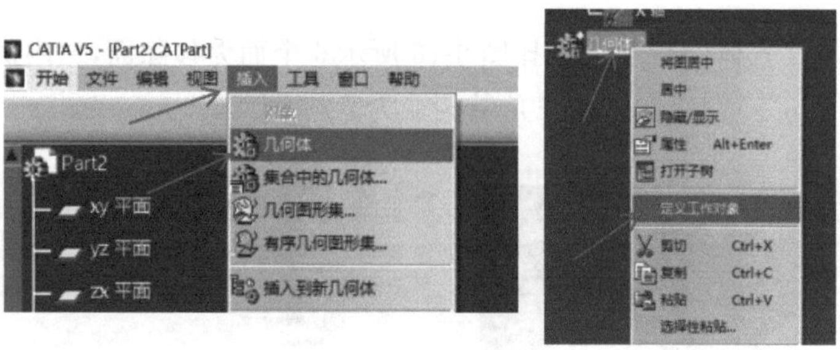

图 8-18　插入新的几何体

⑱ 点击图 8-19 所示平面，此时该平面轮廓变为橙色表示被选中，之后点击“草图”命令，可由零件表面进入草图编辑器。

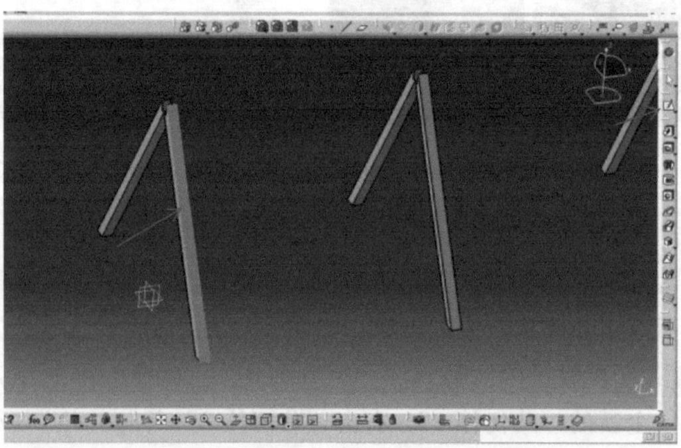

图 8-19　由零件表面进入草图编辑器

⑲ 绘制图 8-20 所示斜撑草图，之后退出草图编辑器。使用“凸台”命令，将绘制的草图生成凸台（注意观察凸台生成方向，如方向不对，可点击“定义凸台”中的“反转方向”）。

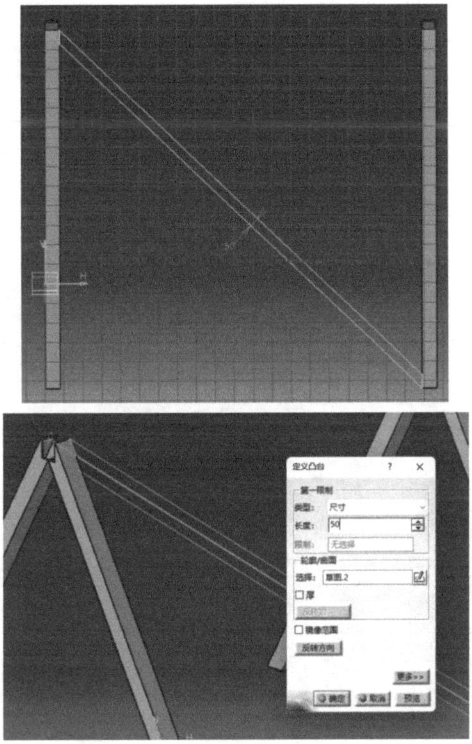

图 8-20　绘制斜撑草图并生成凸台

⑳ 使用“盒体”命令，如图 8-21 所示，选择斜撑的两个面为移除面，在“内侧厚度”栏输入“5mm”，点击“确定”生成盒体。

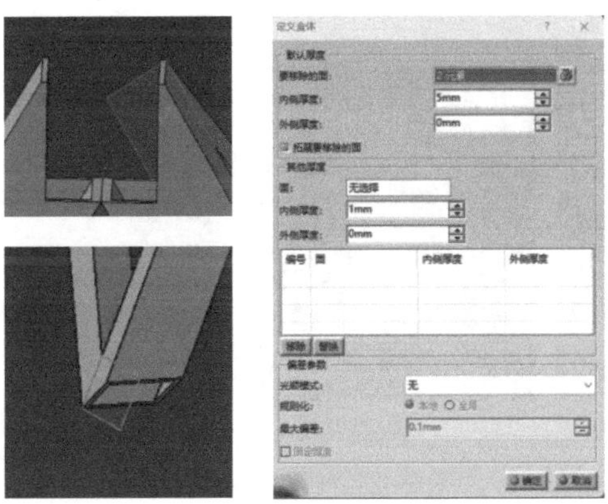

图 8-21　对斜撑创建盒体

㉑ 点击图 8-22 所示平面进入草图编辑器，绘制图 8-23 所示切割框草图，之后退出草图编辑器。

㉒ 在零件编辑界面，点击“凹槽”命令弹出“定义凹槽”对话框，如图 8-24 所示，在“深度”处输入“100mm”，之后点击左侧结构树中刚刚绘制的“草图 3”作为轮廓，点击“确定”生成凹槽，可切除斜撑多余部分。

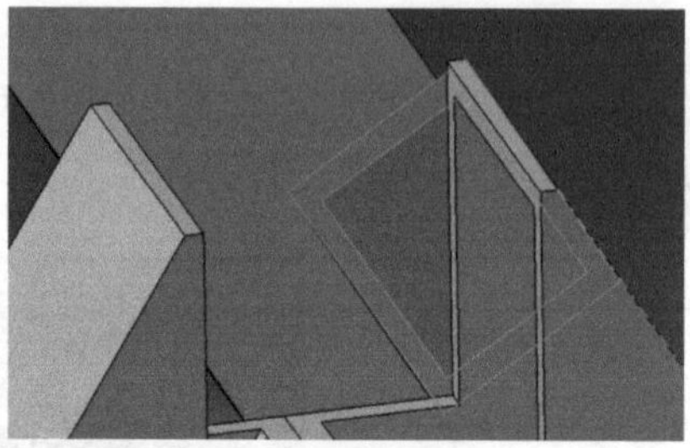

图 8-22　切割框草图平面

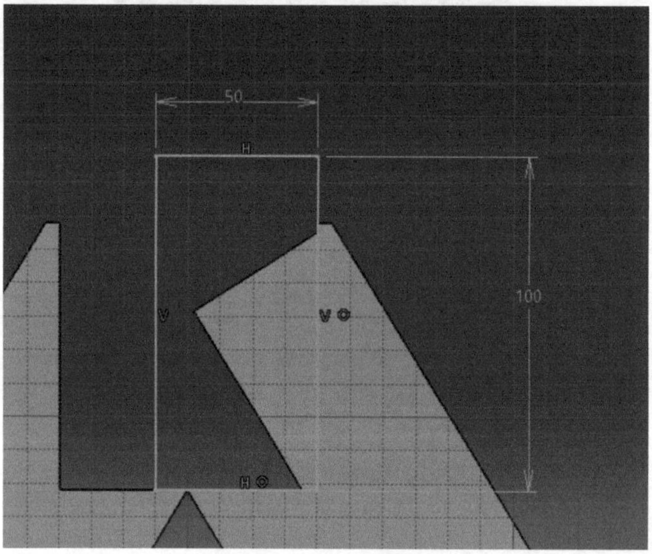

图 8-23　切割框草图

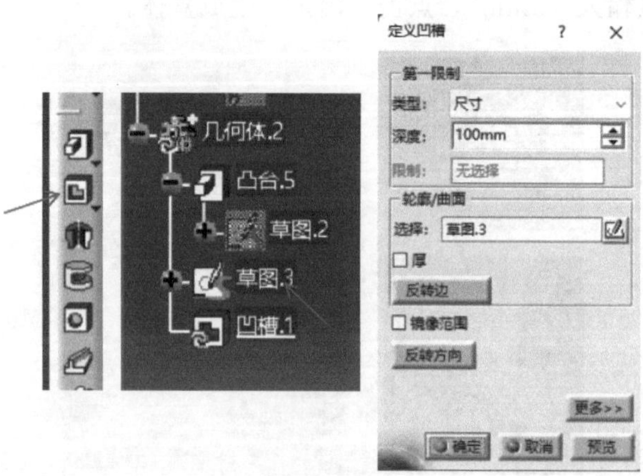

图 8-24　创建凹槽

㉓ 使用同样的方法切除另一侧多余的斜撑，如图 8-25 所示。

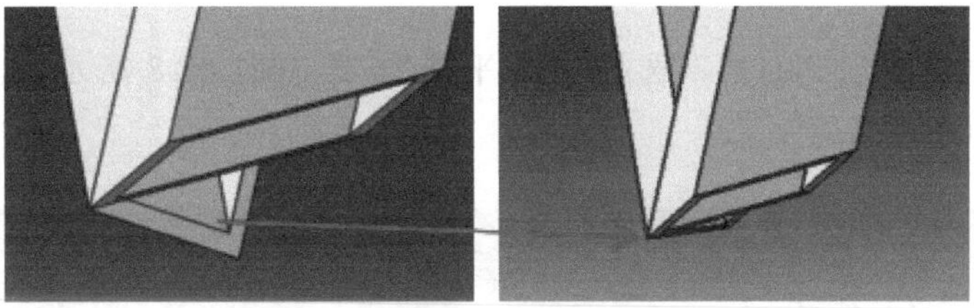

图 8-25　切除另一侧多余斜撑

㉔ 点击“矩形阵列”命令，弹出“定义矩形阵列”对话框，在“实例”栏输入数量为“8”，“间距”栏输入“1989.5mm”，右击“参考元素”栏选择“X 轴”，之后点击“确定”完成创建，如图 8-26 所示。

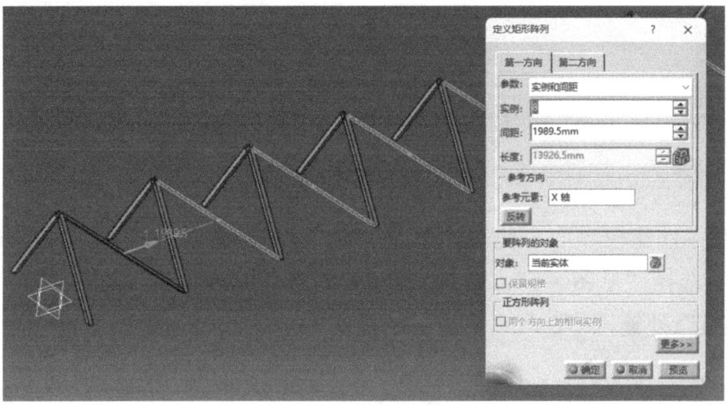

图 8-26　使用斜撑创建矩形阵列

㉕ 点击“镜像”命令，会弹出“定义镜像”对话框，如图 8-27 所示，右击“镜像元素”栏，选择“ZX 平面”后，点击“确定”创建镜像体。

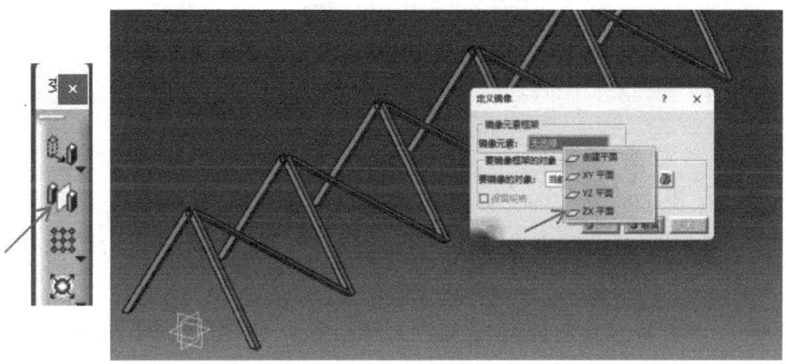

图 8-27　创建镜像体

㉖ 之后点击上方开始栏中的“文件”→“保存”，选择文件夹后保存文件。

㉗ 新建零件“Part3”，选择“zx 平面”，绘制图 8-28 所示底边梁草图，之后退出草图编辑器。

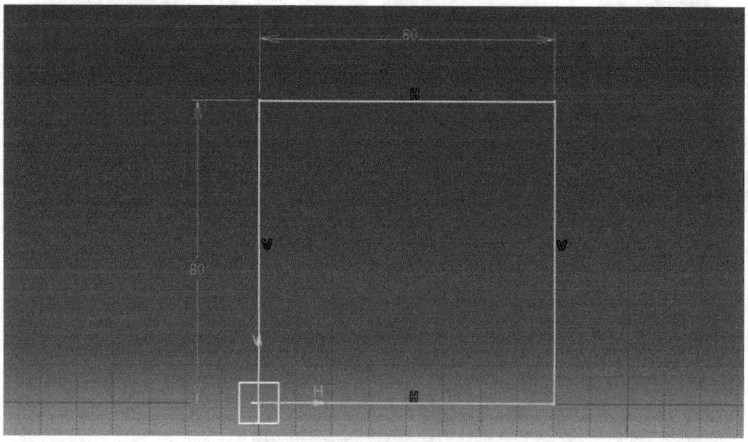

图 8-28 底边梁草图

㉘ 在零件建模界面，使用“凸台”命令，“长度”栏输入“937mm”，“轮廓/曲面”选择“草图·1”，勾选“厚”，勾选“镜像范围”，之后在“薄凸台”栏“厚度 1”处输入“6mm”，点击“确定”生成凸台，如图 8-29 所示。

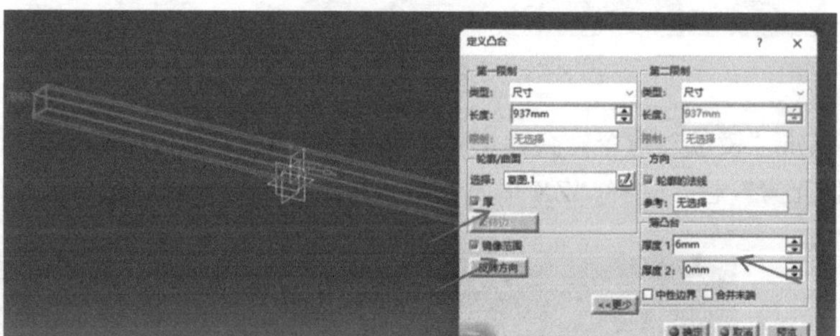

图 8-29 创建镜像范围薄凸台

㉙ 点击“矩形阵列”命令，在“实例”栏输入数量为“9”，“间距”栏输入“1989.5mm”，右击“参考元素”栏选择“X 轴”，之后点击“确定”完成创建，如图 8-30 所示。

㉚ 插入一个新的几何体并定义为工作对象，选择图 8-31 所示平面进入草图编辑器，绘制图 8-32 所示底边梁斜撑草图。绘制完毕后退出草图编辑器。

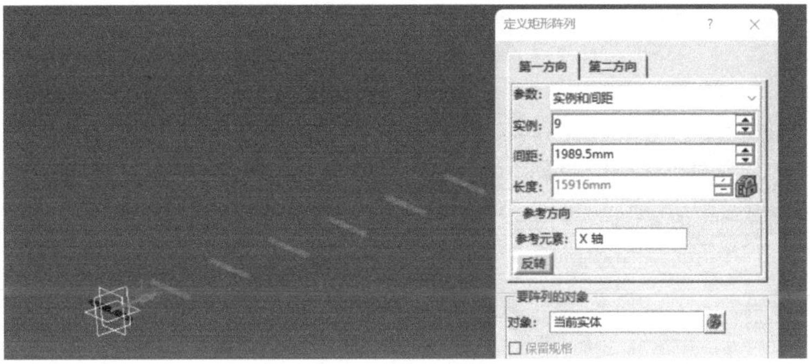

图 8-30　对底边梁使用矩形阵列

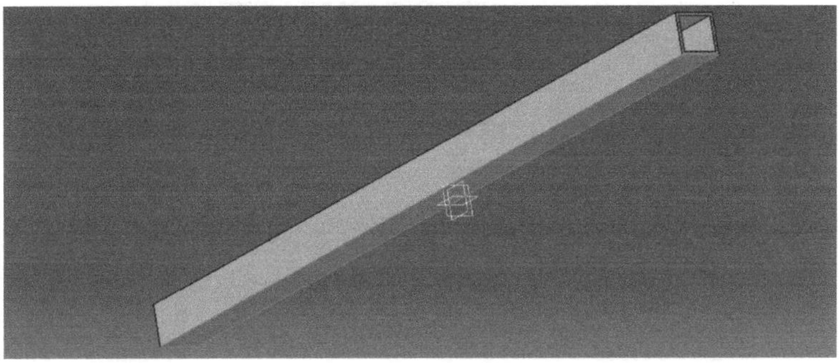

图 8-31　底边梁斜撑草图绘制平面

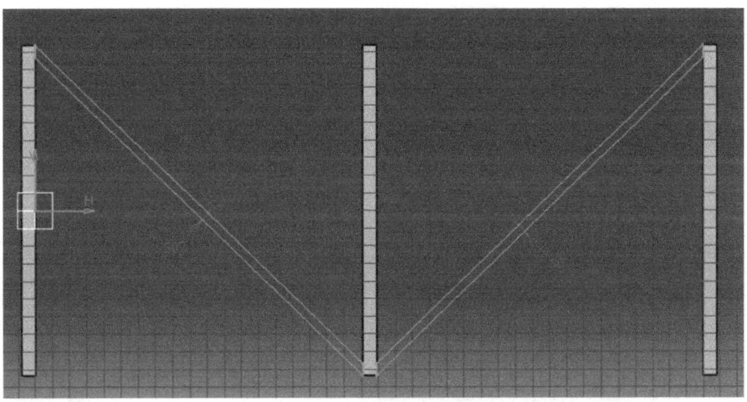

图 8-32　底边梁斜撑草图

㉛ 使用“凸台”命令生成凸台，如图 8-33 所示。在“长度”栏输入“50mm”。

㉜ 如图 8-34 所示，右击结构树的“零件几何体”，选择“隐藏/显示”，可隐藏几何体方便操作（重复操作可显示几何体）。之后使用“盒体”命令，在“内侧厚度”栏输入“5mm”，将底边梁斜撑抽壳成管材，如图 8-35 所示。

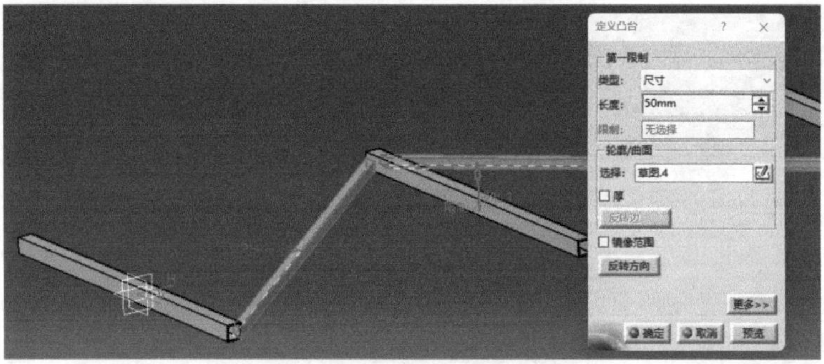

图 8-33　底边梁斜撑凸台

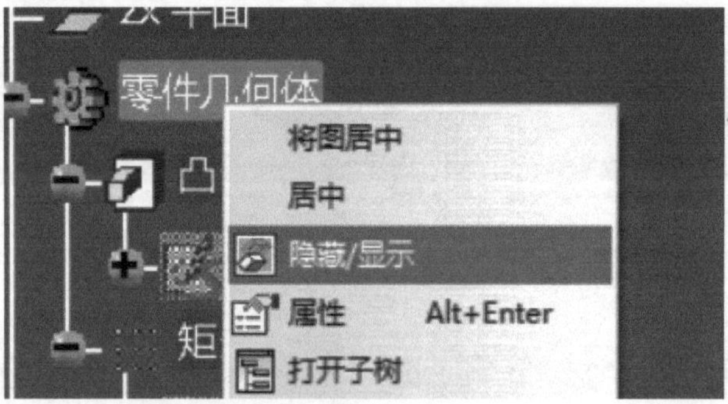

图 8-34　隐藏/显示几何体

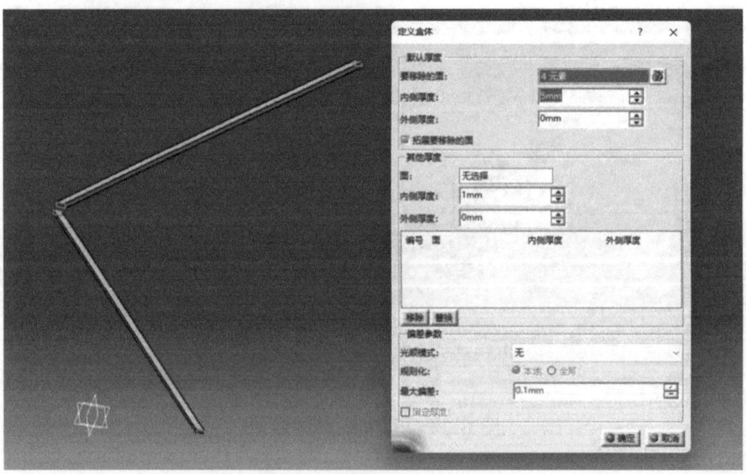

图 8-35　对底边梁斜撑抽壳

㉝ 显示零件几何体，使用“矩形阵列”命令，在“实例”栏输入数量为“4”，“间距”栏输入“3979mm”，右击“参考元素”栏选择“X 轴”，之后点击“确定”完成创建，如图 8-36 所示。

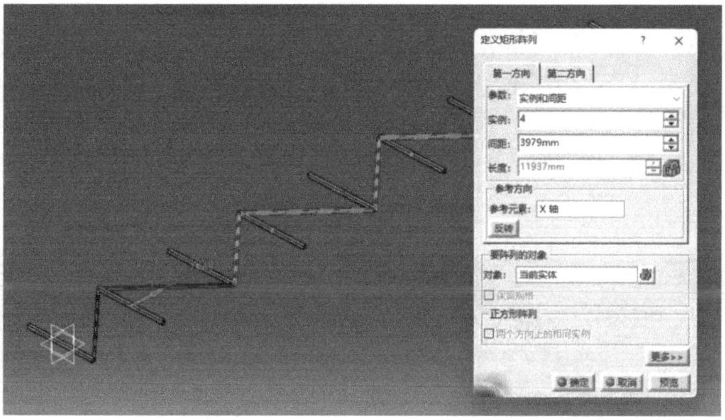

图 8-36　对底边梁斜撑使用矩形阵列

㉞ 之后点击上方开始栏中的“文件”→“保存”，选择文件夹后保存文件。

㉟ 新建零件“Part4”，选用“yz 平面”，绘制图 8-37 所示工字梁草图。绘制完成后退出草图编辑器，使用“凸台”命令创建长度为 8100mm 的凸台。

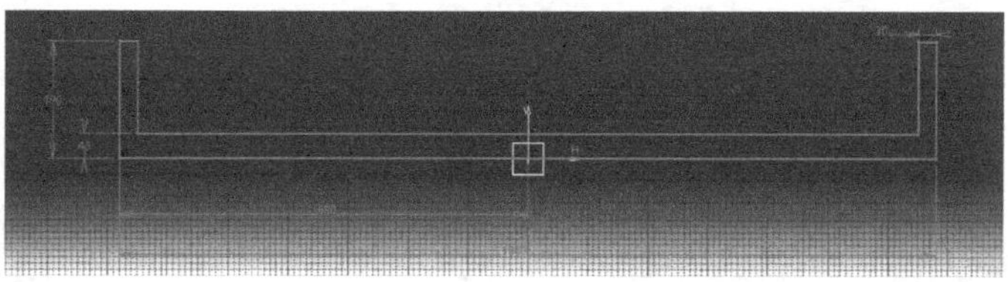

图 8-37　工字梁草图

㊱ 插入一个新的几何体并定义为工作对象，选择图 8-38 所示平面进入草图编辑器，绘制图 8-39 所示支撑板草图。绘制完毕后退出草图编辑器。

图 8-38　支撑板草图绘制平面

㊲ 使用“凸台”命令，创建图 8-40 所示凸台，之后使用“矩形阵列”命令创建图 8-41 所示阵列。

㊳ 插入一个新的几何体并定义工作对象，选择“yz 平面”，绘制图 8-42 所示举升点安装板草图。

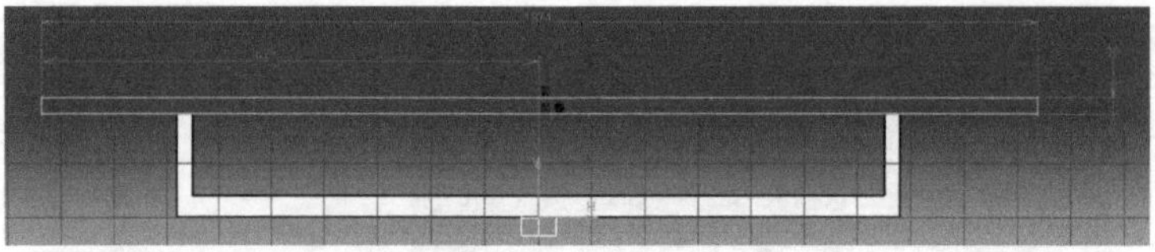

图 8-39　支撑板草图

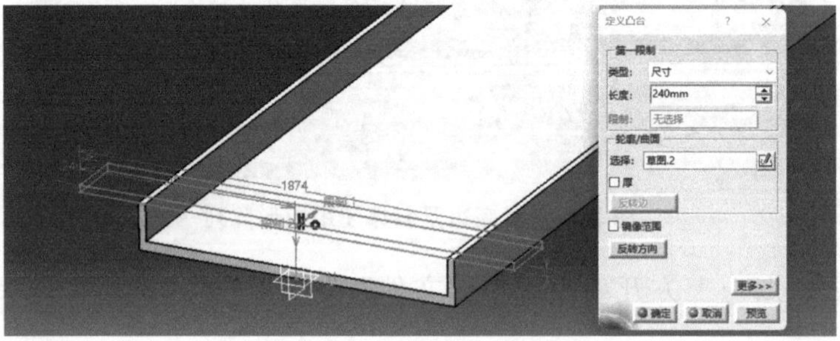

图 8-40　创建支撑板凸台

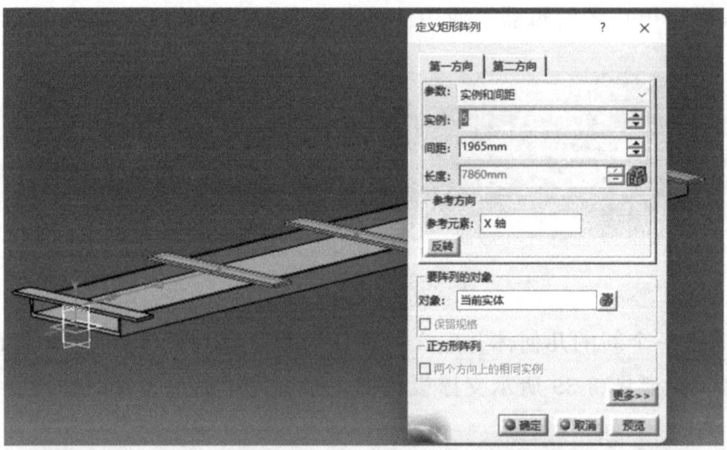

图 8-41　支撑板阵列

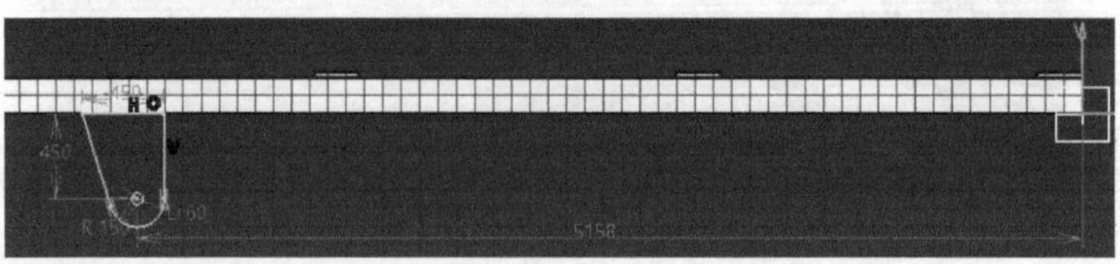

图 8-42　举升点安装板草图

㊴ 点击“凸台”命令，如图 8-43 所示，在“第一限制”的“长度”栏输入“95mm”，点击右下角“更多”，在“第二限制”的“长度”栏输入“－35mm”，创建凸台。

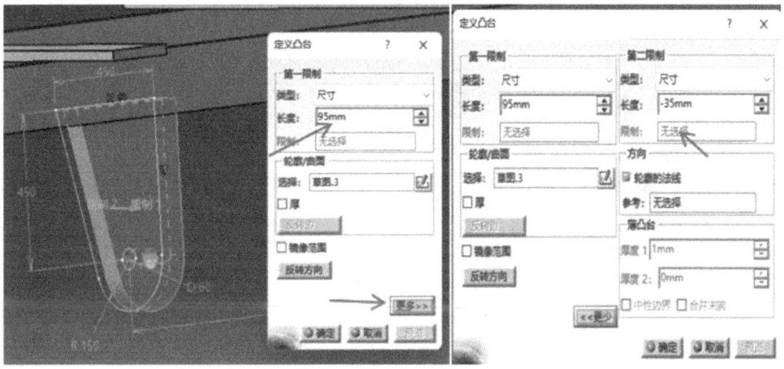

图 8-43　创建举升点安装板凸台

㊵ 点击“镜像”命令，右击“镜像元素”栏选择“zx 平面”，创建镜像，如图 8-44 所示。

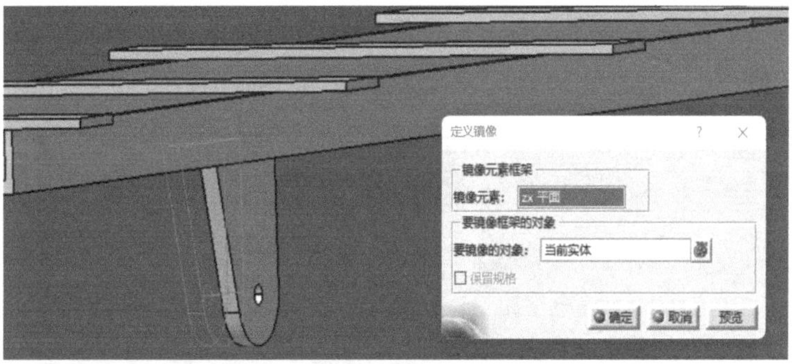

图 8-44　创建举升点安装板镜像

㊶ 插入一个新的几何体并定义工作对象，选择“yz 平面”，绘制图 8-45 所示回转点安装板草图。

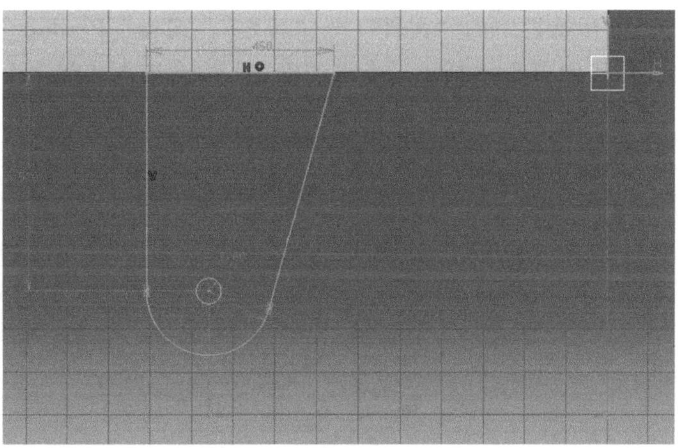

图 8-45　回转点安装板草图

㊷ 使用第二限制创建回转点安装板凸台，如图 8-46 所示。

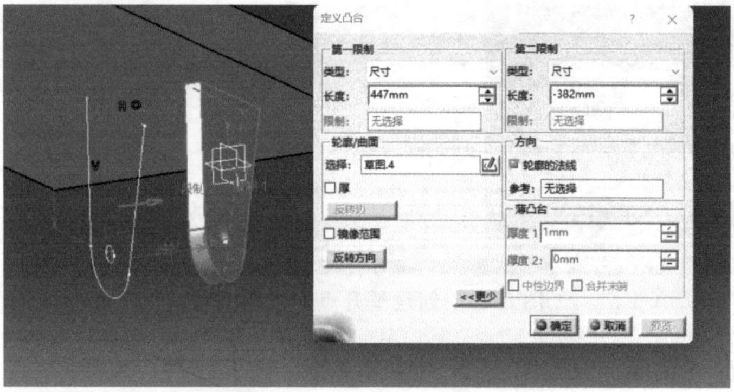

图 8-46　使用第二限制创建回转点安装板凸台

㊸ 点击“镜像”命令，右击“镜像元素”栏选择“zx 平面”，创建镜像，如图 8-47 所示。

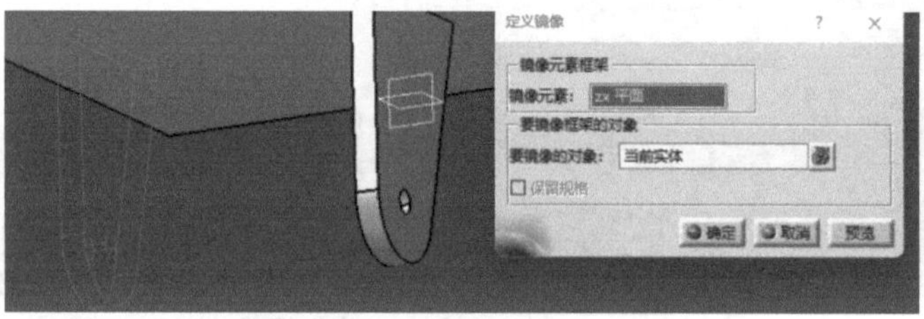

图 8-47　创建回转点安装板镜像

㊹ 之后点击上方开始栏中的“文件”→“保存”，选择文件夹后保存文件。

㊺ 点击上方开始栏中的“文件”→“新建”，选择“Product”文件，新建一个产品文件，如图 8-48 所示，点击“确定”后会进入装配设计界面。

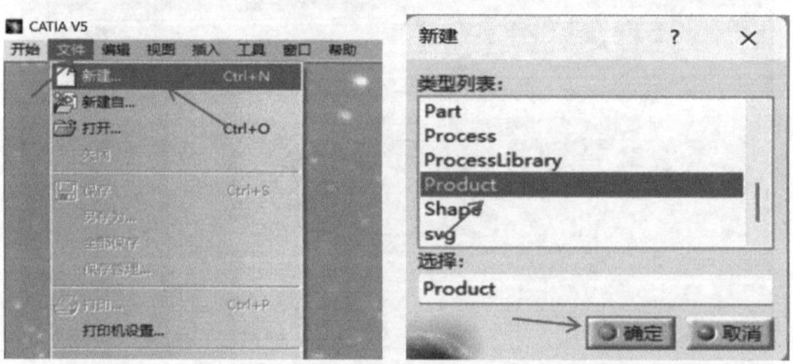

图 8-48　新建产品文件

㊻ 进入装配设计界面后，点击“现有零件”命令，之后点击左侧结构树的“Product1”会弹出“选择文件”窗口，选择“Part4”，点击“打开”，如图 8-49 所示。

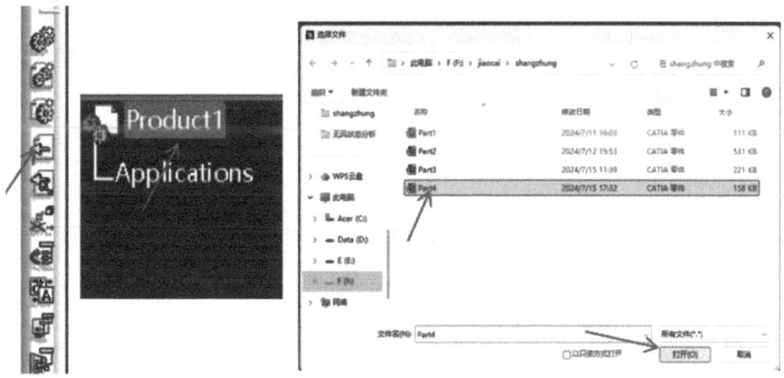

图 8-49　插入现有零件

㊼ 点击“修复部件”命令，之后点击 Part4 零件，为零件添加固定约束，如图 8-50 所示，每个产品文件至少应该有一个固定约束。

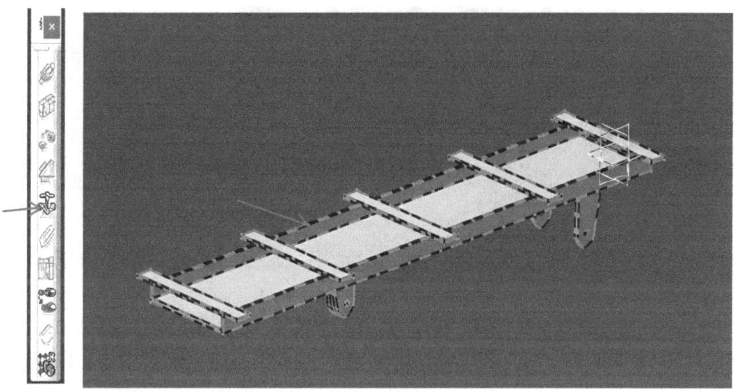

图 8-50　给零件添加固定约束

㊽ 使用“现有零件”命令，插入零件 Part3，点击“操作”命令可移动零件，包括沿轴移动、沿面移动和绕轴转动三种基本操作，选择对应按钮后拖动零件可调整零件位置，勾选“遵循约束”可以使零件在移动过程中保持所设置的约束，移动结束后点击“确定”，将零件调整至图 8-51 所示位置以便于下一步操作。

㊾ 点击“相合约束”命令，之后点击图 8-52 所示两条边线完成创建。约束完成创建后零件相对位置并不会改变，需点击“更新”命令更新约束。

㊿ 点击“偏移约束”命令，选择图 8-53 所示两个平面后会弹出“约束属性”对话框，在“偏移”栏输入“20”，点击“确定”后更新。

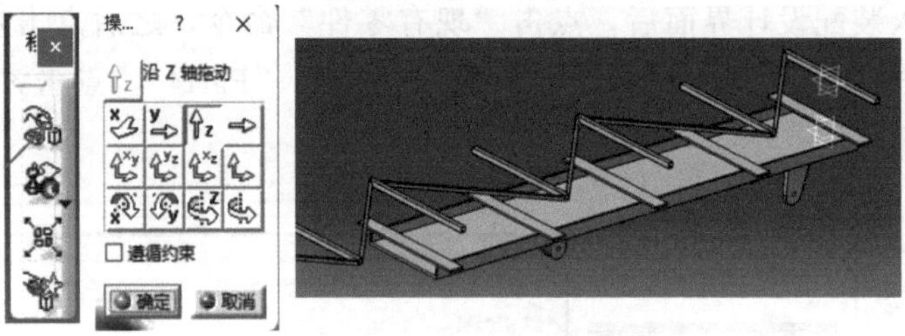

图 8-51　使用操作命令移动零件

图 8-52　创建相合约束

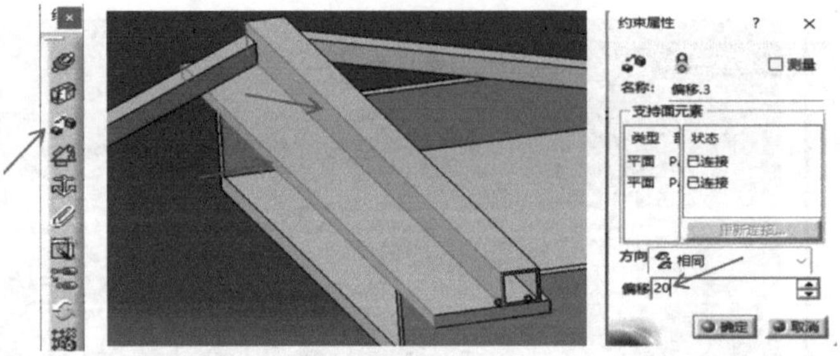

图 8-53　创建偏移约束

(51) 插入零件 Part1，点击“接触约束”命令，选择图 8-54 所示平面创建约束并更新。

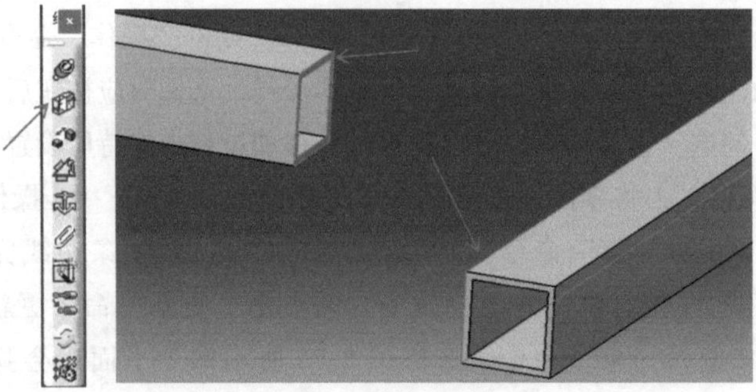

图 8-54　创建接触约束

(52) 创建两个偏移约束分别约束图 8-55、图 8-56 所示两个面间的距离为 0mm。

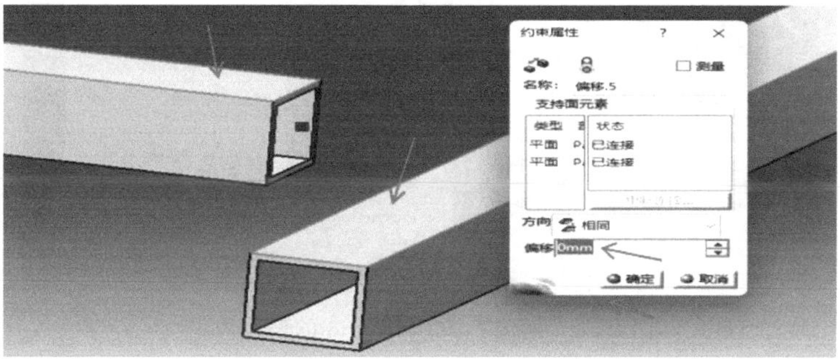

图 8-55　创建偏移约束 1

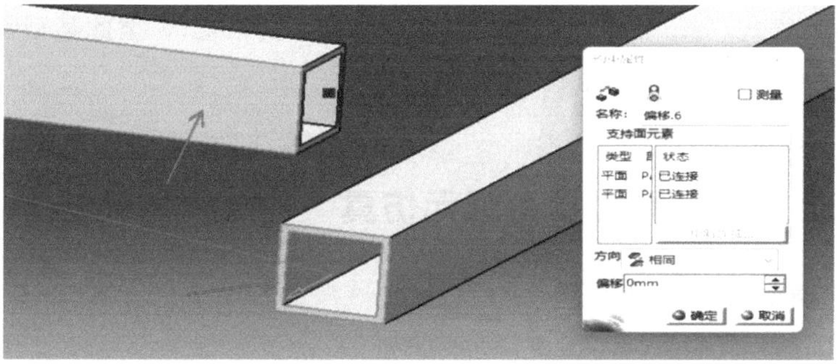

图 8-56　创建偏移约束 2

(53) 插入零件 Part2，点击“相合约束”命令，如图 8-57 所示，选择两条边线创建相合约束。

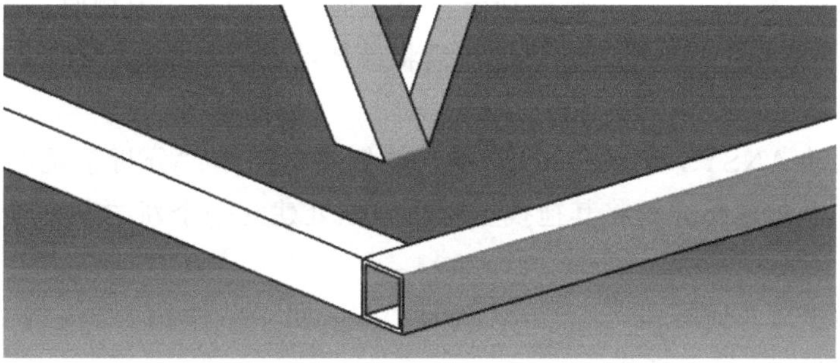

图 8-57　创建 Part2 与 Part3 边线的相合约束

(54) 点击“偏移约束”命令，选择图 8-58 所示两个平面创建偏移值为 0 的偏移约束。

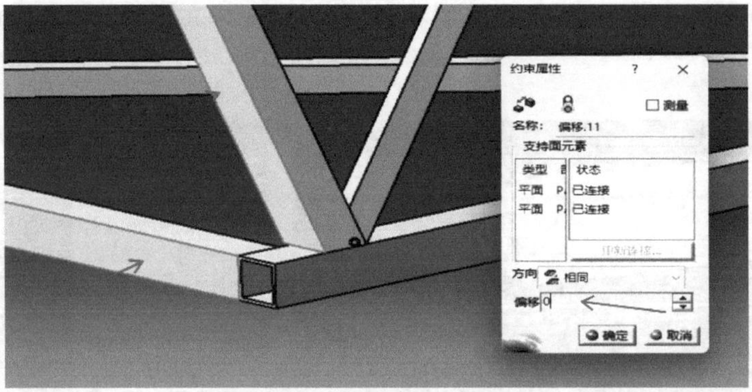

图 8-58　创建 Part2 与 Part3 的偏移约束

㊺ 点击上方开始栏中的“文件”→“保存”，注意将产品文件与组成产品的零件保存在同一个文件夹内，之后点击“文件”→“另存为”，在保存类型栏选择 stp 格式（stp 格式是三维模型中较为通用的格式），至此某型特种车筒体支撑桁架结构三维建模完成。

8.2　上装结构静力学有限元仿真

8.2.1　模型导入与前处理

在 8.1 节中已经完成了上装桁架结构的三维建模并将产品文件保存为更为通用的 stp 格式，本节将使用 ANSYS 2022R1 对上装桁架结构进行静力学分析，以验证其强度。要求支撑结构水平放置，受 5t 负载时，最大变形量不超过总长度的 1/200（0.08m），最大应力不超过许用应力。

ANSYS 本身具有三维建模功能，但是面对一些复杂模型时，ANSYS 往往难以满足需求，故在仿真前第一步需将外部模型导入并进行前处理，具体操作步骤如下。

① 启动 ANSYS Workbench，点击左侧工具箱中“分析系统”下的“静态结构”，长按鼠标左键将其拖拽至绿色方框处建立一个新的工程项目，如图 8-59 所示。

② 右击“几何结构”，点击“新的 DesignModeler 几何结构”，如图 8-60 所示，等待 DM 界面打开。

③ 进入 DM 界面后，点击左上方“文件”→“导入外部几何结构文件”，选择“Product1. stp”，点击“打开”。之后还需要点击“生成”命令来生成几何体，如图 8-61 所示。

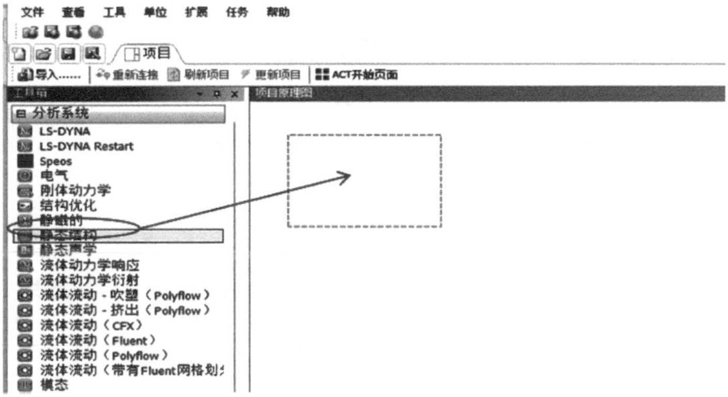

图 8-59　创建静态结构工程项目

图 8-60　进入 DM 界面

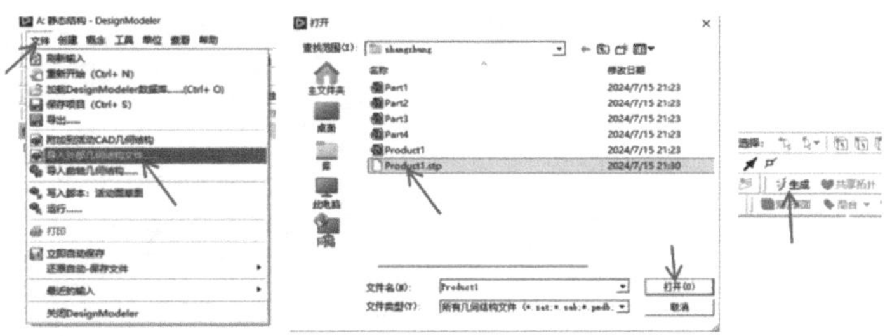

图 8-61　导入外部几何体

④ 点击左侧“树轮廓”所示位置加号，按住 Shift 键分别点击第一个部件和最后一个部件以选择全部部件，之后右击选择“形成新部件”将零散的部件生成为一个整体部件，如图 8-62 所示。之后关闭 DM 界面。

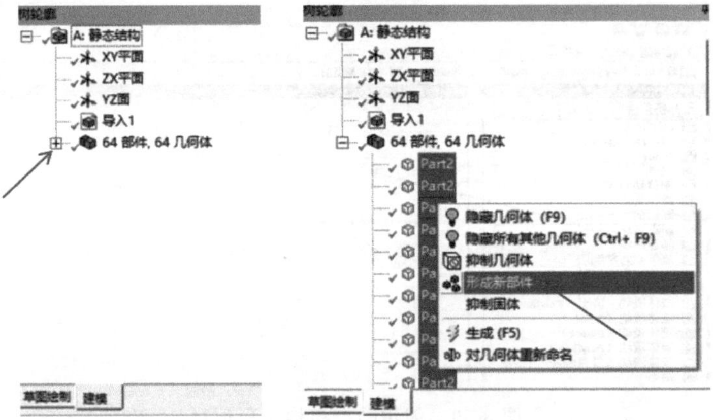

图 8-62　形成新部件

⑤ 双击静态结构工程项目中的“模型”选项，进入 Mechanical 界面，开始网格划分，网格划分是有限元仿真中的关键步骤，所划分的网格质量直接决定了仿真结果的可靠性。右击左侧模型树的“网格”选项，选择“插入”→“方法”，插入网格控制方法，如图 8-63 所示。点击刚刚插入的“自动方法”，将鼠标的选择模式改为“框选择”，之后框选所有部件（按住鼠标左键在部件上滑动也可快速选择多个部件），如图 8-64 所示，在详细信息栏“几何结构”处先点击一次，再点击“应用”即可将网格控制应用到所有部件。点击详细信息栏“定义”下的“方法”，点击下拉菜单，选择“四面体”，“算法”栏处选择“补丁适形”，如图 8-65 所示。

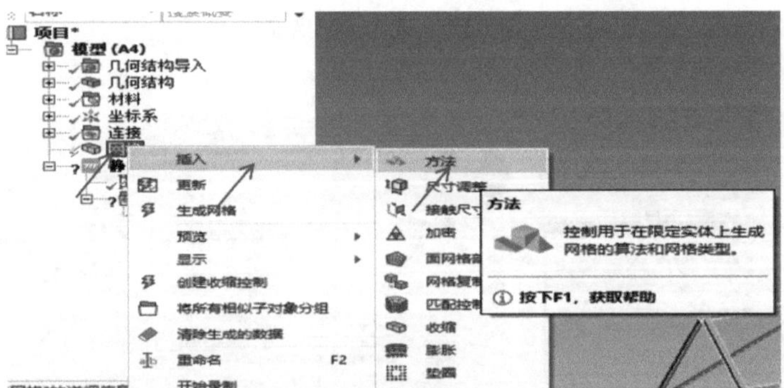

图 8-63　插入网格控制方法

⑥ 如图 8-66 所示，右击“网格”→“插入”，选择“尺寸调整”，将鼠标的选择模式改为“框选择”，之后框选所有部件（按住鼠标左键在部件上滑动也可

快速选择多个部件），在详细信息处的“几何结构”栏先点击一次，再点击“应用”。然后在“单元尺寸”处输入“0.04”（ANSYS 默认网格尺寸单位为 m）。

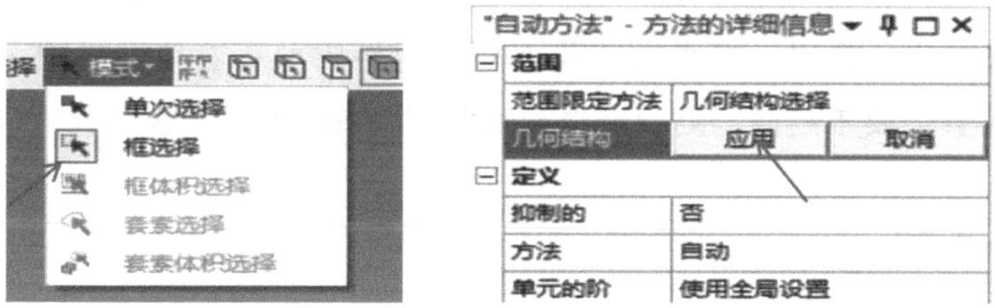

图 8-64　将网格控制应用到所有部件

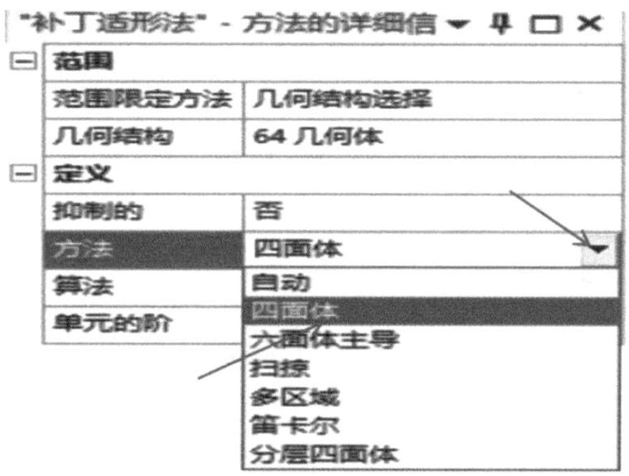

图 8-65　定义控制方法

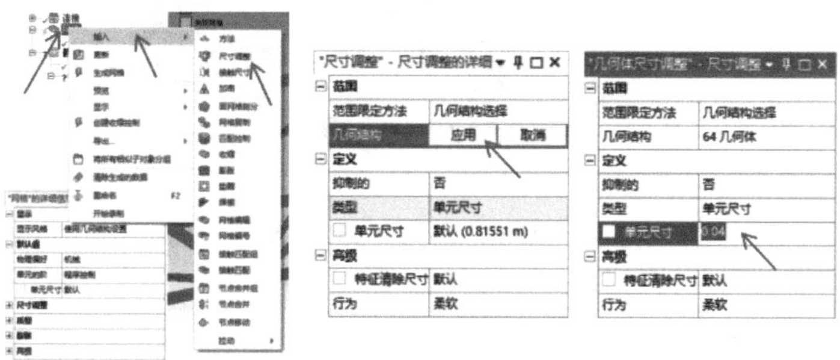

图 8-66　插入网格尺寸调整

⑦ 如图 8-67 所示，右击“网格”选择“生成网格”，ANSYS 将自动开始生成网格，在左下角可以看到网格生成进度。

⑧ 如图 8-68 所示，点击上方开始栏的“网格”，找到“度量标准显示”，选择“度量标准图”下的“单元质量”，可以看到网格的单元质量柱状图（如果柱状图显示为一条线，可以拖动上方边框调整窗口大小以显示完整的柱状图）。如

图 8-69 所示，网格质量越接近 1，说明网格质量越高[47]，当网格尺寸为 0.04m 时，所生成的网格质量较为一般，可将网格尺寸调整为 0.03m，之后右击“网格”→“生成网格”，重新生成网格。重新生成网格后的单元质量图如图 8-70 所示，网格质量有所提升。可见网格尺寸对于网格质量有着较大影响，但网格尺寸越小对于算力要求越高，划分网格和求解时所占用的时间也越长。

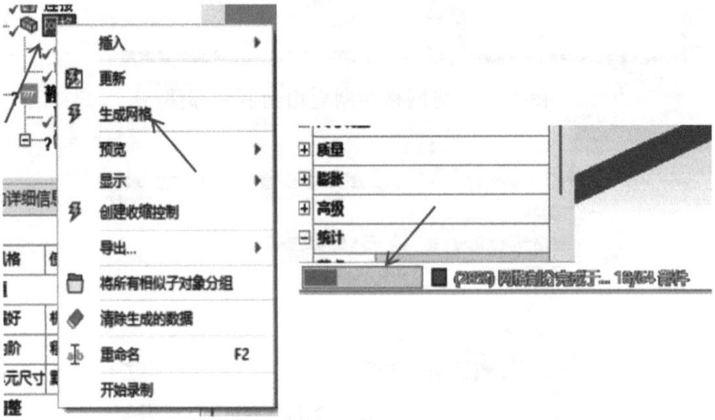

图 8-67　生成网格

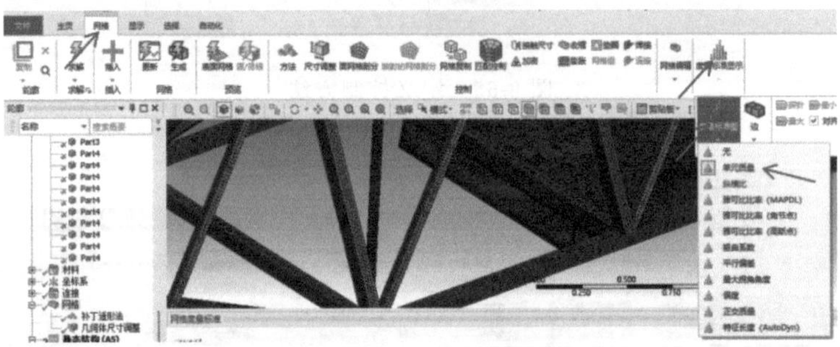

图 8-68　显示单元质量图

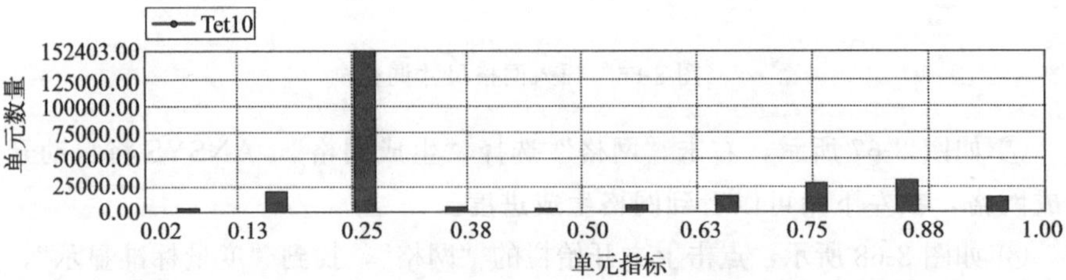

图 8-69　网格尺寸为 0.04m 的单元质量图

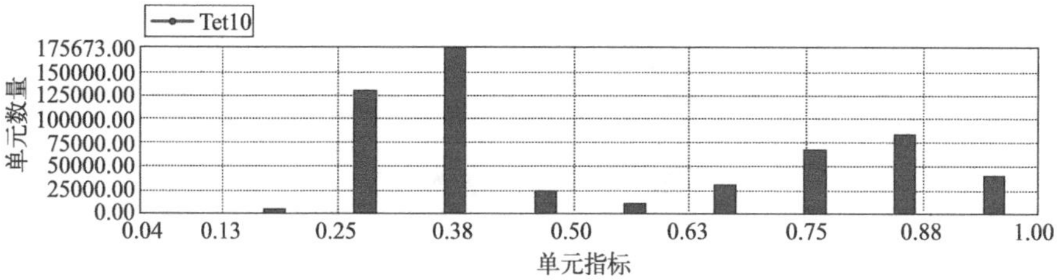

图 8-70　网格尺寸为 0.03m 的单元质量图

8.2.2 模型求解

划分好网格后，模型的前处理基本完成，接下来可继续在 Mechanical 界面进行求解设置，具体操作步骤如下。

① 如图 8-71 所示，右击“静态结构”，选择“插入”，点击“标准地球重力”。之后点击详细信息栏中“方向”栏的下拉箭头，选择“−Z 方向”。

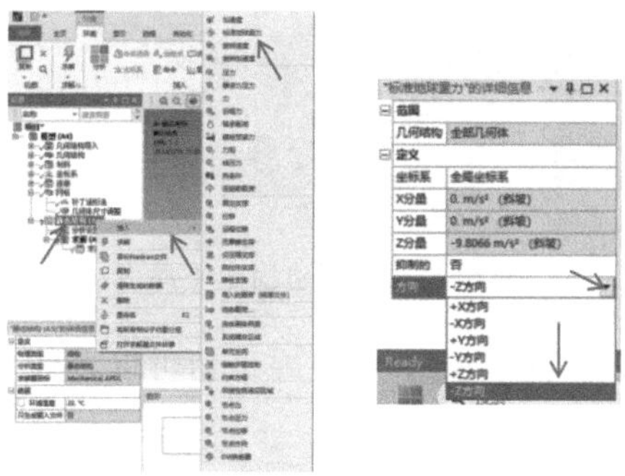

图 8-71　插入标准地球重力

② 右击“静态结构”，插入“力”。如图 8-72 所示，按住 Ctrl 键选择图中平面作为受力面，被选中的面会变为绿色，之后在详细信息栏的“几何结构”处点击“应用”。点击“定义依据”栏的下拉菜单，选择“分量”，之后在“Z 分量”处输入“−50000N(斜坡)”，如图 8-73 所示。

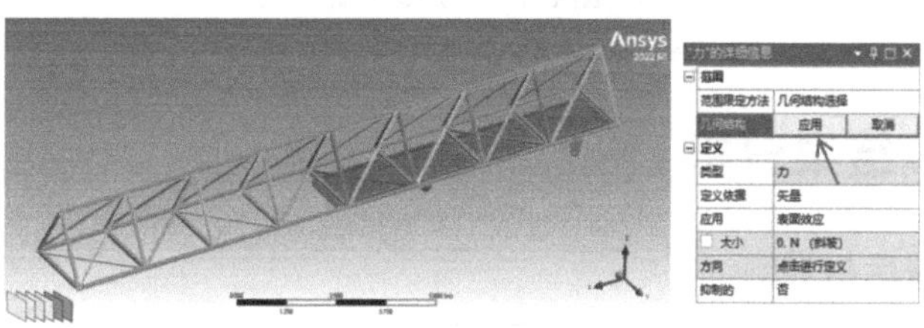

图 8-72　选择受力面

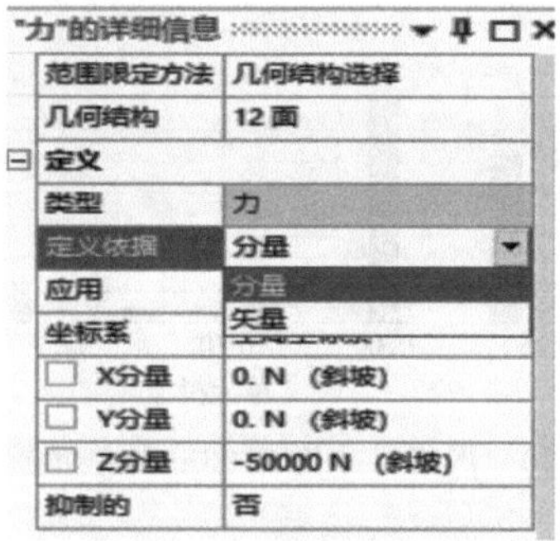

图 8-73　定义力

③ 右击“静态结构”，插入“固定支撑”。选择图 8-74 所示的四个圆孔的八个半圆面为支撑面，之后点击“应用”。

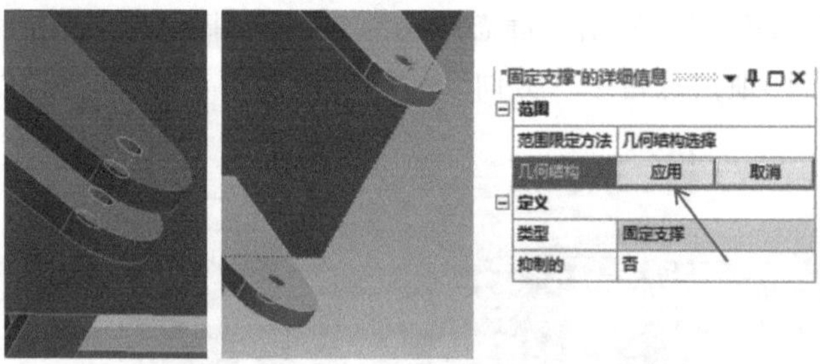

图 8-74　创建固定支撑

④ 右击“求解”，选择“求解”，在左下角可以看到求解进度与详细信息，如图 8-75 所示。

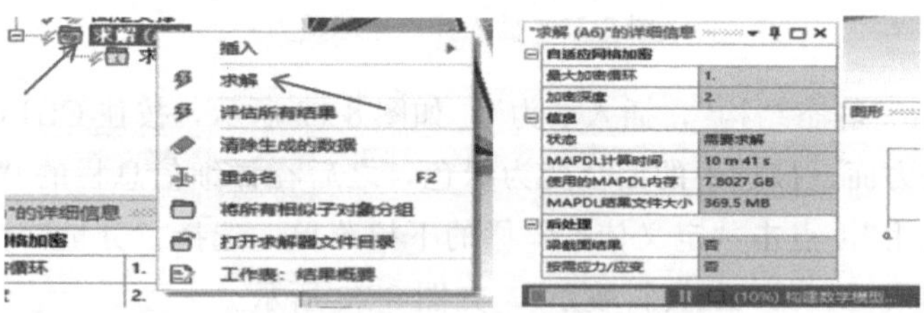

图 8-75　模型求解

8.3　仿真结果分析

8.3.1　模型后处理

求解完成后进入后处理阶段，后处理的主要任务是提取和分开所需的仿真结果，对于本次仿真实例来说，最为主要的结果有两个：一个是桁架支撑结构的总变形量，另一个是其等效应力[48]。

总变形量是指该结构在外力或者载荷作用下发生的形状和尺寸的变化总量。总变形量对于结构设计和评估非常重要，因为它直接关系到结构的性能、稳定性和使用寿命，过大的变形可能导致结构失效、功能丧失或安全问题。

等效应力也称为相当应力或等价应力，是力学中的一个概念，用于描述复杂应力状态下材料内部应力分布的综合效应[49]。它是将多轴应力状态下的应力分量通过一定的计算方法转化为一个单一的数值，以此来评估材料在复杂应力状态下的承载能力和判断是否会发生屈服或破坏，是评估复杂应力状态下的结构完整性和安全性的常用指标。

在 ANSYS 中进行后处理的具体操作步骤如下：

① 如图 8-76 所示，右击“求解”，选择“插入”→“变形”，点击“总计”。

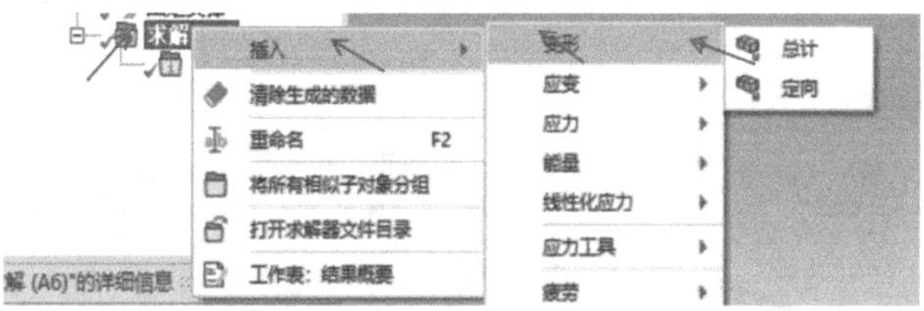

图 8-76　插入总变形

② 如图 8-77 所示，右击“求解”，选择“插入”→“应力”，点击“等效”。

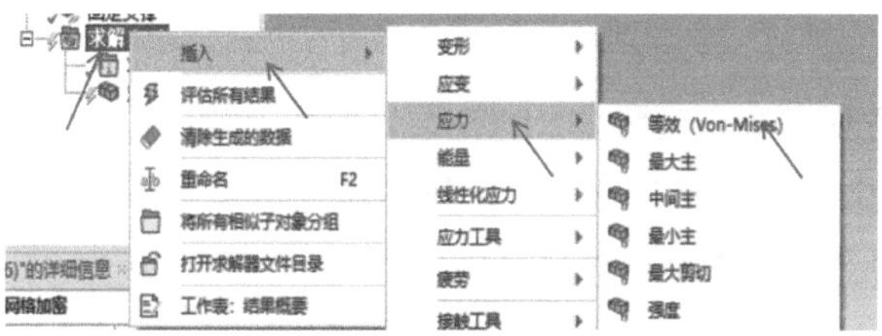

图 8-77　插入等效应力

③ 右击“求解”，点击“评估所有结果”，如图 8-78 所示。

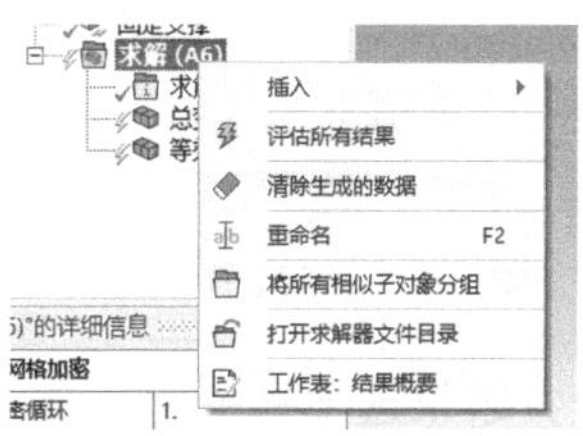

图 8-78　评估所有结果

8.3.2 仿真结论

评估结果完成后可以点击“总变形”或“等效应力”查看结果，结果如图 8-79 和图 8-80 所示。

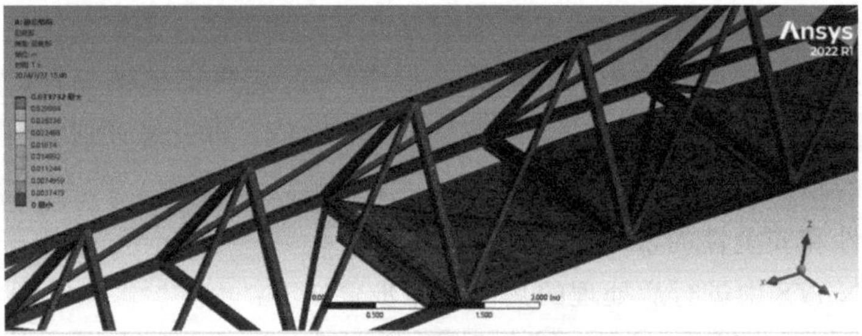

图 8-79 总变形云图

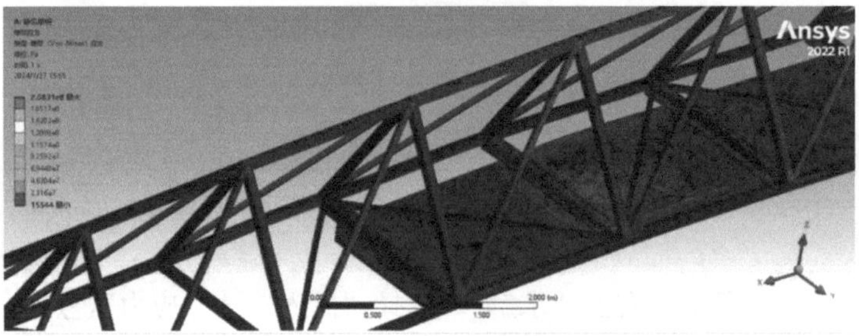

图 8-80 等效应力云图

一般为了方便观察，会将 ANSYS 结果的变形放大一定比例（实际变形并未放大），可在上方的结果选项栏中将显示比例切换为“1.0(真实尺度）”来观察实际变形，如图 8-81 所示。

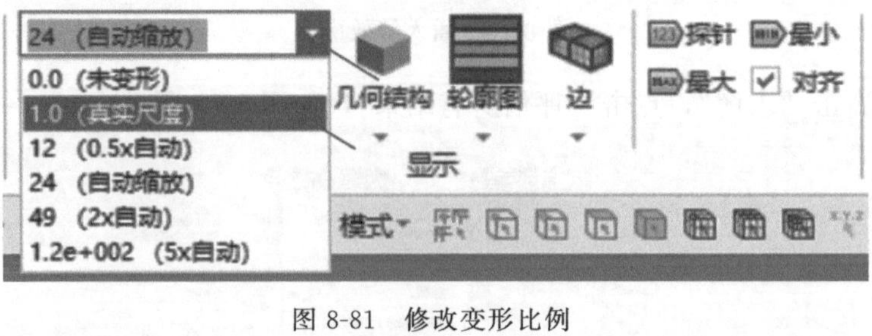

图 8-81 修改变形比例

如图 8-82 所示，点击上方结果选项栏中的“最大”，可以方便地看到结果中的最大值点。总变形和等效应力的最大值位置分别如图 8-83 和图 8-84 所示。

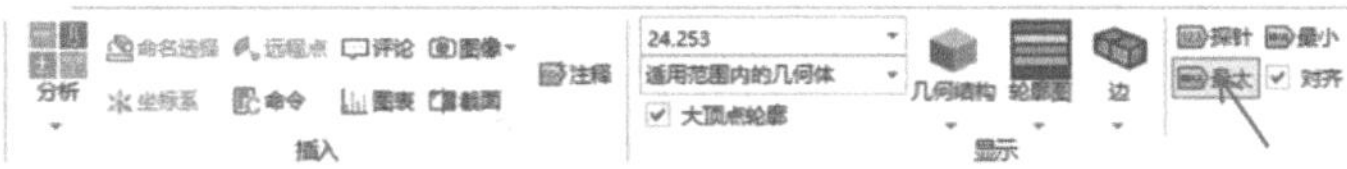

图 8-82　显示最大值

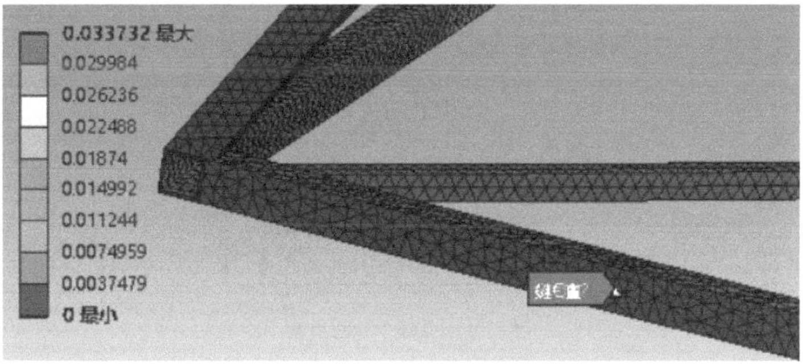

图 8-83　总变形最大值

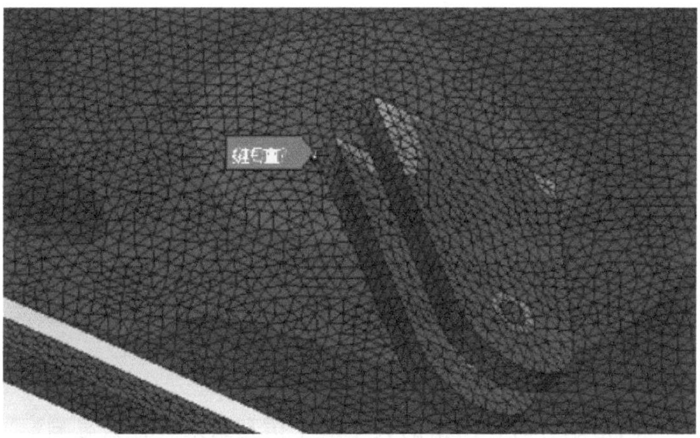

图 8-84　等效应力最大值

由图 8-83 可以看到，桁架结构的最大变形量为 0.034m，小于要求的 0.08m。由图 8-80 可以看到，桁架结构的最大等效应力值为 208MPa，同样小于准许的许用应力值 275MPa，故此可以认为该桁架结构满足设计要求。

根据其最大等效应力的出现位置，可以适当强化举升点安装板的结构，如增加厚度、增加加强筋等。

思考题

1. 使用 CATIA 绘制图 8-85 所示草图，要求草图完全约束。

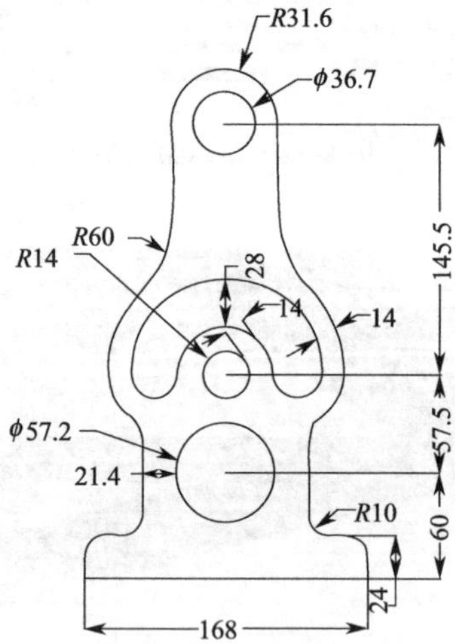

图 8-85　习题 1 草图

2. 使用 CATIA 绘制图 8-86 所示几何体，该几何体为壳体，壳体厚度为 2mm，半圆球体的半径为 80mm，圆管直径为 40mm，圆管轴线与 Z 轴夹角为 45°，长度为 36mm。

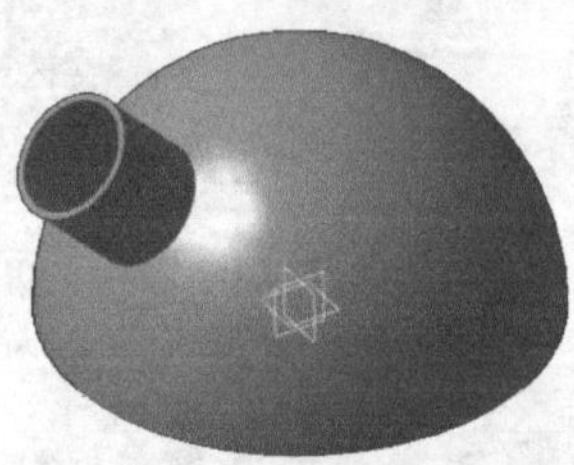

图 8-86　习题 2 图示

3. 在进行网格划分时，网格的大小对于仿真结果有什么影响？

4. 一根长度为 1m、直径为 80mm 的圆柱形棒材，一端固定，另一端受 5000N・m 的转矩，试分析棒材的受力情况。

第9章

特种汽车方舱温度场建模与仿真

在特定的方舱应用中，如医疗、科研或军事领域，操作间和氧舱内的温度控制对于保障人员舒适性和设备正常运行至关重要。本章采用计算流体力学（CFD）方法对指定方舱进行三维热流体模拟仿真分析，旨在辅助确定舱内空调系统的额定输出量，以满足升温或降温的时间要求。

首先建立了方舱的三维模型，包括操作间和氧舱的具体尺寸和布局。接着，根据实际应用场景设定了温度控制的初始条件和边界条件，包括外部环境温度、内部热源分布以及空调系统的可能配置。通过模拟不同工况下的热流体动态行为，分析舱内的热分布特性和温度变化规律。

仿真结果表明，通过调整空调系统的输出功率和送风策略，可以有效地控制舱内的升温和降温速率，满足预设的时间要求。同时，研究还提供了详细的计算过程、结果数据、云图展示以及分析报告，为空调系统的设计和优化提供了科学依据。

通过本章的学习，读者能够了解使用 CFD 方法对三维热流体进行仿真分析的基本过程，掌握温度场建模的基本流程。

9.1 温度场建模

在极端外部情况下，特种汽车舱室的温度控制变得尤为重要。对于内部环境，在温控系统的调控下，可努力达到并维持一个宜人的温度状态，而外部环境却可能遭受炎热或严寒的侵袭。这种内外温度的剧烈对比，形成了显著的温差。依据热力学基本原理，即第二定律知，温差是热量传递的驱动力，促使热量自发地从高温侧（如暴晒的车体外壳）通过传导、对流及辐射等方式流向低温侧（如温控良好的舱内），涉及传导、对流和辐射等传热机制。因此，设计时须充分考虑这些传热路径，确保良好的隔热性能，以有效地管理热量交换，为车内人员和设备提供一个稳定的工作环境。无论外界天气条件如何恶劣，这样的设计都能使特种汽车适应各种野外操作挑战，保持舱室内的温度稳定。

根据以上分析可知，方舱内外的热交换过程相当复杂，涉及多个基本的热传递方式，这些方式随着环境条件的变化而变化。为了更容易理解这个过程，可以将其视为两个分开的热交换系统。第一个是内部热交换系统，它包括方舱内部不同部分之间的热传导。第二个是外部热交换系统，指的是方舱与周围空气之间的热对流和热辐射。这个系统涵盖了固体区域内的热传导、流体区域的热传递，以及流体与固体之间的耦合传热现象。这样的划分有助于我们更清晰地分析和理解方舱在不同环境下的热动态。

一般情况下，根据能量守恒定律，方舱热传递过程中满足以下热平衡方程[50]：

$$Q_{net} - W = \Delta U + \Delta EK + \Delta EP \tag{9-1}$$

式中，Q_{net} 为方舱净吸收热量；W 为方舱对外做的功；ΔU 为舱体内能的变化量；ΔEK 为方舱动能的变化量；ΔEP 为方舱势能的变化量。

其中，方舱净吸收热量为：

$$Q_{net} = Q_1 + Q_2 + Q_3 + Q_4 + Q_5 \tag{9-2}$$

式中，Q_1 为舱体与空气对流换热吸收或释放的热量，W；Q_2 为舱体吸收的空气域的辐射热量，W；Q_3 为舱体吸收太阳辐射热量，W；Q_4 为舱体向空气域的辐射热量，W；Q_5 为舱体通过相互辐射吸收或释放的热量，W；各参数“＋”代表吸收，“－”代表释放。

本章为分析特种汽车方舱在静置工况下的传热问题，对于稳态传热来说，$Q_{net} = \Delta U = 0$，即方舱舱体从空气域吸收的热量等于方舱舱体向空气域释放的热量；对于瞬态传热来说，流入或流出方舱舱体的净传热速率等于其内能的变化速率，即：

$$\dot{Q}_{net} = \dot{U} \tag{9-3}$$

通常，对于热流体仿真分析在 ANSYS Workbench 中，常用模块为 Geometry、Mesh、Fluent 和 Results 模块，每个模块各自承担着仿真过程中的不同任务，它们之间的连接关系构建了从几何建模到仿真结果展示的完整仿真流程[51]，如图 9-1 所示。理解这些模块之间的关系对于有效使用 Workbench

至关重要。以下是对它们之间关系的详细分析。

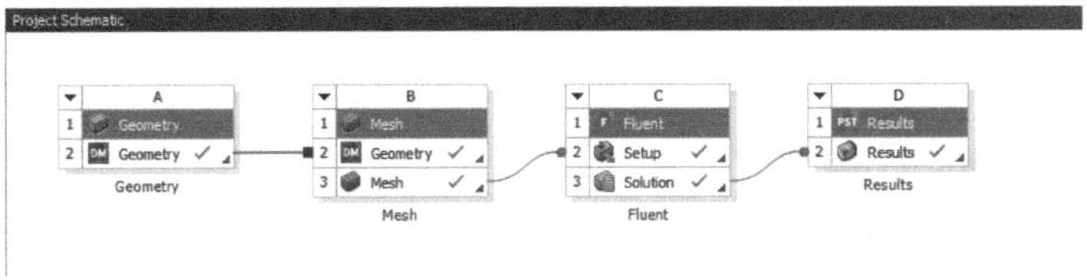

图 9-1　方舱热流体仿真的基本流程示意图

（1） Geometry→Mesh

模型构建：Geometry 模块用于建立或导入仿真所需的几何模型。

网格划分准备：Mesh 模块对这些几何模型进行网格划分，生成适合仿真的网格模型。

参数化驱动：通过参数化，可以实现模型更新，使得网格划分自动化并适应模型的变化。

在建立模型的过程中，要遵循以下原则：

① 识别并标记那些对温度升降影响不大的区域，例如远离热源或散热器的舱体部分。

② 移除或简化模型中复杂几何特征，如小孔、螺纹、尖锐边缘等，以减轻计算负担。

③ 在不影响整体分析准确性的前提下，对关键区域如热交换器、通风口等处保留进出风口形状，其余结构可以适当简化。

（2） Mesh→Fluent

网格导入：Mesh 模块生成的网格模型可以直接导入 Fluent 模块中进行流体仿真计算。

在进行网格划分时，应遵循以下原则：

① 基于模型的复杂性和流动特性，选择适当的网络类型（结构网格、非结构网格或混合网格）。

② 在关键区域（如热交换表面、流体入口和出口）进行网格细化，以确保足够的计算精度。

③ 在简化的区域使用较粗的网格，以减少总体网格数量和计算时间。

④ 检查网格质量，包括偏斜度、纵横比和体积扭曲度等指标。

⑤ 在复合验算时，可进行网格独立性研究，以确保结果不会因网格细化而显著改变。

求解器设置：在 Mesh 模块中就可以指定求解器类型和默认网格尺寸，确保与 Fluent 模块兼容。

物理场相关：Mesh 模块提供了针对特定物理场（如流体）的自动建模和仿真的功能。

（3） Fluent→Results

计算结果传递：Fluent 模块的计算结果可以直接传递到 Results 模块进行后处理和可视化。

结果分析和报告：Results 模块提供了丰富的工具来分析 Fluent 的计算结果，并生成易于理解的报告。

9.1.1 三维模型建立

在三维建模软件中，通过精确的建模和布尔操作建立方舱壳体及流体域模型是进行高效仿真分析的基础。方舱壳体在 ANSYS 的设置中被设置为固体域，方舱壳体为本章建立的基本模型，三维结构模型由方舱壳体及壳体内的空间共同构成，可近似认为与固体域模型相同，但在流体仿真中要做出区分。同样，固体域是流体仿真中的概念，虽然指的就是方舱壳体，但不可以说方舱壳体就是固体域，而是将方舱壳体设置成了固体域。

（1）三维建模和导入

首先，导入或构建方舱壳体的原始三维模型，如图 9-2 所示，并根据需要简化细节，移除对分析影响不大的特征，保留关键结构元素。接下来，使用图 9-3 所示的布尔操作进一步优化模型，确保结构的完整性和功能性。完成模型（见图 9-4）后，验证其几何形状，避免非流形几何和尖锐角点，保证 CFD 分析的准确性。

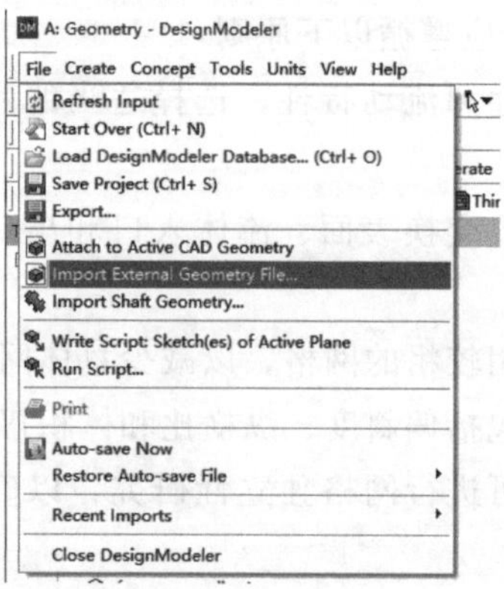

图 9-2 Geometry 模块导入外部模型

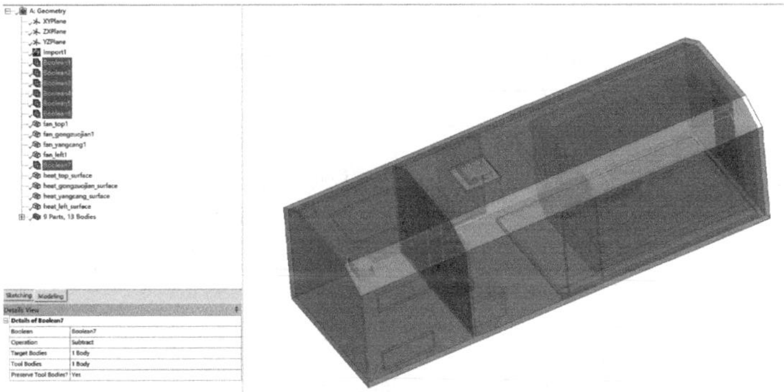

图 9-3　Geometry 模块对选中区域进行布尔操作

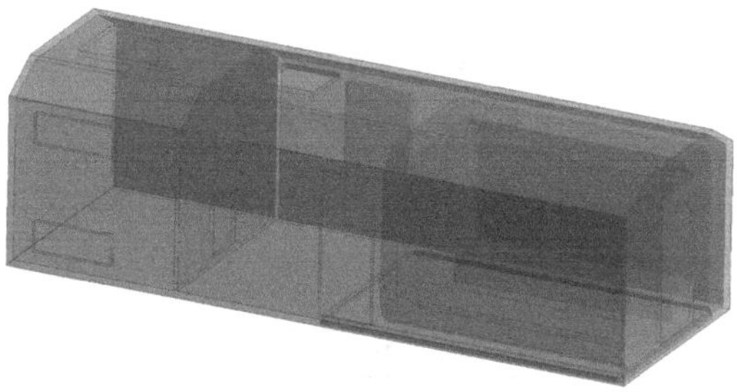

图 9-4　三维结构模型

（2）定义流体域与固体域

创建并验证流体域模型，如图 9-5 所示，确保与方舱壳体间适当的间隔以考虑边界层影响。最后，进行接触表面的贴合度检查，调整任何间隙和重叠，以确保热量和流体动力的正确传递。这一过程确保了后期分析中边界条件和接触属性的准确加载，为设计决策提供可靠依据。

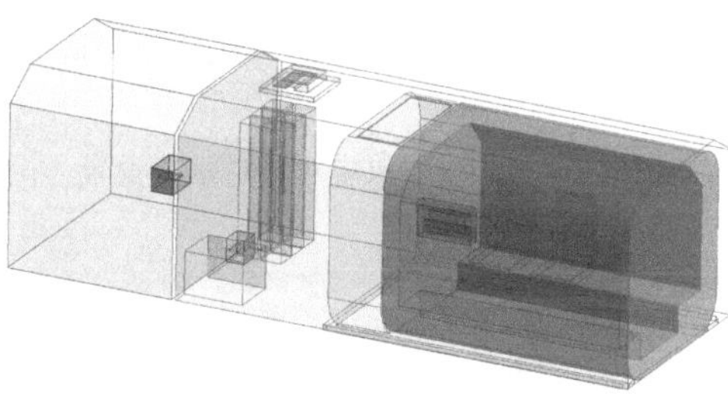

图 9-5　三维流体域模型

根据整体剖面，方舱从内部到外部的材料分别是：内装铝板（厚度 3～4mm）—发泡保温板（厚度 9～12mm）—工字梁骨架—外部钢板（厚度 9～

10mm)，如表 9-1 所示。

表 9-1　方舱主要结构尺寸及材料

结构名称	厚度/mm	材料
内板	3～4	铝合金
保温板	9～12	发泡陶瓷保温板(高气孔率闭孔陶瓷材料)
骨架	30×30/40×40	结构钢
外板	9～10	钢板

(3) 主要区域材料

在进行计算流体力学（CFD）模拟时，涉及的模型均涵盖了具备流体和固体特性的多种材料，在建立三维模型后还需对主要材料属性进行配置，如图 9-6 所示。表 9-2 列出了不同材料的物理属性参数。

表 9-2　方舱主要结构的材料的物理属性参数

结构名称	材料	热导率/[W/(m·K)]	比热容/[J/(kg·K)]	密度/(kg/m^3)
干空气	干空气	0.0242	1006.43	1.225
内板	铝合金	167	2780	2750
保温板	发泡陶瓷保温板(高气孔率闭孔陶瓷材料)	0.07	1100	300
骨架	结构钢	45	520	7850
外板	钢板	45	520	7850

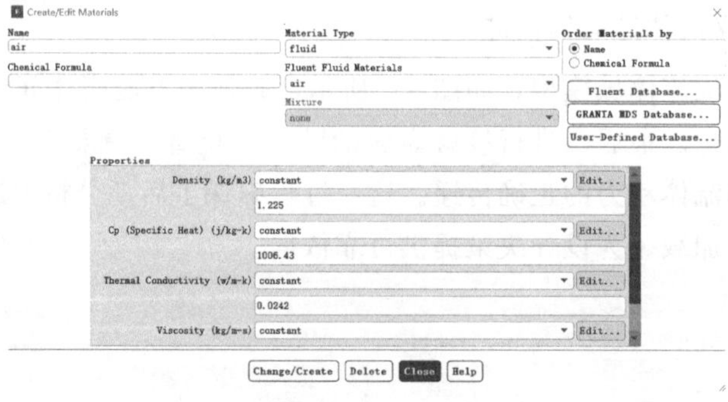

图 9-6　Fluent 模块中对材料进行设置

9.1.2　网格划分

(1) 网格划分基本原则

网格划分的核心目的是将复杂的求解区域分解为一系列相互连接且数量适宜的计算单元（或称为网格单元），以便通过数值方法高效且精确地求解出目标物理量或物理场的分布情况。这一过程需要仔细考量计算精度与计算资源之间的平衡，确保在有限的资源下获得足够准确的模拟结果。针对特种汽车方舱的 CFD 模型构建，网格划分原则如下：

① 网格数量的确定原则。在构建计算模型时，网格的数量直接关联到计算单元的规模。增加网格数量能够提升求解的精度，但这也伴随着更多的计算资源消耗，包括运行内存和时间。为了在计算精度和资源消耗之间取得平衡，网格的疏密调整是一种有效的策略。具体来说，对于那些物理场梯度变化显著的区域，使用密集的网格以确保足够的计算精度；相反，对于物理场梯度变化较小的区域，采用较为稀疏的网格以减少计算资源的占用。

② 网格质量的检查原则。在建立计算模型的过程中，确保网格的形状规整是至关重要的，因为形状不规则或负体积的网格可能导致计算无法执行或结果不收敛。通常，我们使用偏斜度（skewness）这一指标来评估涉及流体动力学计算的网格质量。偏斜度量化了网格单元与其理想形状之间的偏差，其值介于 0 到 1 之间，数值越接近 0，表示网格的质量越高。

为了确保计算结果的准确性和稳定性，对于复杂的装配体模型，我们需要遵循以下关于偏斜度的要求：一般情况下最大偏斜度不应超过 0.98；所有单元的平均偏斜度应小于 0.5；并且超过 90%的单元的偏斜度应低于 0.5。这些标准有助于确保模型的网格质量，从而保障计算过程的顺利进行和结果的可靠性。

（2）网格划分及设置

在 ANSYS Workbench 的 Mesh 模块中，网格划分是进行精确仿真分析的关键步骤。首先，针对固体域，需选择适合的 Solid 网格类型，如四面体或六面体网格，根据结构复杂度和关键特征自动或手动调整网格密度，以确保应力和变形模拟的准确性。接着，为流体域设定 Fluid 网格类型，采用棱柱体网格以解析边界层流动，并设置核心区域的四面体或六面体网格。通过细化网格来捕捉流动特性，同时避免过细网格导致的高计算成本。整体上，网格应平滑过渡，以保证各区域间良好的连接性，从而确保数值模拟的稳定性和准确性。

① 主体网格划分。如图 9-7 所示，对于模型主体，设定自适应网格的最大尺寸为 30mm，这有助于捕捉到大型特征周围的流动现象，同时控制整体网格数量，保持计算效率。通过忽略大于 30mm 的特征尺寸，可以进一步细化网格，以识别和解析微小特征，如 0.15mm 的细节，这通常涉及边界层或小几何特征的流动效应。这种级别的网格精细化确保了在关键区域能够准确模拟流动行为，从而提供更可靠的 CFD 模拟结果。

在 Workbench 的 Mesh 模块中，针对特种汽车方舱的外表面进行网格划分时，需特别关注其作为固体域模型与外部环境之间热交换的模拟精度。外表面不仅承载着结构的完整性，还作为热量传递的边界，其网格划分的质量直接影响到 CFD（计算流体力学）模型对热交换现象的预测准确性。

Defaults	
Physics Preference	CFD
Solver Preference	Fluent
Element Order	Linear
☐ Element Size	30.0 mm
Export Format	Standard
Export Preview Surface Mesh	No
Sizing	
Use Adaptive Sizing	No
☐ Growth Rate	Default (1.2)
☐ Max Size	30.0 mm
Mesh Defeaturing	Yes
☐ Defeature Size	Default (0.15 mm)
Capture Curvature	Yes
☐ Curvature Min Size	Default (0.3 mm)
☐ Curvature Normal Angle	Default (18.0°)

图 9-7　主体网格尺寸设置

② 局部网格划分。为了更精细地模拟这一复杂的热边界条件，我们可以采用 Face Sizing 技术对外表面进行网格划分。Face Sizing 允许用户根据表面的几何特征、预期的热流密度变化或是热传递机制的特殊要求，对网格大小进行局部细化或粗化。这一技术确保了在外表面的关键区域（如受到强烈日照的顶部、可能产生热桥的边角处等）能够获得足够的网格密度，以捕捉细微的温度梯度和热通量变化。

具体操作时，可以根据外表面的具体形状和尺寸，预设一个基本的网格尺寸作为起点，然后通过图 9-8 所示的 Face Sizing 功能，在需要更高解析度的区域手动或自动调整网格尺寸。例如，在预测太阳辐射对舱体温度影响时，可以对舱顶和向阳侧面的网格进行加密，以确保准确模拟日照引起的局部高温效应。

此外，还应考虑网格的过渡平滑性，避免在网格尺寸急剧变化的区域产生数值误差。通过合理设置网格的过渡层数和过渡比例，可以确保网格在细化与粗化之间平滑过渡，从而提高整体模型的计算稳定性和精度。

最终，在本模型分析中，通过采用四面体网格对固体和流体部分进行划分，方舱整体以及流体域的网格划分分别如图 9-9 和图 9-10 所示，可以在复杂形状的局部区域实现较好的网格生成。这是因为四面体元素具有极高的灵活性，能够适应各种复杂的几何形状，从而在关键区域提供更细致的解析度，最终的网格划分结果包含 1057 万个单元，这样的单元数量充分保证了模型各个局部区域的仿真精度，尤其是在微小特征和边界层区域的精确描述。

Details of "Face Sizing 2" - Sizing

Scope	
Scoping Method	Geometry Selection
Geometry	5 Faces
Definition	
Suppressed	No
Type	Element Size
Element Size	20.0 mm
Advanced	
Defeature Size	Default (0.15 mm)
Influence Volume	No
Growth Rate	Default (1.2)
Capture Curvature	Yes
Curvature Normal Angle	Default (18.0°)
Local Min Size	Default (0.3 mm)

图 9-8　局部网格 Face Sizing 设置图

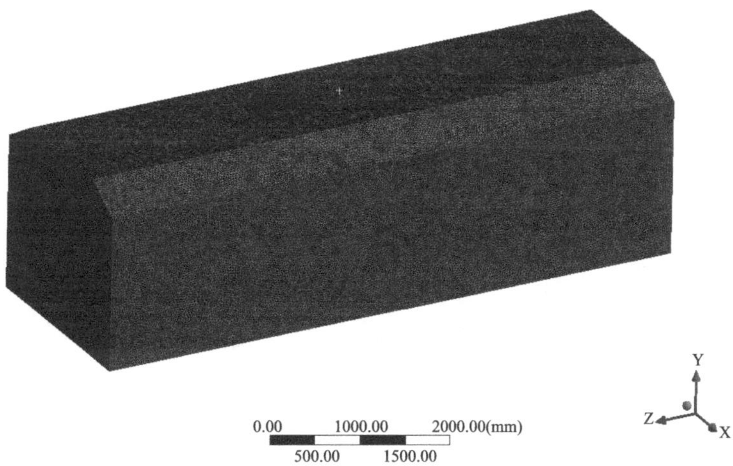

图 9-9　方舱整体网格图

在网格划分的过程中，需要设置质量控制的目标偏斜度（skewness）为 0.9，平滑程度（smoothing）选为高。这些设置可以有效地控制网格的质量，提高模拟的可靠性和精确度。同时，也需要对边界进行命名，以便于后续的模拟和分析。

根据 Fluent 中对网格质量的要求，在 Mesh 模块中，采用图 9-11 所示的网格偏斜度进行质量分析，总体网格偏斜度小于 0.9，理论上满足 CFD 计算仿真需求。图中，横坐标表示网格质量的单元指标，该处指标为文中提到的偏斜度，没有单位，取值范围 0～1，纵坐标表示符合对应网格单元指标的网格数量，单位为个。

此外，还可以利用 ANSYS Workbench 提供的自动网格划分工具，根据

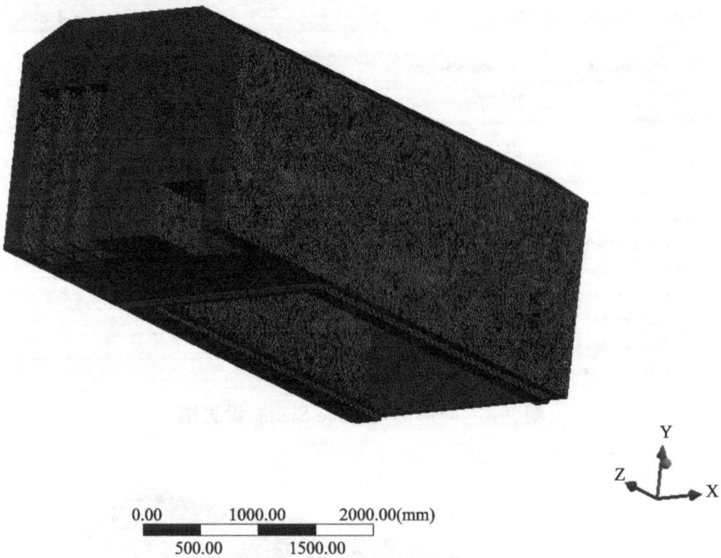

图 9-10 方舱工作间流体域部分网格图

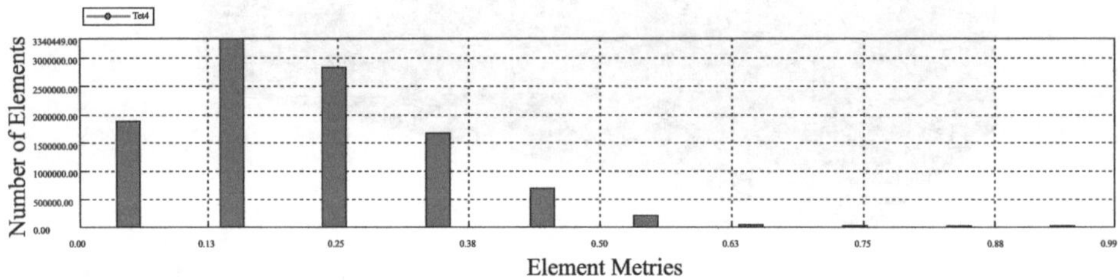

图 9-11 网格质量分析

输入几何模型和网格参数自动生成适宜的网格，降低人工操作的复杂性。这些工具能够适用不同种类的几何体情况，进一步提高了网格划分的效率。

9.2 温度场仿真结果

9.2.1 流固耦合参数设置

在CFD模拟中，热源边界条件的设定对仿真结果的准确性至关重要。因此需要在模型中精确创建并施加热源或边界条件。如图 9-12 所示，左氧舱和工作舱等关键区域被选为热源或边界条件的施加区，这些区域在图中以红色明确标记。通过在这些特定区域设置热源，可以模拟设备操作过程中的热效应，以及它们对周围环境温度分布的影响。

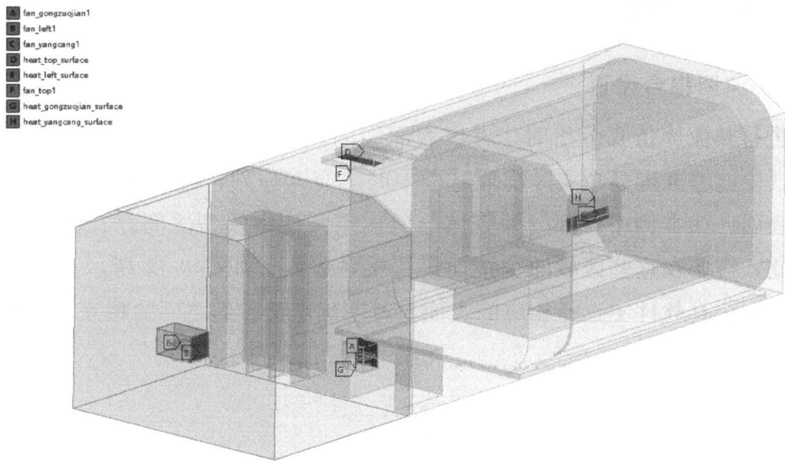

图 9-12　内部热源或边界条件施加区域

正确配置这些热源或边界条件对于确保仿真能够准确预测实际工作条件下的温度分布、热流和热交换等现象是必要的。此外，这些设置还影响到系统内流体力学行为的模拟，包括流动模式、压力分布和温度梯度等。因此，在准备仿真模型时，必须仔细考量并精确施加这些热源或边界条件，以便得到可靠的仿真结果，从而为设计和优化提供强有力的数据支持。

以制冷技术要求为例。对于环境温度的模拟，在流固耦合模型中的固体部分的壳体外表面施加，即设定外部环境温度，如图 9-13 所示，在外壳外表面施加 233.15K（−40℃）边界条件，用于模拟外部环境温度。

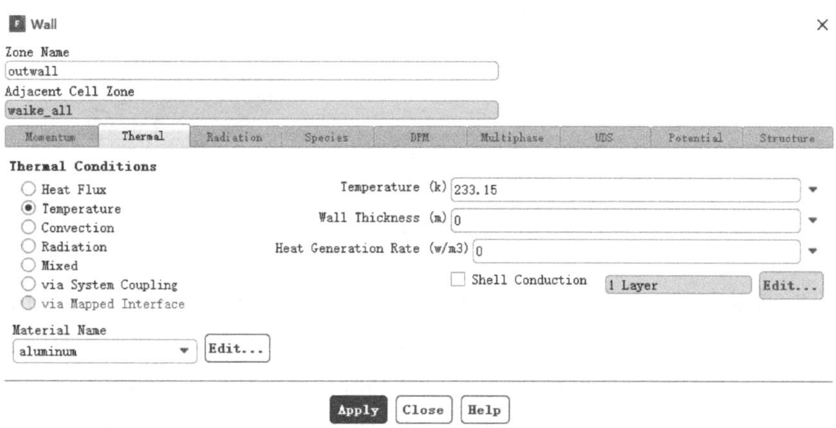

图 9-13　外部环境温度设置

9.2.2 边界条件设置

(1) 流固耦合设置

在进行热流体仿真分析时，考虑表面间的热量交换是至关重要的环节。为确保仿真中能够准确模拟实际物理过程中的热交互作用，必须在CFD模型中定义接触表面。如本例中，部分外壳体与舱内空气流体模型之间存在潜在的热交换，因此，需要在这些区域的交接面设置接触表面，如图9-14所示。这一步骤通常涉及在仿真软件中选择相应的表面，并明确定义它们之间的相互作用类型。

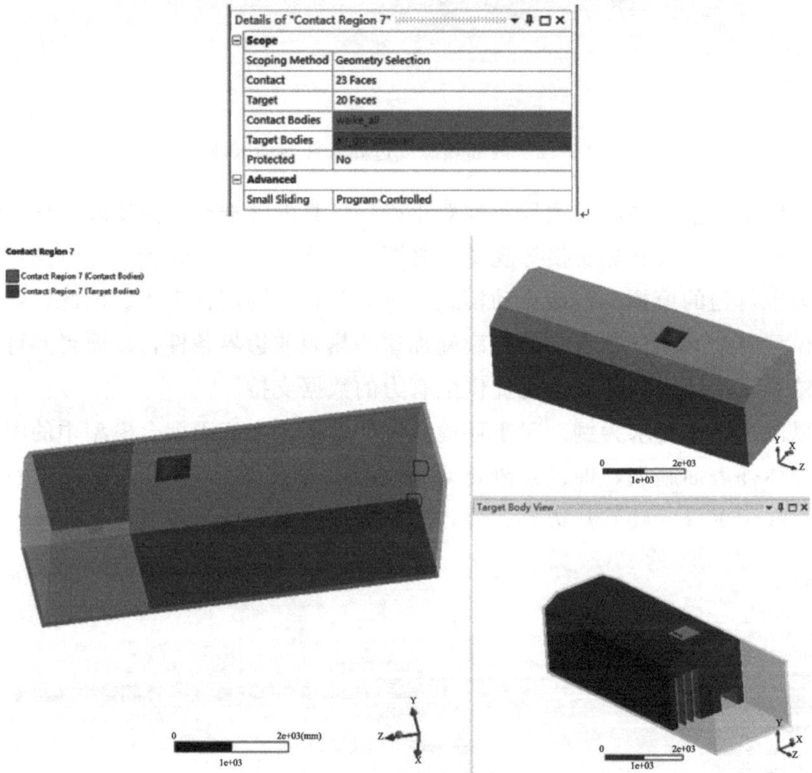

图9-14 接触表面定义

设定接触表面可以帮助分析者模拟不同组件之间的热传导、对流和辐射效应。正确配置接触表面对于预测温度分布、热流路径以及系统的总体热性能非常关键。此外，有效的接触表面定义还可以提高仿真的收敛性，避免数值计算中出现错误。因此，在准备此类仿真时，细致而准确地设定接触表面是确保结果可靠性的前提之一，有助于为后续的优化设计和故障分析提供更精确的模拟数据。

本次分析中，需对表面间的热量进行交换，因此需对存在热交换可能的表面进行接触表面定义，以部分外壳体和舱内空气流体模型为例，进行接触表面设定。

在 Fluent 中，为了实现热量传递计算分析，需要对所有接触区域进行耦合。在为所有接触表面建立接触关系后，通过在 Fluent 中进行设置，可以使得这些接触区域能够相互交换热量。具体操作时，可以通过软件的界面选择相应的接触表面，并定义它们之间的耦合关系，如图 9-15 所示。这样设置之后，仿真模型就能考虑不同部件之间的实际热交互作用，从而模拟整个系统的热行为。

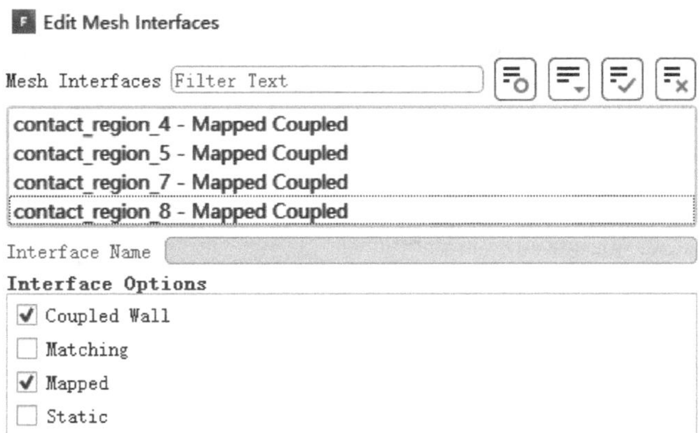

图 9-15　接触面耦合设置

（2）进出口及热源表面设置

在 ANSYS Workbench 的 Mesh 模块中，可以通过创建命名选择（Named Selections）或部件（Parts）来建立自定义表面，以便在后续的分析中方便地定义热源或边界条件的加载面。以下是操作步骤：

① 打开 ANSYS Workbench，并导入或创建一个新的几何模型。

② 在项目概览（Project Schematic）窗口中，双击“Model”单元格以进入 Mesh 模块。

③ 在 Mesh 模块的左侧工具栏中，点击“Create”→“Named Selections”或“Create”→“Parts”，然后在详细设置窗口中输入一个名称，如“Heat _ Source”或“Boundary _ Condition”。

④ 在详细设置窗口的“Geometry”部分，点击“Apply”按钮，然后选择希望定义为热源或边界条件加载面的几何表面。可以使用鼠标点击选择单个表面，或者按住 Ctrl 键选择多个表面。

⑤ 完成选择后，点击“Generate”按钮创建命名选择或部件。现在，可以在后续的分析中（如热分析、结构分析等）通过这个命名选择或部件来方便地定义热源或边界条件加载面。

⑥ 如果需要在后续分析中应用这些自定义表面，可以在相应的分析模块（如 Setup 模块）中，通过“Boundary Conditions”或“Loads”选项卡找到命名选择或部件，并为其分配适当的热源或边界条件。

⑦ 完成设置后，可以进行网格划分、求解和结果分析等操作。

通过以上步骤，可以在 ANSYS Workbench 的 Mesh 模块中建立自定义表面，以便在后续分析中方便地定义热源或边界条件的加载面。这有助于提高分析效率并简化操作流程。

在本次分析中，共定义风扇、空调出风口、方舱外表面等共 9 个自定义表面，如图 9-16 所示。

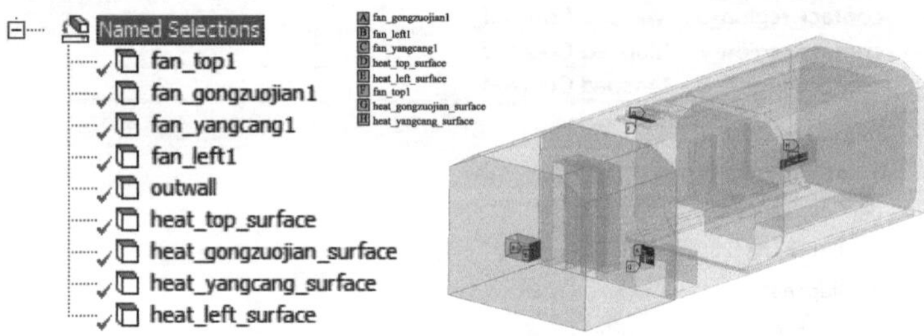

图 9-16 自定义表面设置

在使用 Fluent 进行湍流模型仿真时，为了更准确地模拟湍流的物理特性，通常选择 Realizable k-ε 模型，如图 9-17 所示。该模型在处理旋转流动和边界层流动时表现出较高的精度。

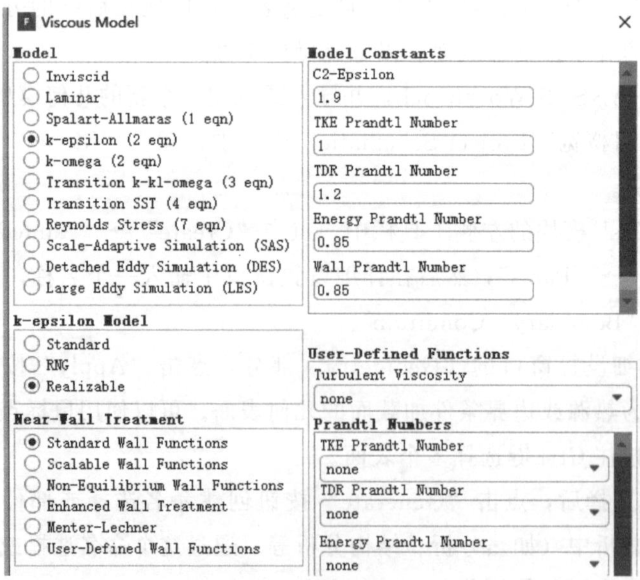

图 9-17 湍流模型设定

在求解过程中采用 Coupled 算法，该算法可以同时处理连续方程、动量方程和能量方程，这有助于提高求解的稳定性和效率。一般情况下，计算过程需要通过多次迭代以实现结果的收敛，获得最终解。为了保证计算的精度，在迭代过程中一般采用二阶迎风方程进行离散化，这样可以减小数值误差，提高解的精确度。二阶迎风方程能够更精确地模拟物理量在空间上的变化，尤其适用于复杂流动现象的模拟，如湍流中的涡旋和边界层问题。

对于本次分析，具体模型求解设置如图 9-18 和图 9-19 所示。

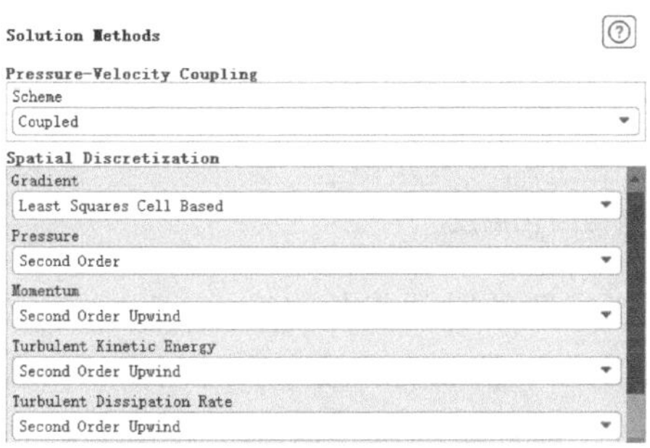

图 9-18　求解方法设定

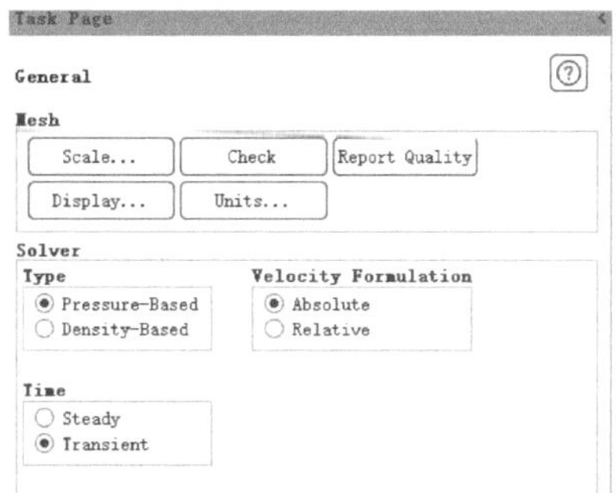

图 9-19　瞬态求解模式设定

如图 9-20 所示，在 Fluent 中，开启能量方程（Energy Equation）是进行涉及热传递问题的仿真的关键步骤。这一操作确保了仿真能考虑到能量传输对流体流动和热力学属性的影响。

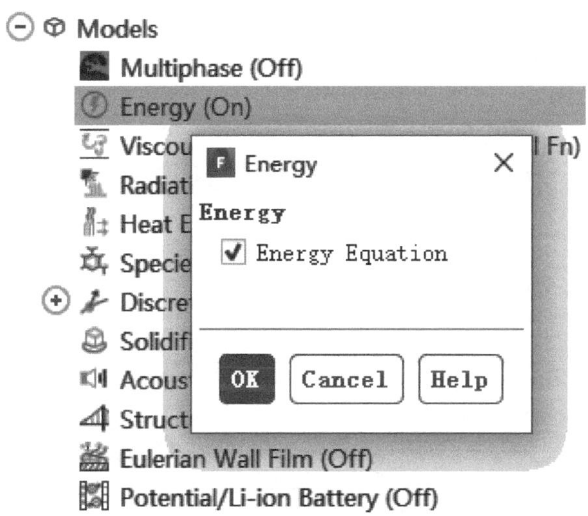

图 9-20　开启能量方程求解

如图 9-21 所示，在 Fluent 中，通常使用 Patch 功能来给定初始温度，它允许用户在模拟开始之前，为流场中的一个或多个特定区域设定不同的初始条件。

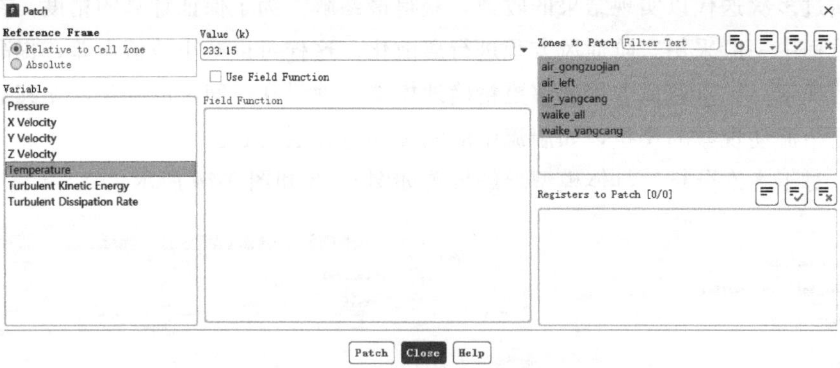

图 9-21 仿真模型初始化温度

如图 9-22 所示，在 Fluent 中设定瞬态求解的时间步长（Time Step Size）需要综合考虑多个因素，以保证计算的稳定性、精确度和效率。时间步长的合理设定不仅影响解的精度，还直接关联到计算资源的利用效率。在瞬态模拟中，时间步长的大小决定了模拟的时间分辨率，即能够捕捉到的现象的最小时间尺度。设定过大会遗漏细节或导致计算不稳定，而设定过小则会增加计算成本、降低效率。根据仿真经验，本分析中 Time Step Size 设定为 10s。

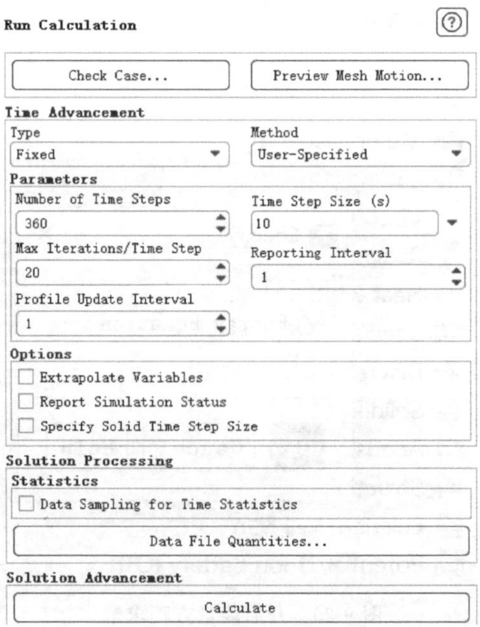

图 9-22 瞬态求解步长

9.3　温度场仿真结果分析

使用 Fluent 进行热流体模拟分析后，可以通过专用后处理模块 Results 进行后处理来实现可视化，并对分析模拟结果进行处理。首先，在 Fluent 中完成模拟后，导出计算结果文件，通常是 .cas 和 .dat 文件。然后，启动 Results，通过“文件”菜单导入这些文件。在 CFD-Post 中，可以创建等值面、切面、矢量图等，以直观展示流场、温度场、压力场等。此外，还可以调整色彩映射、透明度、光照效果等视觉效果，以便更清晰地观察和分析特定的模拟结果。Results 还提供了生成量化数据报告的功能，如流场中最大速度、平均温度等，对于理解和展示模拟结果的具体数值非常有帮助。完成所需的后处理分析后，可以将可视化场景和报告以常用的图像和文档格式导出。如果在 ANSYS Workbench 中完成以上仿真，可以通过内置快捷连接完成仿真数据的传输。

9.3.1　后处理与数据收集

对特种汽车方舱温度场仿真的后处理包括瞬态制冷工况的后处理与瞬态制热工况的后处理两部分。

(1) 瞬态制冷工况要求及后处理

① 瞬态制冷工况技术参数。根据技术要求：

制冷：起始 35℃，3600s，瞬态。暖风风压 600Pa（自定义）。

期望：

氧舱：1h 内 35℃降低至 28℃。

工作间：30min 内降温 10℃。

经分析，当工作间制冷量为 4000W、氧舱制冷量为 2500W 时，经过 60min 瞬态仿真分析，各舱温度如表 9-3 所示。

表 9-3　制冷功率及瞬态制冷温度

工作间制冷量/W	氧舱制冷量/W	平均温度/℃		
		工作间	氧舱	左空间
4000	2500	8.05	10.45	34.99

② 后处理——截面选取。在后处理中，为方便说明各区域温度分布，在模型（如图 9-23 所示）中选取不同截面进行对比。

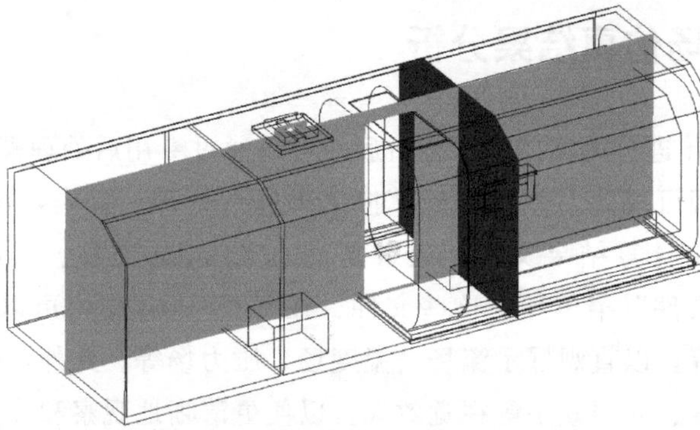

图 9-23　瞬态制冷工况的截面选取

③ 后处理——数据曲线。在 Fluent 中，可以通过设置报告和绘图选项来生成所需的结果。图 9-24 是设定报告和绘图的一般方法。

图 9-24　对选定区域设置温度-时间曲线

④ 后处理——结果读取。在完成 Fluent 仿真分析后，通过图 9-25 所示的模块之间的连接，将仿真结果传输至后处理模块 Results。

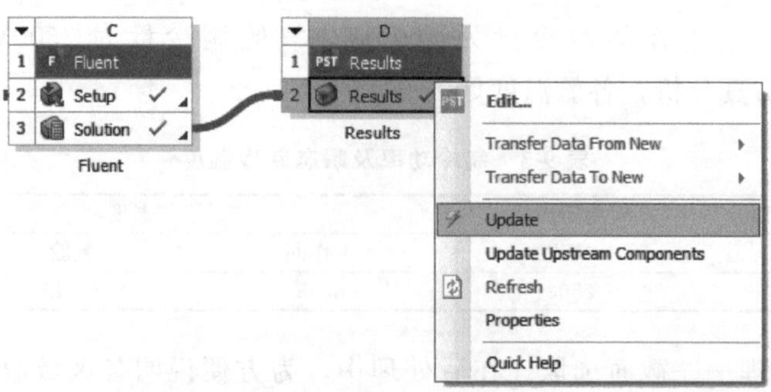

图 9-25　后处理数据读取

⑤ 后处理——定义截面所对应的变量参数。

在后处理模块中，针对所选截面，可以进行该截面的变量显示，如可以对显示截面定义显示“温度”变量，如图 9-26 所示，也可以显示“流速”变量，如图 9-27 所示。

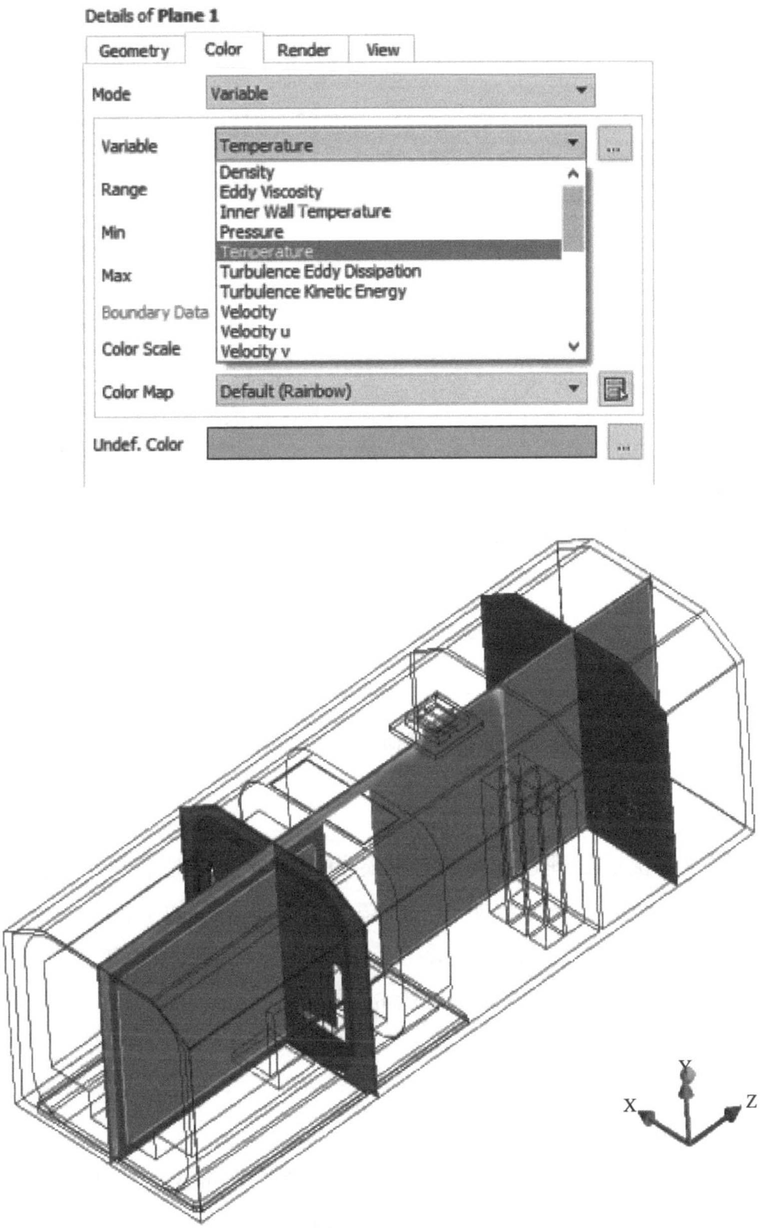

图 9-26　定义截面显示“温度”变量

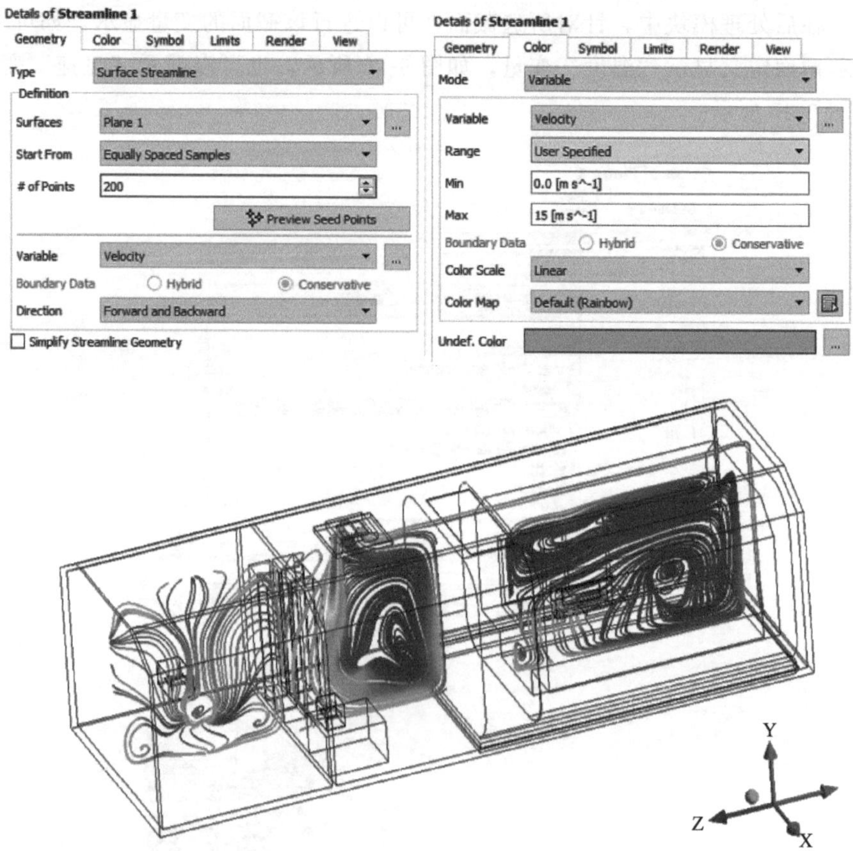

图 9-27　定义截面显示“流速”变量

（2）瞬态制热工况要求及后处理

瞬态制热工况后处理过程与瞬态制冷相同，此处仅对工况技术参数、后处理结果进行分析。根据技术要求得到瞬态制热技术参数如下：

制热：起始－40℃，3600s，瞬态；暖风风压 600Pa（自定义）。

空气体积：工作间 10.1m^3、氧舱 6.8m^3。

期望：

氧舱：1h 内升至 15℃。

操作间：30min 内升温 5℃。

经分析，当工作间制热量为 2500W、氧舱制热量为 6000W、7200W 时，经过 60min（3600s）瞬态仿真分析，各舱温度如表 9-4 所示。在 CFD 仿真中，较好地满足了期望指标。

表 9-4　制热功率及瞬态制热温度（工况 1）

工作间制热量/W	氧舱制热量/W	平均温度/℃		
		工作间	氧舱	左空间
2500	6000	−23	19	−40
2500	7200	−23	31	−40

9.3.2　瞬态工况仿真结果对比分析

如图 9-28 所示，制冷温度云图范围 $-6.104\times10^{-6}\sim35$℃时，观察温度分布在工作间区域降温较快，其原理是在置顶空调出风口的边缘区域受风口直接影响较小，且受外壳（环境温度）温度影响较大。

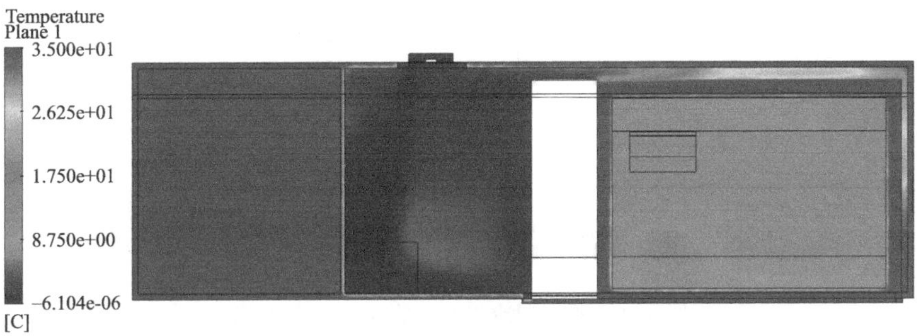

图 9-28　瞬态制冷工况纵截面温度分布云图

如图 9-29 所示，为方便对比，制冷温度云图范围 $-6.104\times10^{-6}\sim35$℃，主要用于观察氧舱温度分布，氧舱体积相对较小，且不存在远程制冷需求，整体温度分布比工作间均匀。

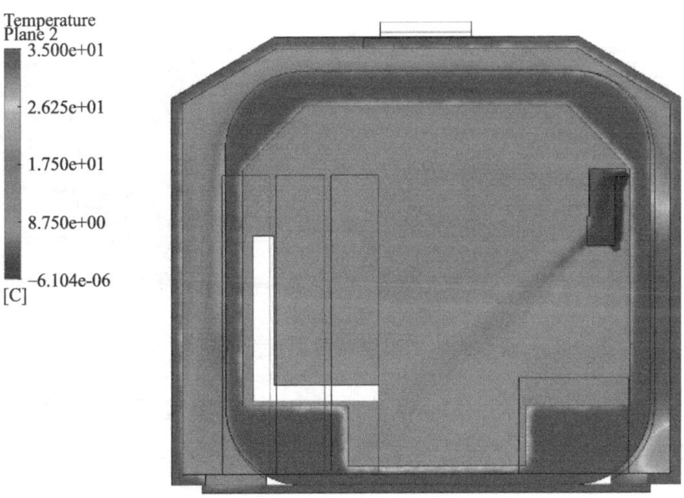

图 9-29　瞬态制冷工况横截面温度分布云图

从图 9-30 可知，在制冷初期，制冷温度下降较快，这是因为制冷系统启动后迅速进入高效工作状态，温差较大，换热效率高，使得被冷却空间的温度迅速降低。约 500s 后，随着空间内温度的逐渐降低，热负荷减少，温差减小，热交换效率下降，制冷速度开始减缓并逐渐趋于平稳。与技术要求相比，能够有效满足特定空间的制冷需求，且有较大富余量。

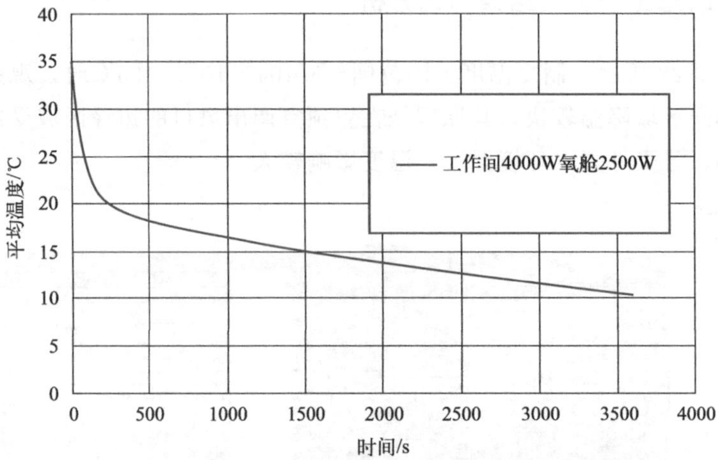

图 9-30　瞬态制冷工况氧舱温度-时间曲线

在瞬态制热工况（2500W＋7200W）中所选截面如图 9-31 所示，为方便对比，温度云图范围－40～16℃，主要用于观察工作间温度分布，与制冷工况类似，在距离暖风口较远处，且受环境温度影响较大，因此温度偏低。

图 9-31　瞬态制热工况纵截面温度分布云图（工况 1）

如图 9-32 所示，采用 2500W＋7200W 时，温度云图范围－40～42℃，主要用于观察氧舱温度分布，除暖风直接吹拂区域，其余区域温度分布较均匀。

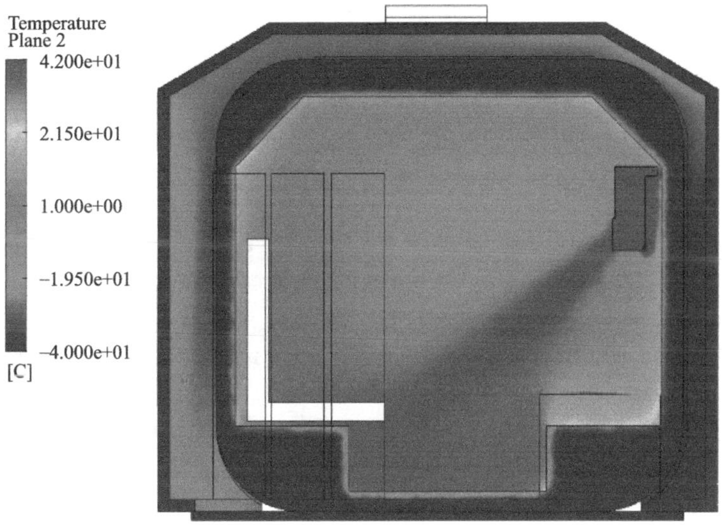

图 9-32　瞬态制热工况横截面温度分布云图（工况 1）

从图 9-32 和图 9-33 可知，对于工作间区域，主要受自身空间内加热功率影响较大，在瞬态 60min 内，氧舱制热量变化对其影响细微（两条曲线基本重合）。但当氧舱制热量从 6000W 提升至 7200W 时，对其自身舱内温度影响较大，60min 后平均温度高约 10℃。

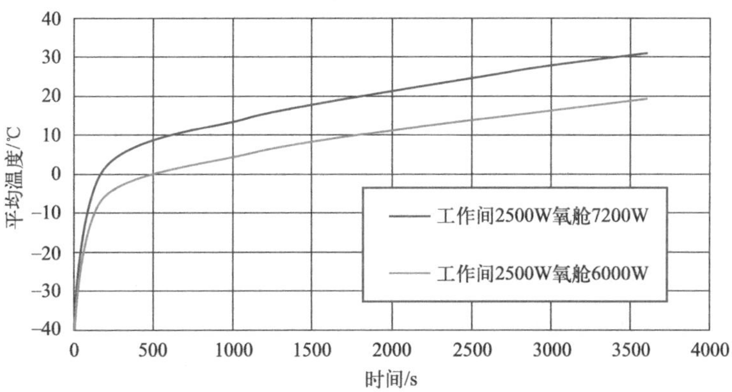

图 9-33　瞬态制热工况氧舱温度-时间曲线（工况 1）

思考题

1. 简述热流体仿真的基本流程。
2. 如何在 ANSYS 软件中导入外部的三维模型？
3. 网格划分的基本原则是什么？

参考文献

[1] 余志生．汽车理论［M］．5版．北京：机械工业出版社，2019.

[2] 雷蕾．并联式混合动力客车动力系统参数匹配及换挡规律研究［D］．武汉：武汉理工大学，2017.

[3] 杨业，张幽彤，单小明．伴随发动机起动的混合动力模式切换控制［J］．汽车工程，2019，41(12)：1356-1364.

[4] 吴晓亮，付景顺，孙志强．单轴并联混合动力汽车动力系统参数匹配研究［J］．汽车实用技术，2021，46（22）：88-91.

[5] 王长圆．重载牵引挂车混合双动力驱动系统的设计与仿真分析［D］．锦州：辽宁工业大学，2023.

[6] 王春凯．基于遗传算法的混合动力公交车能量管理策略研究［D］．济南：山东大学，2020.

[7] 薛定宇．基于MATLAB/Simulink的系统仿真技术与应用［M］．2版．北京：清华大学出版社，2014.

[8] 张晓辉．并联混合动力汽车动力系统匹配及换挡策略的研究［D］．长春：吉林大学，2021.

[9] 张文博，杨志刚，晏强．混合动力重型卡车构型方案与控制策略简述［J］．汽车实用技术，2018，273（18）：36-39.

[10] Ehsani M.，等．现代电动汽车、混合动力电动汽车和燃料电池车——基本原理、理论和设计［M］．王军，李涛，译．3版．北京：机械工业出版社，2020.

[11] 陈林．基于卡尔曼滤波的半挂汽车列车状态估计［D］．沈阳：东北大学，2014.

[12] 潘凯强．重型半挂车多轴转向控制策略研究［D］．长春：吉林大学，2020.

[13] 李晓建．电动轮驱动多轴特种车稳定性控制及驱动容错研究［D］．长春：吉林大学，2021.

[14] 朱美华，沈斌，王筠．轿车悬架虚拟样机技术应用研究［J］．西安工程科技学院学报，2007(1)：75-78.

[15] 代馥光．半挂汽车列车路径跟随控制研究［D］．长春：长春工业大学，2018.

[16] GB/T 6323—2014．汽车操纵稳定性试验方法．

[17] 石炳明．基于差动制动和主动转向控制的半挂汽车列车横向稳定性研究［D］．青岛：青岛理工大学，2021.

[18] 郝云堂，金烨，季辉．虚拟样机技术及其在ADAMS中的实践［J］．机械设计与制造，2003(3)：16-18.

[19] 王国强，张进平，马若丁．虚拟样机技术及其在ADAMS上的实践［M］．西安：西北工业大学出版社，2002.

[20] 杨兆，雷正保．基于ADAMS仿真求解集装箱正面吊运机作业稳定系数［J］．港口装卸，2005(3)：7-9.

[21] 宋健，张越今．ADAMS软件应用中解决数值发散的技巧［J］．汽车技术，1996（12）：9-13.

[22] 李军，邢俊文，覃文洁．ADAMS实例教程［M］．北京：北京理工大学出版社，2002.

[23] 刘剑钊，党建军，张进军．基于ADAMS的摆盘机构动力学仿真分析［J］．机械设计与制造，2012（4）：76-78.

[24] 吴光强，张亮修，刘兆勇，等．汽车自适应巡航控制系统研究现状与发展趋势［J］．同济大学学报（自然科学版），2017，45（4）：544-553.

[25] 秦严严，王昊，王炜，等．自适应巡航控制汽车跟驰模型综述［J］．交通运输工程学报，2017，17（3）：121-130.

[26] 姜俊昭，徐业凯，张小纹，等．基于主客观融合的轮胎与整车操纵稳定性匹配评价方法研究［J］．汽车工程，2025，47（4）：776-787.

[27] 石培培．基于仿真的汽车悬架参数匹配及其对操稳性的影响［J］．专用汽车，2024（2）：37-39.

[28] 王颂扬，钟家富．汽车制动系统力学研究［J］．汽车测试报告，2023（17）：158-160.

[29] 陈俐，李雄，程小宣，等．汽车线控转向系统研究进展综述［J］．汽车技术，2018（4）：23-34.

[30] 崔文锋．智能汽车综合纵向控制的统一驾驶员模型研究［D］．长春：吉林大学，2017.

[31] 张雷．中国新能源汽车电池产业发展动力机制研究［D］．北京：北京交通大学，2022.

[32] 刘阳，杨浩．电动汽车电机控制策略优化及其对能效的影响研究［J］．汽车维修技师，2024（24）：35-36.

[33] 郑乐，龙腾，龙佳敏，等．汽车雷达关键技术分析与展望［J］．太赫兹科学与电子信息学报，2023，21（4）：437-451.

[34] 王政，丛日振，谷祥盛，等．基于CANoe的热管理台架测试方法研究［J］．汽车零部件，2024（9）：59-62.

[35] 张悦钿，尚志武．基于云平台的旋转机械轴承监测系统设计［J］．机床与液压，2023，51（22）：103-107.

[36] 王子木，邹嘉俊，窦如凤，等．基于LabVIEW的智能车位管理系统［J］．内燃机与配件，2024（23）：20-22.

[37] SIVARANJANI S，VELMURUGAN S，KATHIRESAN K. Visualization of virtual environment through LabVIEW platform［J］．Materials Today：Proceedings，2021，45：2306-2312.

[38] ZHENG Y，ZHAO J，TANG Y. Design of multi-channel data acquisition system based on FPGA［J］．International Journal of Frontiers in Engineering Technology，2022，4：26-29.

[39] PHOTONG A，RAEKRIANG J，PRAWING T. Electric motor drive toolkits using digital signal processor（DSP）based on hardware-in-the-loop（HIL）technique［C］//2023 IEEE Transportation Electrification Conference and Expo，Asia-Pacific（ITEC Asia-Pacific）．IEEE，2023：1-3.

[40] GUNDOGDU A，CELIKEL R，DANDIL B，et al. FPGA in-the-loop implementation of direct torque control for induction motor［J］．Automatika：Časopis Za Automatiku，Mjerenje，Elektroniku，Računarstvoi Komunikacije，2021，62（2）：275-283.

[41] 梅三冠，卢闻州，樊启高，等．基于滑模观测器误差补偿的永磁同步电机无位置传感器控制策略［J］．电工技术学报，2023，38（2）：398-408.

[42] 李本正．多FPGA系统结构感知的电路快速划分方法研究［D］．西安：西安电子科技大学，2023.

[43] 张思艳．三相电压型逆变电路SVPWM算法谐波抑制关键技术研究［D］．哈尔滨：哈尔滨理工大学，2023.

[44] 张生，罗小江，曾祥斌，等．多轴特种车上装转动惯量测试及计算［J］．导弹与航天运载技术，2016（3）：85-88.

[45] 夏冰新，王娜，商丽．机械设计基础［M］．北京：化学工业出版社，2024.

[46] 高长银，高誉瑄．CATIA V5-6R2020 基础教程［M］．北京：化学工业出版社，2024.

[47] 龙凯，李志尊．ANSYS 2022 有限元分析从入门到精通［M］．北京：人民邮电出版社，2022.

[48] 胡诗悦，吴彬，连碧华．基于 ANSYS Workbench 的汽车传动轴静力学分析［J］．南方农机，2025，56（1）：158-160，198.

[49] 申向东．材料力学［M］．北京：中国水利水电出版社，2017.

[50] 曾小杰．某车载方舱隔热性能优化设计研究［D］．南京：南京理工大学，2021.

[51] 王帆．风力机叶片气动外形设计及性能分析［D］．秦皇岛：燕山大学，2016.